So geht's zum DSD I (A2/B1)

Übungs- und Testbuch

Beate Müller-Karpe
Alexandra Olejárová

Ernst Klett Sprachen
Stuttgart

So geht's zum DSD I (A2 / B1)

Übungs- und Testbuch

Wir danken Dr. Boris Menrath und
Dr. Rainer Wicke für die Beratung.

1. Auflage 1 10 9 | 2023 22 21

Internetadresse: www.klett-sprachen.de

Autorinnen: Beate Müller-Karpe, Alexandra Olejárová
Redaktion: Stefanie Plisch de Vega
Layoutkonzeption: Anastasia Raftaki, Jasmina Car, Barcelona
Herstellung: Anastasia Raftaki
Gestaltung und Satz: Jasmina Car, Barcelona
Umschlaggestaltung: Anna Katharina Wanner
Illustrationen: Vera Brüggemann, Bielefeld
Reproduktion: Meyle + Müller GmbH + Co. KG, Pforzheim
Druck und Bindung: Elanders GmbH, Waiblingen
Printed in Germany

ISBN 978-3-12-675975-5

Liebe Schülerinnen und Schüler in der ganzen Welt,

wir sind fünf Mädchen und sechs Jungen aus der Klasse 10a und wir begleiten euch durch dieses Buch. Damit ihr seht, wie wir aussehen, ist hier ein Foto von uns.

Was ihr mit diesem Buch lernen könnt, haben wir in ein Lied verpackt – Melanie singt es euch vor. Ihr könnt das Lied einfach anhören und später mitsingen, wenn ihr wollt.

Wir wünschen euch viel Spaß beim Singen und Lernen – und natürlich viel Erfolg bei der Prüfung!

Hören, Lesen, Sprechen, Schreiben –
all das wollen wir dir zeigen
und wir üben immer mehr,
dann ist alles halb so schwer.

Viele Texte sind zu hören,
dabei soll uns keiner stören!
Nur wer richtig hören kann,
kreuzt die richtige Antwort an.

Hören, Lesen, Sprechen, Schreiben –
all das wollen wir dir zeigen.
Nur wer richtig hören kann,
kreuzt die richtige Antwort an.

Kurze Texte und auch lange
machen dich dann nicht mehr bange.
Tipps und Tricks, die helfen sehr,
dann ist Lesen gar nicht schwer.

Hören, Lesen, Sprechen, Schreiben –
all das wollen wir dir zeigen.
Tipps und Tricks, die helfen sehr,
dann ist Lesen gar nicht schwer.

Schreiben scheint sehr schwer zu sein,
doch du bist hier nicht allein.
In der Gruppe lernen wir –
du mit mir und ich mit dir.

Hören, Lesen, Sprechen, Schreiben –
all das wollen wir dir zeigen.
In der Gruppe lernen wir,
du mit mir und ich mit dir.

Ganz zum Schluss ist Sprechen dran –
geh da einfach locker ran!
Viele Fragen stellt man dir,
bei der Antwort helfen wir.

Hören, Lesen, Sprechen, Schreiben –
all das wollen wir dir zeigen.
Viele Fragen stellt man dir,
bei der Antwort helfen wir.

Dieses Buch mit bunten Seiten
wird beim Lernen dich begleiten.
Harte Arbeit – doch dein Lohn:
DSD, das Sprachdiplom.

Hören, Lesen, Sprechen, Schreiben –
all das wollen wir dir zeigen.
Harte Arbeit – doch dein Lohn:
DSD, das Sprachdiplom.

DSD, das Sprachdiplom!

Inhaltsverzeichnis

Die Symbole bedeuten:

Hört den Text zur Aufgabe.

Arbeitet zu zweit.

Arbeitet in einer Gruppe.

Projekt, Recherche

? Wichtige Frage für die mündliche Prüfung

Die Audio-CD mit den Hörtexten und die DVD mit Beispielen für die mündliche Prüfung sind im Lehrerhandbuch, ISBN 978-3-12-675976-2.

Die Hördateien zum Modelltest sind im Internet unter www.klett-sprachen.de/dsd-1

1 Reisen

1 Wo ist das?

1

a Schließe die Augen und hör zu. Welche Wörter fallen dir zu welcher Situation ein?

b Schreib die Wörter auf oder zeichne sie.

Situation 1	Situation 2	Situation 3

c Bildet Gruppen zu jeder Situation. Findet eine passende Überschrift und schreibt dann so viele Wörter wie möglich auf, die zur Situationen passen.

Meer:
Strand, Sonne, warm

2 Auf Reisen

a Was passt nicht? Unterstreiche die Wörter und erkläre, warum sie nicht zu den anderen passen.

1 in den Bergen – am Meer – im Kino – auf dem Land – in Rom
2 mit dem Auto – mit dem Koffer – mit dem Bus – mit dem Flugzeug
3 im Hotel – in der Jugendherberge – in der Ferienwohnung – im Café
4 im Meer schwimmen – ein Museum besichtigen – arbeiten – wandern
5 mit meinen Eltern – mit einem Freund – mit meiner Familie – mit dem Fahrrad
6 der Koffer – die Tasche – der Rucksack – der Schlafsack

b Welche Frage passt zu welchen Wörtern in a? Ordne zu. Drei Fragen passen nicht.

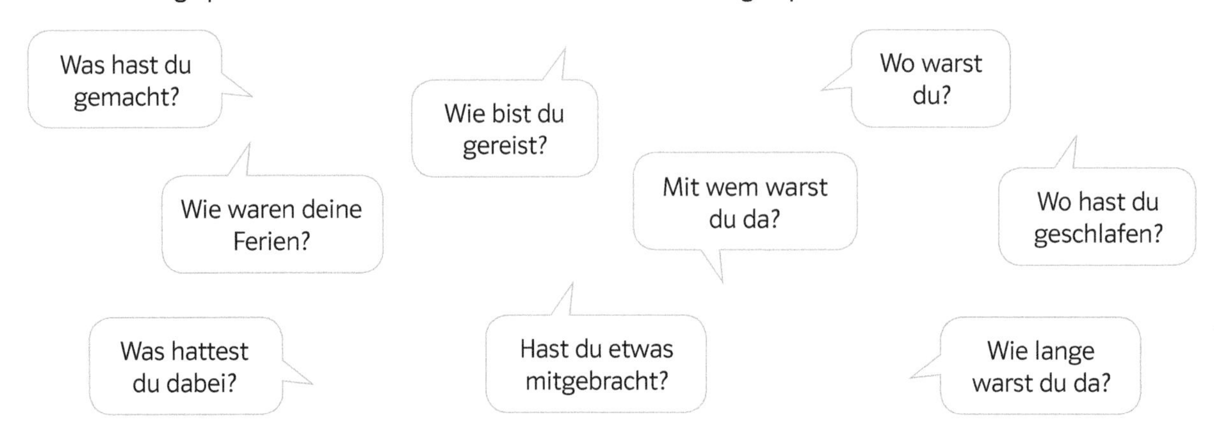

c Was kann man auf die drei anderen Fragen von b antworten? Schreibt verschiedene Antworten.

3 Schülerinnen und Schüler aus der 10a erzählen von ihren Ferien. Dafür haben sie verschiedene Souvenirs mitgebracht.

a Was seht ihr und wo waren die Schülerinnen und Schüler vielleicht?

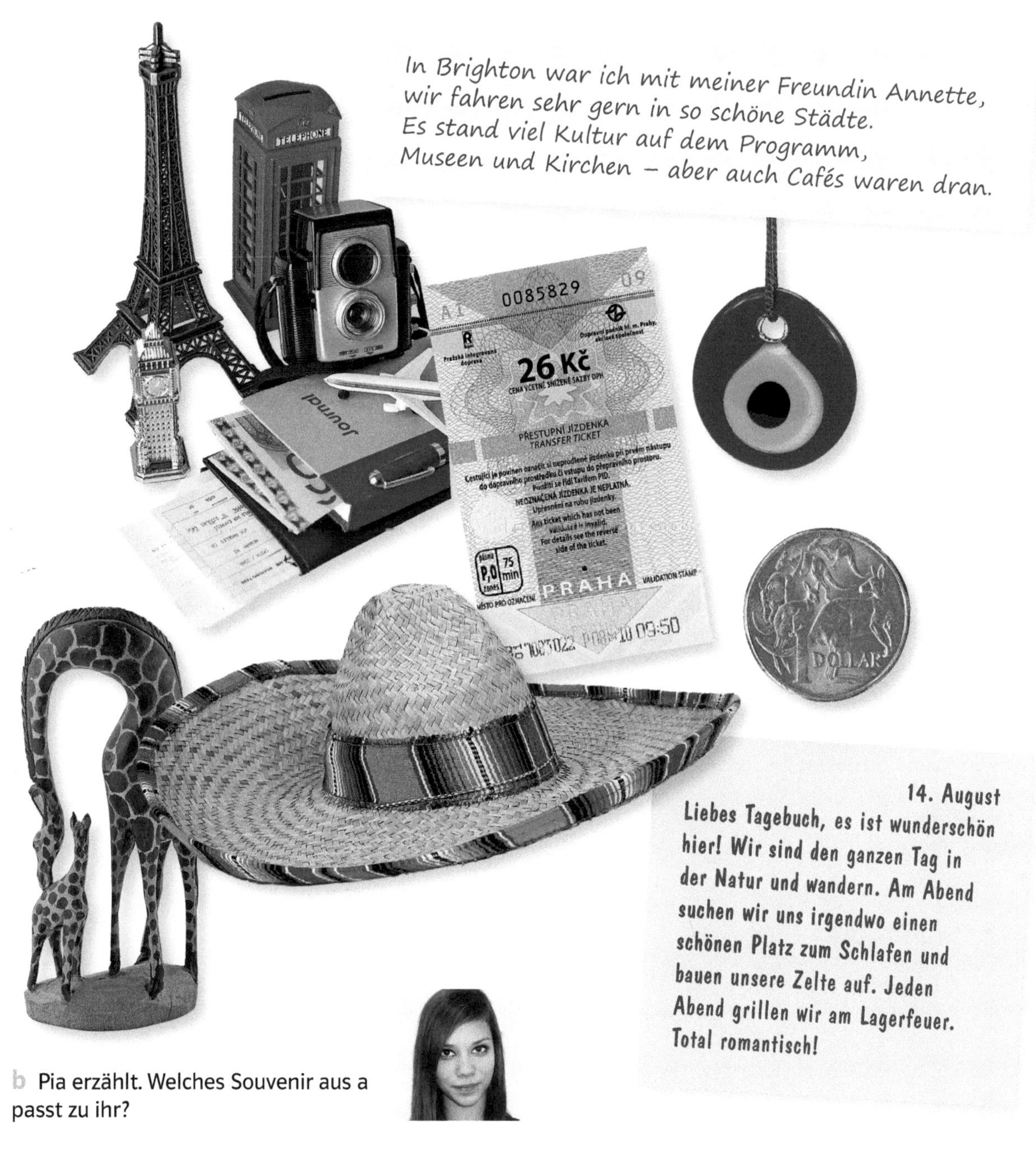

b Pia erzählt. Welches Souvenir aus a passt zu ihr?

2

4 Und du? Wo warst du schon oder wohin möchtest du gern reisen?

Mach dir Notizen in einer Mindmap. Bring auch etwas mit und erzähle.

Lesen und Verstehen

1 Lies den Text. Du hast nur eine Minuten Zeit.

a Eure Lehrerin oder euer Lehrer stoppt die Zeit. Markiere, bis wohin du gelesen hast.

Frankreich und Deutschland sind Nachbarn und Freunde. 2013 fand etwas ganz Besonderes statt: 30 Jugendliche aus Frankreich und Deutschland fuhren mit dem Fahrrad durch beide Länder. In 14 Tagen ganze 1400 Kilometer! Am 29. Juni starteten die jungen Franzosen und Deutschen vom Stadtrand der französischen Metropole. Jeden Tag sind sie ungefähr 100 km gefahren. Dabei erlebten sie gemeinsam schöne Landschaften und eindrucksvolle Städte, aber auch Gedenkstätten an Krieg und Frieden standen auf dem Programm – denn Frankreich und Deutschland waren nicht immer gute Freunde. In Reims besuchten die Schüler die berühmte Kathedrale, danach überquerten sie den Grenzfluss Rhein. Auf ihrer Fahrt durch Deutschland besuchten sie Städte wie Wiesbaden und Fulda, Leipzig und Wittenberg und sie wurden überall freundlich begrüßt. Weniger freundlich war leider das Wetter zu den Radfahrern. Es gab Blitz und Donner, starken Regen und zum Schluss dann tropische Temperaturen. Am 12. Juli kamen die Jugendlichen dann in Berlin an.

b Was hast du bis jetzt verstanden?

Es geht um …

Tipp

Oft musst du nicht jedes Wort in einem Text verstehen, um zu erkennen, worum es in einem Text geht. Wenn du einen Text aber genauer verstehen willst, dann kannst du zum Beispiel W-Fragen an den Text stellen.

c Formuliert W-Fragen, die zum Text in a passen.

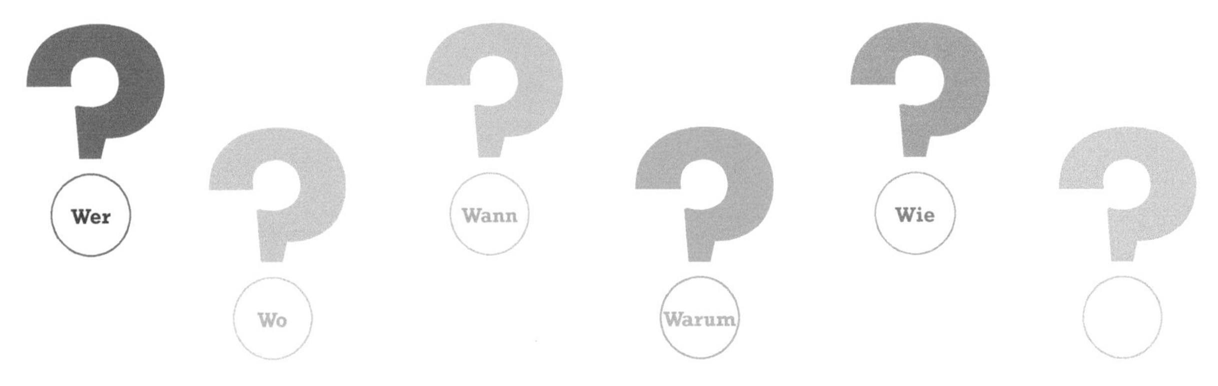

2 Überschriften

a Welche Überschrift passt zu dem Text in 1a? Warum?

☐ **Schüler aus Frankreich und Deutschland machen zusammen eine Radtour**

☐ **Schlechtes Wetter bei Radtour**

b Lest diese Überschriften. Was könnte in einem Text dazu stehen? Sammelt Ideen an der Tafel.

Frankfurt ist eine Reise wert

Die Franzosen kommen

Besuch aus Frankreich – Wir zeigen unsere Stadt

3 Schüleraustausch

a Lies die vier Texte und unterstreiche zusammengesetzte und internationale Wörter in zwei verschiedenen Farben.

Sophie: Mir gefällt, dass hier so viele Menschen aus anderen Ländern leben, die ihre Kultur mitgebracht haben. Alles ist international: die Lebensmittelgeschäfte, die Klamottenläden – da gibt es ganz originelle Kleidung – und auch die Musik. Ich mag die Straßenmusiker in der Stadt und den Flohmarkt am Samstag. Da gehe ich mal mit Mireille hin.

Tim: Für mich ist besonders das Zentrum mit den Hochhäusern interessant. Es ist das Frankfurter Bankenviertel und sieht aus wie Manhattan – und da Frankfurt am Main liegt, sagt man auch *Mainhattan* dazu oder *Bankfurt*. Man hat dort das Gefühl, in einer richtigen Weltstadt zu sein und fühlt sich winzig zwischen den Wolkenkratzern.

Emily: Ich gehe mit meiner Französin auf jeden Fall in die historische Altstadt, zum „Römer“, das ist das Rathaus von Frankfurt. Nicht weit ist auch die alte Fußgängerbrücke über den Main, der „Eiserne Steg“. Von dort aus hat man einen super Blick auf den Dom und die ganze Stadt. Alle Touristen machen da ihre Fotos.

Paul: Das Sportangebot ist einfach toll. Ich gehe zum Basketball und spiele Ping-Pong. Wir haben auch berühmte Fußballclubs. Mein Austauschpartner ist Fußballfan. Wir gehen also sicher zu einem Spiel. Es gibt auch eine Eissporthalle mit internationalen Wettkämpfen. Am Sonntag wollen wir alle eine Schifffahrt auf dem Main machen. Das macht super viel Spaß!

b Fass kurz zusammen: Wer spricht über was und wen?

c Welche Überschrift aus 2b passt am besten? Warum?

d Könnt ihr unbekannte Wörter in den Texten aus dem Zusammenhang erklären?

e Was würdet ihr Gästen in eurer Stadt zeigen? Sammelt Ideen für eine Tour für Jugendliche.

4 Marcel war in Frankfurt zu Besuch

a Welche Wörter fehlen in Marcels Text? Ergänze mögliche Lösungen.

In Frankfurt hat es mir wirklich gut ____________. Als wir am Hauptbahnhof ankamen, hat die 10a ____________ auf uns gewartet. Wir sind dann alle in unsere Gastfamilien gefahren und am ____________ gab es eine Willkommensparty mit viel ____________ und alle haben getanzt. Die Eltern hatten auch viel ____________ und Getränke vorbereitet: ein tolles Buffet! Jeden Tag haben wir in der ____________ am Unterricht teilgenommen und am ____________ gab es ein abwechslungsreiches Programm: Museen, der Fernsehturm und der ____________ mit den vielen Tieren, aber auch shoppen im Einkaufszentrum. Wir haben uns alle gut verstanden und ich ____________ mich schon, wenn uns die 10a ____________ Frankreich besucht.

3

b Hört den Text und vergleicht mit euren Lösungen.

So geht's: Vorbereitung auf Leseverstehen Teil 1

1 Am Bahnhof

a Kennst du diese Wörter?

einsteigen Rucksack Fahrplan langweilig Fahrgäste aussteigen Uhr Abfahrt Koffer warten verspätet

b Zeichne diese Tabelle in dein Heft und ordne die Wörter aus a zu.

Verben	Nomen	andere Wörter
	der Fahrplan	

c Sucht euch zwei Wörter aus a aus und formuliert dazu Sätze. Schreibt eure Sätze an die Tafel – aber lasst immer das Wort aus. Die anderen raten, welches Wort fehlt.

Der Mann sitzt auf seinem ________ und wartet.

2 Urlaubs-Szenen

a Sucht euch ein Bild aus. Findet zehn passende Wörter dazu.

b Tauscht eure Wörter mit einer anderen Gruppe. Sortiert die Wörter wie in 1b.

c Schreibt Sätze mit Lücken für die Wörter zu eurem Bild. Tauscht dann wieder mit einer anderen Gruppe und löst die Aufgaben.

3 Der erste Tourist im Weltraum

a Welche dieser Wörter könnten zu einem Text mit dieser Überschrift passen? Warum? Warum nicht?

Fotoapparat | Rakete | Russland | Gepäck | Multimillionär | Vorbereitung | Weltraum | Traumreise | USA | Mond | Alter

Mit einem Fotoapparat mache ich Fotos auf meiner Reise.
Ein Multimillionär ist ein Mann, der ...

b Schreibe je einen Beispielsatz zu drei Wörtern.

c Im folgenden Text sind acht Lücken. Lest den Text und entscheidet: Welches Wort aus a passt in welche Lücke?

Endlich im ____________ von 60 Jahren hat er es geschafft. Der amerikanische ____________ Dennis Tito machte seine ____________ – und die war besonders teuer. Sie kostete 20 Millionen Dollar. Aber Tito hat 200 Millionen und eine Villa in Los Angeles. Geld ist also kein Problem. Geträumt hat er schon lange von einem Flug in den ____________, die Erde interessierte ihn nicht mehr. In Amerika hatte er keine Chance mitzufliegen, aber ____________ brauchte seine Millionen und ließ ihn fliegen. Seine ____________ auf die Reise war besonders intensiv: 900 Stunden hartes Training. Er durfte nur wenig ____________ mitnehmen, nur sieben Kilo. Am wichtigsten war ihm der ____________ für die Urlaubsfotos.
In ein paar Jahren will der Multimillionär ein Team zum Mars schicken.

d Unterstreicht im Text die Wörter, die euch beim Lösen geholfen haben.

4 Stell dir vor, du gewinnst eine Reise.

Wohin würdest du reisen?

Was machst du da?

Wenn du nur sieben Kilo Gepäck mitnehmen könntest, was würdest du einpacken?

5 So ähnlich sieht die Aufgabe Leseverstehen Teil 1 in der Prüfung aus

a Du bekommst einen kurzen Text mit vier Lücken. Aus einer Wortliste musst du in jede Lücke das passende Wort einsetzen.

Häuser	hoch	schwierig	Autos	liegt	niedrig	anders	gehört

Die Insel ____________ in der Nordsee, rund 70 Kilometer vor der Küste. So weit draußen ist keine andere deutsche Insel. Sie war einmal eine britische Kolonie. Auf Helgoland ist vieles ____________. Es gibt fast keine ____________ und im Sommer nicht einmal Fahrräder. Aber es gibt einen Aufzug, um von ihrem unteren auf den oberen Teil zu kommen. Die Sandstrände sind kilometerlang und die Holzhäuser sind bunt. Heute kommen viele Touristen hierher zum Einkaufen. Die Insel ist nämlich zollfrei und deshalb sind die Preise ____________.

b Dann musst du noch eine passende Überschrift zum Text auswählen.

- ☐ Reiseziel für historisch Interessierte
- ☐ Eine deutsche Insel, die mal englisch war
- ☐ Zum Einkaufen auf die englische Insel

So geht's: Vorbereitung auf Hörverstehen Teil 1

1 Unterwegs

a Was seht ihr auf diesen drei Bildern? Beschreibt sie.

A

b Vergleicht diese beiden Bilder mit Bild A oben. Welche Unterschiede seht ihr? Was ist gleich? Notiert Stichwörter.

B

C

2 Ein Ausflug

Lies den folgenden Dialog und beantworte dann die Fragen.

Wie viele Personen sprechen?

Was machen die Sprecher?

Was sind „die 6" und „die 2" vielleicht?

- Da kommt die 6, können wir die nehmen?
- Nein, wir müssen auf die 2 warten.
- Da hinten kommt sie schon.

3 Ist das Herr Mehlmann?

4

Wie sieht der Mann aus? Hör den Dialog und ergänze das Bild.

4 Gespräch auf der Straße

5
a Hört zu und beantwortet die Fragen.

Wie viele Personen sprechen? ______________________________

Sind das Männer, Frauen, Kinder? ______________________________

Hört ihr Namen? ______________________________

Welche Wörter habt ihr noch gehört? ______________________________

b Seht euch alle Bilder auf der Seite links an. Zu welchem Bild passt der Dialog? Warum?

5 So ähnlich sieht die Aufgabe Hörverstehen Teil 1 in der Prüfung aus

6
a Du hörst zum Thema Reisen. Zu jeder Szene gibt es drei Bilder. Kreuze beim Hören zu jeder Szene das passende Bild an.

Szene 1

A ☐

B ☐

C ☐

Szene 2

A ☐

B ☐

C ☐

6
b Hör die Szenen noch einmal und kontrolliere deine Lösungen.

c Was hat geholfen, die richtige Lösung zu finden?

So geht's: Vorbereitung auf Schriftliche Kommunikation

1 Umfrage in der Schülerzeitung ***Bleistift***

a Was wollte die Schülerzeitung wissen? Lies und ergänze die Sätze unten.

> **Umfrage des Monats: Ferienzeit – Reisezeit**
>
> *Im Juni hat* ***Bleistift*** *gefragt:*
> **Findest du es gut, mit den Eltern zu verreisen?**
>
> Wir haben viele E-Mails von euch bekommen und das ist das Ergebnis: „Ja, das finde ich gut" haben 75 % geantwortet und nur 20 % „Nein, das finde ich nicht gut", 5 % konnten sich nicht entscheiden und schrieben „Ich weiß nicht".

Die Schülerzeitung ***Bleistift*** hat gefragt, ob ____________________________________.

Die meisten Schüler haben geantwortet, dass ____________________________________.

b Was denkt eure Klasse? Stimmt ab.

Ja, das finde ich gut: __________ Nein, das finde ich nicht gut: __________ Ich weiß nicht: __________

c Warum denkt ihr das? Schreibt eure Meinung in einem Satz auf einen Zettel.

Ich verreise nicht so gern mit meinen Eltern, weil das langweilig ist.

Ich finde es gut, mit den Eltern zu verreisen, weil dann die Familie zusammen ist.

d Kreisdialog: Nehmt eure Zettel aus c. Setzt euch zu fünft in einen Kreis. Der Erste sagt ein Argument, die Nachbarin oder der Nachbar rechts wiederholt das Argument.

e Wie kann man eine Meinung ausdrücken? Schreibt eine Liste mit Verben und guten Formulierungen.

2 Umfragen zum Thema Reisen

a Bei welcher Umfrage würdest du mitmachen?

☐ Ist es gut, Klassenreisen zu machen?

☐ Exotische Urlaubsreisen oder Ferien im eigenen Land?

☐ Winter- oder Sommerferien: Was ist besser?

☐ Wie willst du deine Ferien verbringen?

b Zu welcher Umfrage in a passen diese Meinungen? Verbinde.

Sonja: Wir machen wie immer eine Reise mit dem Auto. Meine Eltern mieten eine Ferienwohnung am Meer. Da haben wir dann endlich mal viel Zeit miteinander. Ich finde das total schön.

Sven: Ich möchte die Ferien gerne mal ohne meine Familie verbringen. Am liebsten würde ich mit einer Gruppe von Freunden in die Berge fahren. Das wäre bestimmt cool.

c Unterstreiche wichtige Wörter in den Aussagen von Sonja und Sven.

d So kannst du in anderen Worten schreiben, was Sonja und Sven sagen. Ergänze jeweils zwei Sätze.

lieber allein | gern mit der Familie | vielen | genießt | zusammen

1 Sonja fährt ______________ weg. Sie ______________ die Zeit, die sie ______________ in ihrer Wohnung am Meer verbringen.

2 Sven dagegen möchte ______________ verreisen. Er träumt von einer Reise mit ______________ Freunden in die Berge.

3 So ähnlich ist die Aufgabe im Teil Schriftliche Kommunikation in der Prüfung

a Markiere die wichtigsten Wörter.

Du bekommst Aussagen von Jugendlichen zu einem Thema und musst einen Leserbrief oder Beitrag dazu schreiben. Dafür musst du die vier Meinungen wiedergeben, deine eigene Meinung zum Thema begründen und ausführlich über deine eigenen Erfahrungen erzählen.

b Lies, was Sabine zum Thema geschrieben hat. Schreibe die wichtigsten Wörter raus und versuche dann, Sabines Meinung in möglichst anderen Worten wiederzugeben.

Sabine: Ich fahre dieses Jahr zum ersten Mal alleine weg. Drei Wochen verbringe ich mit meiner französischen Austauschfamilie am Meer. Darauf freue ich mich schon sehr – aber ein bisschen Angst habe ich auch.

____

____

____

____

? c Warst du schon mal alleine im Urlaub? Wie war das? Erzähle.

Reisen

1 Wortschatz

a Kennst du diese Wörter?

die Erholung einsteigen die Reise aussteigen die Insel sportlich verreisen
planen das Gepäck reservieren der Flug einen Ausflug machen die Reservierung
die Ferien interessant der Bahnhof der Urlaub fliegen der Gast das Abenteuer
sich entspannen sich erholen das Hotel die Küste packen aufregend tauchen
Ski fahren gefährlich die Kultur besuchen das Souvenir buchen der Flughafen
die Fahrkarte mitnehmen vergessen fantastisch fotografieren eine Postkarte
schreiben zu Hause bleiben dauern die Verspätung das Verkehrsmittel anders
die Spezialität heiß wandern ein Zelt aufbauen wilde Natur eine Radtour machen
allein die Jugendgruppe kalt zurückkommen die Sehenswürdigkeit
besichtigen die Unterkunft die Verpflegung der Fahrplan zu kurz
der Aufenthalt die Landkarte der Stadtplan der Reiseführer das Schiff
das Flugzeug sich sonnen ankommen landen (ab)fahren

b Sortiere die Wörter. Ergänze Wörter aus den Texten und Aufgaben in diesem Kapitel. Arbeite mit den Wörtern.

Tipp

Es ist wichtig, dass du die Wörter zu einem Thema kennst und auch selber benutzen kannst. Eine Wortliste ist gut, aber noch besser ist, wenn du etwas mit den Wörtern machst. Schreib sie ab und übersetze sie, ordne sie nach Wortarten, bilde Sätze, übe die Vergangenheitsformen ... Auch Spiele helfen!

c Wörter-Ping-Pong: Spielt in Paaren: A sagt ein Wort oder ein Wortpaar, B bildet einen Satz dazu.

sich sonnen

Ich sonne mich gerne am Strand.

d Reise nach ... Macht den Satz immer länger.

Ich fahre ...

Ich fahre nach Italien ...

Ich fahre nach Italien und besichtige ...

Ich fahre nach Italien und besichtige mit meiner Mutter...

2 Noch mehr Texte

a Worum geht es in diesen beiden Texten? Fasse in eigenen Worten zusammen.

Ferienspaß für wenig Geld

Du hast Ferien, willst etwas erleben, aber deine Eltern haben keine Zeit oder nicht genug Geld für eine Reise?

Der Verein Ferienhort bietet 2- oder 4-wöchige Camps am Wolfgangsee an. Ihr wohnt in Ferienhäusern im Naturschutzgebiet. Es gibt keine Autos, dafür aber jede Menge Platz für Aktivitäten: Viele Sportangebote auf dem Land und im Wasser, dazu Theaterspielen, Musik, Würstchen grillen und jeden Tag Spaß mit netten Leuten. Organisation und Betreuung übernehmen Sportler und Pädagogen.

Lange Reise eines Pinguins

An einem Strand in Neuseeland kam vor einigen Tagen plötzlich ein Pinguin an. Er hatte eine lange Reise hinter sich, mehrere 1000 Kilometer von der Antarktis bis nach Neuseeland.

Tierärzte haben ihn untersucht und festgestellt, dass er sehr schwach von der Reise war. Außerdem hat der Pinguin viel Sand gefressen, weil er ihn wahrscheinlich für Schnee gehalten hat. Jetzt ist das Tier im Zoo und wird gepflegt.

3 Erzähle ...

a Suche das Icon ? im Kapitel. Welche Fragen findest du dort? Kannst du gut auf die Fragen antworten?

b Wie ist deine Antwort auf diese beiden Fragen?

Wo möchtest du am liebsten deine Ferien verbringen? Warum?

Erinnerst du dich an einen schönen Ausflug? Wo warst du und was hat dir gefallen?

4 Die Prüfung DSD I

a Über welche Prüfungsteile hast du etwas in diesem Kapitel erfahren?

________verstehen Teil _____

________verstehen Teil _____

_______________ Kommunikation

b Welchen Prüfungsteil findest du eher schwer oder eher leicht? Warum?

c Welchen Tag haben wir heute? Wann ist die Prüfung? Wie viel Zeit hast du also noch?

Datum heute: _______________ . _______________ . _______________

Datum Prüfung: _____________ . _______________ . _______________

Noch _______________ Monate und _______________ Tage bis zur Prüfung.

d Wie gut kannst du das? Bewerte mit ☺, 😐 oder ☹.

Ich kenne viele Wörter zum Thema Reisen.	
Ich kann über das Thema Reisen sprechen.	
Ich kann kurze Texte lesen und verstehen.	
Ich kann Bilder genau ansehen und Unterschiede erkennen.	
Ich weiß schon etwas mehr über die Prüfung.	

2 Wichtige Menschen

1 Eine wichtige Person in meinem Leben

a Wer ist das für dich? Sammelt an der Tafel.

meine Mutter III
mein Onkel
mein ...

b Warum ist diese Person wichtig für dich? Kreuze an – und finde noch weitere Gründe.

- ☐ hört zu, wenn ich Probleme habe
- ☐ hat viel Geld
- ☐ mag dieselbe Musik / Kleidung / …
- ☐ findet alles, was ich mache, toll
- ☐ fährt ein tolles Auto
- ☐ sagt mir die Wahrheit
- ☐ hilft mir oft
- ☐ freut sich für mich
- ☐ sieht gut aus
- ☐ kümmert sich um mich

c Schreib einen Brief oder eine SMS an deine wichtige Person.

Liebe(r) ...,
du bist mir wichtig, weil ...
...
Schön, dass es dich gibt!

2 Beste Freunde?

a Hier verstecken sich 22 Adjektive. Findest du sie?

G	H	I	L	F	S	B	E	R	E	I	T	I	U	P
E	M	S	S	T	E	V	K	B	W	E	O	X	V	M
I	F	K	T	L	N	E	T	T	Q	W	L	M	B	L
Z	A	D	A	U	S	E	Z	O	F	F	E	N	O	U
I	U	Y	R	C	I	H	J	L	H	T	R	E	U	S
G	L	R	K	D	B	R	V	L	U	Z	A	J	K	T
P	F	I	N	T	E	L	L	I	G	E	N	T	R	I
S	P	O	R	T	L	I	C	H	W	I	T	Z	I	G
T	M	O	D	I	S	C	H	F	G	U	T	D	T	N
B	U	S	X	S	C	H	Ü	C	T	E	R	N	I	B
S	C	H	Ö	N	T	Z	J	Ö	P	Ä	V	H	S	U
I	R	Q	E	R	F	R	E	U	N	D	L	I	C	H
E	Z	U	V	E	R	L	Ä	S	S	I	G	Ü	H	B
G	C	S	E	L	B	S	T	B	E	W	U	S	S	T

b Welche Eigenschaften sollte eine gute Freundin oder ein guter Freund haben? Welche sind dir nicht so wichtig?

Ein guter Freund sollte hilfsbereit sein.

Mir ist wichtig, dass meine Freundin schön ist.

c Welche Eigenschaften haben Menschen, die du gar nicht magst?

3 Freundschaft in Sprichwörtern

a Lest die Sprichwörter. Welche sind ähnlich? Ordnet zu.

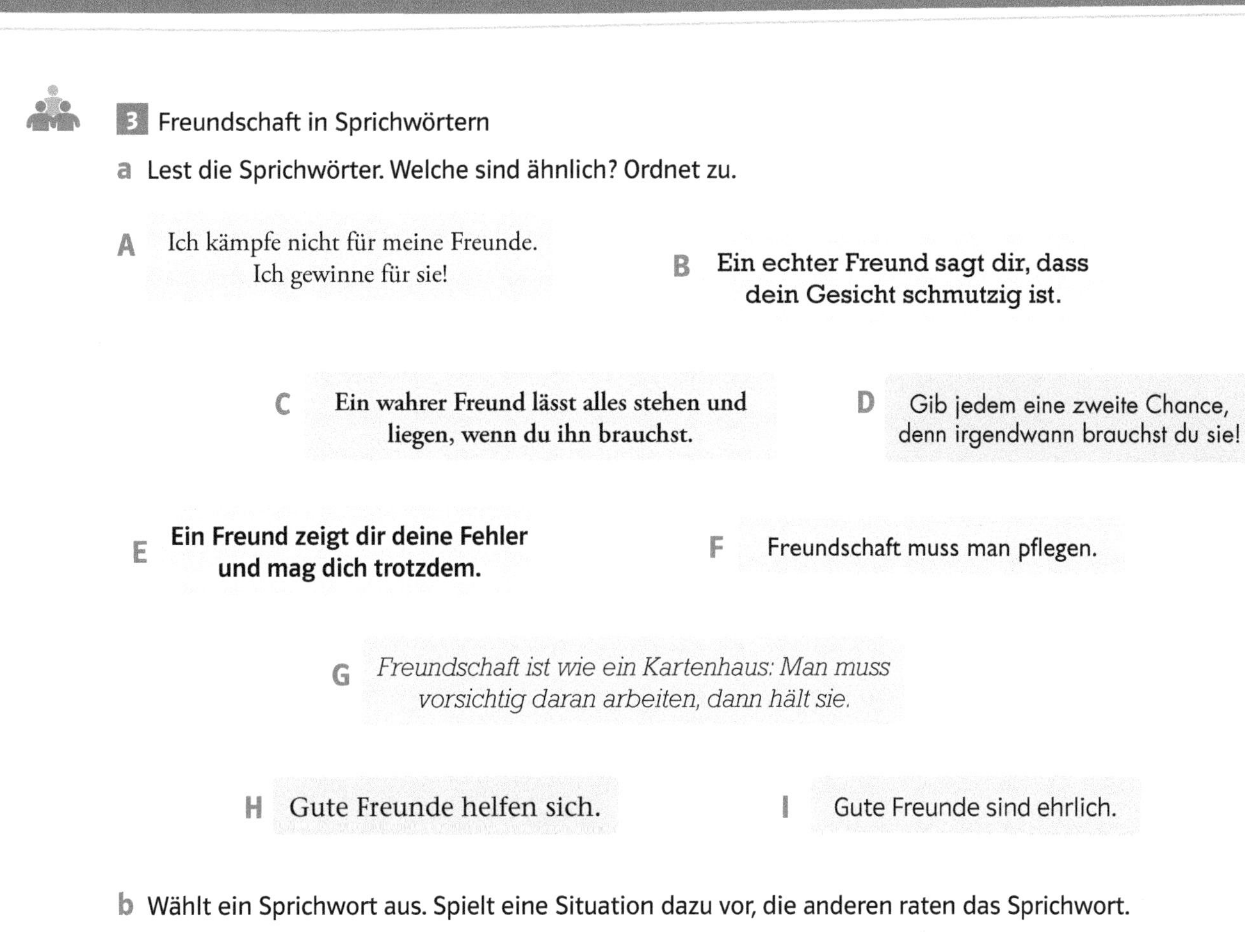

b Wählt ein Sprichwort aus. Spielt eine Situation dazu vor, die anderen raten das Sprichwort.

c Welches Sprichwort passt zu deiner Freundin oder deinem Freund? Warum?

4 Etwas zusammen unternehmen

a Seht euch die Kärtchen an. Bildet daraus zwei Sätze. Vergleicht eure Ergebnisse.

UND | MITTWOCHS | INS KINO | GEHEN | MEINE FREUNDIN | ICH

MEINE OMA | BESUCHE | ICH | IMMER | JEDEN DIENSTAG

b Bildet Sätze mit den Angaben aus der Tabelle. Es gibt viele Möglichkeiten.

Wer? / Mit wem?	Was?	Wie oft? / Wie lange? / Wie?	Wo? / Wohin?
ich | meine Mutter | mit meiner Schwester | mein Opa | mit meinem Vater	Tischtennis spielen | einkaufen | streiten | am Computer spielen | gehen	jede Woche | oft | 2 Stunden | gern	am Computer | im / ins Einkaufszentrum | in der / die Küche | im / in den Sportverein

c Schreibt eigene Wörter auf Zettel und bildet Sätze.

? d Hast du Großeltern? Erzähle: Wo und wie leben sie? Was macht ihr zusammen?

5 Dein Handy war ausgeschaltet, drei Personen haben eine Nachricht hinterlassen. Hör zu und kreuze an.

7

1 Max ☐ will mit dir lernen. ☐ will ins Kino gehen. ☐ hat morgen keine Zeit.

2 Deine Mutter ☐ will Brot kaufen. ☐ hat keine Butter gekauft. ☐ ist auf dem Weg zur Schule.

3 Deine Oma ☐ freut sich auf Opa. ☐ backt immer Apfelkuchen für dich. ☐ möchte deine neue Freundin / deinen neuen Freund kennenlernen.

So geht's: Vorbereitung auf Leseverstehen Teil 2

1 Mehr über die 10a

a Was erfahrt ihr über die Schüler? Stellt euch gegenseitig Fragen.

Emily ist nicht gut in Mathe. Sie braucht Hilfe.

Tim hat Probleme mit seiner Freundin. Sie ist sehr eifersüchtig.

Alex liebt Tiere. Mit seiner Clique führt er Hunde aus. Das Geld spenden sie an Tierschutzprojekte.

Jonas' großer Bruder studiert im Ausland. Jonas vermisst ihn sehr.

Paulina hat 5 Geschwister, um die sie sich oft kümmern muss. Deshalb hat sie wenig Zeit für ihre Freunde.

Sophie hat im Chat einen Jungen kennengelernt. Seitdem verbringt sie Stunden im Netz.

Max kommt mit allen in der Klasse gut aus. Er setzt sich bei Problemen für die Klasse ein und spricht für alle mit den Lehrern.

b Zu welchem Schüler könnte welcher Text passen? Warum?

A

An alle Herrchen und Frauchen! Sie haben nicht genug Zeit für Ihren Liebling, aber der möchte am liebsten den ganzen Tag spazieren gehen? Wir können Ihnen helfen! Wir sind 5 zuverlässige, tierliebe Jugendliche, die ganz bestimmt gut auf Ihren Vierbeiner aufpassen. Ob Gassi gehen, füttern oder spielen ... Ganz egal, wir kümmern uns.

B

Bio isst du lieber, Deutsch willst du nur mit einem Auto sprechen und Mathe interessiert dich nur beim Taschengeld? Aber leider sehen das deine Eltern und die Lehrer anders ... Komm zu uns! Das Lernstudio „So geht's!" hat noch Plätze in den Nachhilfegruppen für die Klassen 8 bis 10 frei. Kleine Gruppen, große Erfolge. Probier's aus!

C

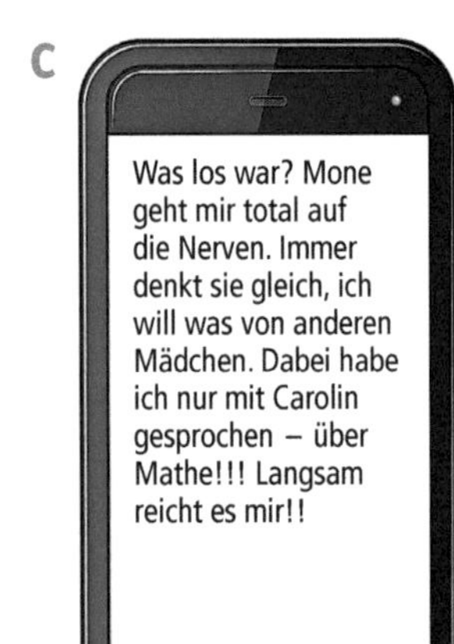

D

Flieg einfach weg ... und komm günstig zurück. Günstige Angebote für Studenten und Menschen unter 27.

Europa, z. B. Paris für nur 97,- Euro inklusive Steuern, London oder Rom für nur 147,- Euro Nord-Amerika ab 564,- Euro. Australien / Neuseeland 830,- Euro. Asien ab 517,- Euro.

E

Vom 3. bis 5.11. findet in Bonn für alle interessierten Klassensprecher ein Wochenendseminar zum Thema „Wie werde ich ein guter Klassensprecher?" statt. Anmeldung per Mail bis zum 20.10. über das Sekretariat. Die Kosten werden übernommen.

F

2 Und ihr? Macht ein Plakat mit kurzen Informationen über euch.

3 Probleme

a Anonym (13 Jahre) schreibt im Internetforum. Lies und markiere fünf wichtige Wörter.

Anonym_13

Hallo,
ich habe ein ziemlich großes Problem. Es geht um meine „beste" Freundin. Ich verstehe nicht, warum ich noch mit ihr befreundet bin: Sie ist ständig gemein und sagt Sachen, die mich kränken. Wenn ich mit ihr telefoniere, sagt sie, das ist alles langweilig, und legt einfach auf – auch wenn es mir wichtig war. Wenn andere Leute da sind, stehe ich nur im Hintergrund. Eigentlich sollte ich die Freundschaft ja beenden. Aber ich weiß nicht, ob ich dann noch zu meiner Clique gehöre. Vielleicht hat jemand von euch einen Tipp für mich?

b Vergleicht, welche Wörter ihr markiert habt. Warum sind das wichtige Wörter?

Tipp

Schlüsselwörter sind die wichtigsten Informationen in einem Text. Es können Substantive, Verben, Adjektive oder auch andere Wortarten sein. Diese Wörter helfen dir zu verstehen, worum es im Text geht. Mit den Schlüsselwörtern kannst du einen Text zusammenfassen.

4 Ratschläge aus dem Forum

a Anonym hat im Forum Ratschläge für ihr Problem bekommen. Markiere Schlüsselwörter.

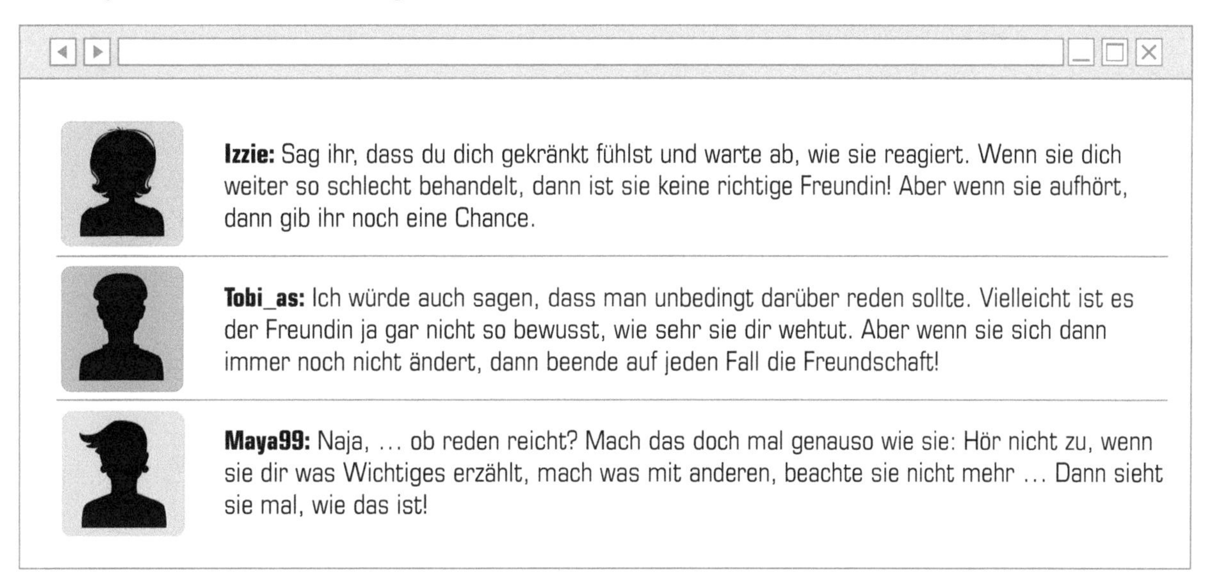

Izzie: Sag ihr, dass du dich gekränkt fühlst und warte ab, wie sie reagiert. Wenn sie dich weiter so schlecht behandelt, dann ist sie keine richtige Freundin! Aber wenn sie aufhört, dann gib ihr noch eine Chance.

Tobi_as: Ich würde auch sagen, dass man unbedingt darüber reden sollte. Vielleicht ist es der Freundin ja gar nicht so bewusst, wie sehr sie dir wehtut. Aber wenn sie sich dann immer noch nicht ändert, dann beende auf jeden Fall die Freundschaft!

Maya99: Naja, ... ob reden reicht? Mach das doch mal genauso wie sie: Hör nicht zu, wenn sie dir was Wichtiges erzählt, mach was mit anderen, beachte sie nicht mehr ... Dann sieht sie mal, wie das ist!

b Lies die Schlüsselwörter für einen weiteren Tipp. Formuliere damit Sätze und poste den Tipp im Forum.

distanzieren | andere Freunde finden | neue Clique suchen

5 Freund = Freund?

a Könnt ihr diese Beziehungen erklären?

feste Freundin | Facebook-Freund | Freund der Familie | guter Freund | Brieffreund | Freund in der Not | beste Freunde | Sandkastenfreund | Bekannte/r | alte Freundinnen | Schulfreund | Exfreund

Ein Schulfreud ist ein Freund, den man aus der Schule kennt.

Ein Bekannter ist …

Eine alte Freundin ist eine Freundin, die …

b Welche dieser Freunde habt ihr und wie viele?

c Was passt zu wem? Verbinde mit der richtigen Person. Wähle für jede Person eine andere Farbe.

- Wem sagst du alles?
- Wer ist ein Vorbild für dich?
- Mit wem triffst du dich jeden Tag?
- Wer hilft dir bei den Hausaufgaben?
- Wer weiß immer, wie es dir geht?
- Wer hat immer Zeit für dich?
- Wer vertraut dir?
- Wer weiß, was du am liebsten isst?
- ______________________?

- meine beste Freundin
- mein bester Freund
- meiner besten Freundin
- meinem besten Freund
- meine Facebook-Freunde
- meinen Facebook-Freunden
- meine guten Freunde
- meinen guten Freunden
- ______________________

d Schreib zu den genannten Freunden je drei Sätze in dein Heft.

Meiner besten Freundin sage ich alles.
Meinem …
Mit meinen …

e Für wen bist du ein Freund? Formuliere die Sätze aus c um.

Wer sagt dir alles? → Meine kleine Schwester sagt mir alles.
Wem hilfst du? → Ich helfe …

6 Brieffreundschaften

a Eure Lehrerin denkt, dass Brieffreunde eine gute Möglichkeit sind, andere Menschen und Kulturen kennenzulernen. Aus diesem Grund hat sie eine Suchanzeige geschrieben. Welche ist es? Kreuze an.

A

Hallo!

Habt ihr Interesse, einen Briefwechsel mit uns anzufangen? Wir gehen auf ein Gymnasium in Russland, wo auf Fremdsprachen großer Wert gelegt wird. Wir lernen ab der 2. Klasse Deutsch und ab der 5. Klasse Englisch. Wir sind alle 16 Jahre alt und nur Mädchen.

Schöne Grüße und bis hoffentlich bald!

☐

B

Liebe Deutschlehrer in aller Welt,

ich suche Schulklassen, die an einer Brieffreundschaft auf Deutsch interessiert sind. Meine Schülerinnen und Schüler lernen seit 5 Jahren Deutsch und sind zwischen 14 und 16 Jahre alt. Wir können echte Briefe schreiben oder auch mailen, einfache Texte über Sprache und Kultur, gerne mit Bildern. Ideal wäre natürlich eine Klasse aus einem deutschsprachigen Land.

Viele liebe Grüße

☐

C

Hallo,

ich lebe in der Türkei und lerne Deutsch. Ich möchte mein Deutsch verbessern. Deshalb suche ich Brieffreunde aus aller Welt. Ich bin 15, männlich und gehe in die 8. Klasse. Ich freue mich auf eure Antwort!

Viele Grüße!

☐

b An welchen Schlüsselwörtern habt ihr euch beim Lösen orientiert? Vergleicht in der Klasse.

c Lies die beiden anderen Anzeigen noch einmal und schreib die Schlüsselwörter heraus.

Anzeige ____: ______________________ Anzeige: ____: ______________________

______________________ ______________________

d Markiere die Schlüsselwörter in den folgenden Situationen. Ergänze die Schlüsselwörter in Aufgabe c. Entscheide dann, welche Situation zu welcher Anzeige passt.

1 Ein Junge braucht Hilfe beim Erlernen der deutschen Sprache.
2 Ein Lehrer ist an einem Briefwechsel für seine Schüler interessiert.
3 Eine Gruppe Schülerinnen möchte auf Deutsch schreiben.

e Markiere die Schlüsselwörter in dieser Situation. Passt sie zur Anzeige A?

Ein Mädchen sucht einen Brieffreund für einen Briefwechsel auf Deutsch oder Englisch.

Tipp

Die Anzeige und die Situation haben viele gemeinsame Schlüsselwörter – trotzdem passt der Inhalt nicht zusammen. Klarer Fall von „falsche Freunde". Sei besonders vorsichtig und lies noch einmal nach.

7 Leseverstehen Teil 2

a Das musst du in der Prüfung machen. Markiere die Schlüsselwörter.

Du bekommst acht kurze Anzeigen, E-Mails oder andere kurze Texte (A – H) und vier Situationen oder Sätze über Personen. Du musst herausfinden, welcher Text zu welcher Situation oder Person passt. Da es mehr Texte als Personen oder Situationen gibt, bleiben vier Texte übrig.

b So ähnlich sieht das Aufgabenblatt in der Prüfung aus. Zu welcher Aufgabe findest du einen passenden Text? Schreib den richtigen Buchstaben in die rechte Spalte.

Aufgaben 1 – 4

1	Trotz Altersunterschied kann die Freundschaft funktionieren.	
2	Manchmal sieht man Freunde durch eine rosarote Brille.	
3	Auch die Entfernung kann die Freundschaft nicht zerstören.	
4	Die Freundinnen verbindet die Liebe zur selben Musik.	

A	Meine beste Freundin heißt Berta. Wir sind seit sieben Jahren befreundet. Sie ist nur sechs Tage älter als ich. Wir machen fast alles zusammen. Ich mag an meiner Freundin, dass sie sehr intelligent und lieb ist. Das Einzige, das uns trennt, sind unsere Lieblingssängerinnen: Sie mag Selena Gomez und ich Avril Lavigne.
B	Meine allerbesten Freunde heißen Carl und Dennis. Sie sind die Besten, weil sie alles über mich wissen und ich weiß alles über sie. Sie sind ein bisschen verrückt. Beide wohnen nicht weit entfernt von mir. Sie mögen alles, was ich mag, sie lesen dieselben Bücher, hören dieselbe Musik und machen denselben Sport.
C	Meine beste Freundin heißt Marina. Die Momente, in denen wir zusammen sind, sind die besten! Wir lachen und singen zusammen und reden über alles. Sie kennt mich am besten und mag alles, was ich auch mag: Glee, Avril Lavigne, Popmusik. Wir haben sogar schon zusammen eigene Lieder geschrieben.

c Vergleicht eure Lösung und warum ihr so gelöst habt.

? **d** Was machst du am liebsten mit deiner besten Freundin oder deinem besten Freund?

So geht's: Vorbereitung auf Hörverstehen Teil 2

1 Streit mit den Eltern

a Die Schülerzeitung ***Bleistift*** hat eine Umfrage gemacht. Lies das Ergebnis. Überrascht dich etwas?

b Über welche drei Themen streitet ihr euch am häufigsten mit euren Eltern? Um was geht es dann? Notiert und vergleicht eure Ergebnisse.

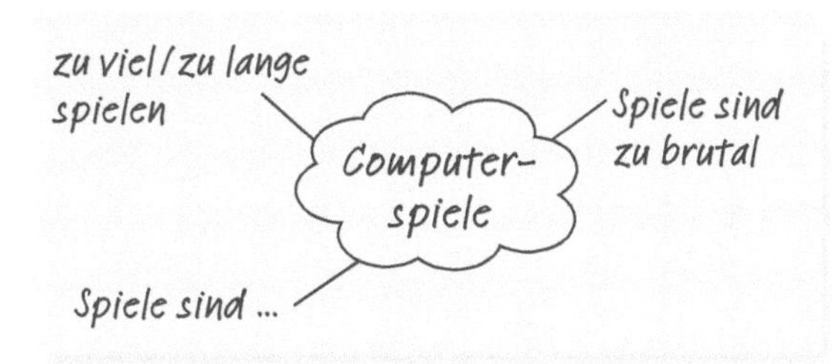

Umfrage des Monats: Streit mit den Eltern – was bringt Ärger?

Wir haben gefragt, ihr habt geantwortet.
Das bringt Ärger zu Hause:

- Hausaufgaben, Noten
- Freizeitaktivitäten
- Pflichten im Haushalt
- Computer
- Taschengeld
- Gesundheit, Hygiene
- Verhalten
- Freunde, Beziehungen
- Kleidung
- Essgewohnheiten

8

2 Radiosendung „Kummerkasten"

a Vier Jugendliche haben angerufen und erzählt. Um welches Thema aus 1a geht es? Hör zu und ergänze.

1 Bei Thomas geht es um ______.
2 Bei Thea geht es um ______.
3 Bei Moni geht es um ______.
4 Bei Joachim geht es um ______.

b Hör noch einmal: Sagen die Jugendlichen das so? Korrigiere oder ergänze.

Thomas	Thea	Moni	Joachim
– Leichtathletik ideal – lieber Basketball – Leichtathletik-Training dreimal in der Woche – sehe Freunde oft	– zwei Brüder nett – bekommen kein Taschengeld – helfe immer – unfair von Eltern	– Mode das Wichtigste – gebe ganzes Geld aus – leihe Geld von Oma – Mutter versteht mich	– kein Problem mit Eltern – reden nicht mit mir – streiten sich – mache mir keine Sorgen

c Lies die Aufgaben 1–4. Welche Schlüsselwörter aus b findest du dort?

1 Thomas macht Leichtathletik, deshalb …
A ☐ kann er kein Basketball spielen.
B ☐ hat er keine Zeit für seine Freunde.
C ☐ fährt er mit dem Rad zum Training.

2 Theas Eltern geben …
A ☐ ihren Kindern viel Taschengeld.
B ☐ ihrer Tochter kein Taschengeld.
C ☐ ihrer Tochter weniger Taschengeld.

3 Monis Interesse für Mode …
A ☐ ist für ihre Mutter unverständlich.
B ☐ versteht ihre Oma gut.
C ☐ ist oberflächlich.

4 Joachim …
A ☐ spricht nicht mit seinen Eltern.
B ☐ hört seine Eltern oft streiten.
C ☐ sitzt nur noch vor dem Computer.

d Kreuze deine Lösung in den Aufgaben 1–4 an.

e Vergleicht eure Lösungen und warum ihr so gelöst habt.

Tipp

Bei identischen Schlüsselwörtern in Text und Aufgabe musst du besonders auf den Zusammenhang achten. Die Wörter oder Sätze davor oder danach können dem Schlüsselwort eine andere Bedeutung geben. Meistens findest du aber nicht dieselben Schlüsselwörter, sondern ähnliche Formulierungen.

3 Welche Sätze haben eine ähnliche Bedeutung? Verbinde.

1	Tom und Toni streiten sich oft.
2	Tom und Toni sind gute Freunde.
3	Tom und Toni halten zusammen.
4	Tom und Toni können sich nicht leiden.
5	Tom und Toni vertragen sich wieder.

A	Ihre Beziehung ist problematisch.
B	Sie haben ihren Streit beendet.
C	Sie kommen nicht sehr gut miteinander aus.
D	Sie sind ein Herz und eine Seele.
E	Sie streiten nicht mehr.
F	Sie können sich aufeinander verlassen.
G	Sie mögen sich nicht.
H	Sie sind oft verschiedener Meinung.
I	Sie verstehen sich sehr gut.
J	Sie sind sich nicht sympathisch.

4 Hörverstehen Teil 2

9

a Das musst du in der Prüfung machen. Hör zu und ergänze dann.

Du hörst ________ kurze Texte, z. B. Durchsagen in der Schule, am Bahnhof oder Nachrichten auf dem Anrufbeantworter. Dazu bekommst du ________ Aufgaben, in denen du die richtige Lösung A, B oder C ________________ musst. Du hörst die Durchsagen und ________________ beim Hören. Dann hörst du alles ________________.

b So ähnlich sieht die Aufgabe in der Prüfung aus. Lies die Aufgaben 1–4 und markiere die Schlüsselwörter. Du hast eine Minute Zeit.

Aufgabe 1–4

1 Laura und ihre Mutter …

- A ☐ dürfen ein Segelboot fahren.
- B ☐ wollen im Urlaub oft surfen.
- C ☐ sind viel mit dem Boot gefahren.

2 Lars verbringt das Wochenende oft …

- A ☐ bei den Großeltern.
- B ☐ an der frischen Luft.
- C ☐ im Basketballverein.

3 Lisas Eltern …

- A ☐ teilen sich ihre drei Kinder.
- B ☐ haben sich scheiden lassen.
- C ☐ leben glücklich zusammen.

4 Sven …

- A ☐ hat mehrere Geschwister.
- B ☐ spricht mit Freunden über Geschwister.
- C ☐ hört mit seinem Bruder Musik.

10

c Hör, was die Jugendlichen erzählen, und löse die Aufgaben.

d Vergleicht eure Lösungen. Welche Schlüsselwörter haben euch geholfen?

So geht's: Erzähle …

1 Wichtige Personen

a Welche wichtigen Personen könnten diese Menschen sein?

A

B

C

D

E

b Lest und recherchiert mehr zur Person auf Bild E.

Malala Yousafzai ist eine Kinderrechtsaktivistin aus Pakistan. 2013 war sie die bisher jüngste Kandidatin für den Friedensnobelpreis.

2 Alles über mein Vorbild

a Was weißt du über dein Vorbild? Schreib die Fragen richtig in dein Heft.

WIEALTISTERWASMACHTSIEWASBEWUNDERSTDUANIHMWASKANNSIEGUTSTÖRT DICHETWASANIHRWOWOHNTERWIEWOHNTSIEHASTDUETWASVONIHMWIESIEHTSIE AUSWASWEISSTDUNOCHÜBERIHNHASTDUIHNSCHONMALGESEHEN

b Zu welchen Fragen könnten diese Antworten passen? Ordne zu. Oft gibt es mehrere Möglichkeiten.

Er ist schon über 20. Einfach alles! Sie ist sehr intelligent. Und obwohl sie so berühmt ist, ist sie doch ganz normal geblieben. Ja, ich war schon zweimal auf einem Konzert. Eine Straße ist nach ihr benannt. Leider ist sie schon vor ein paar Jahren gestorben. Ich bewundere seine Musik und seine Texte sind richtig gut! Sie ist sehr sportlich und lächelt immer ganz freundlich. Ich bewundere an ihm, dass er so gut Fußball spielt. Mich stört, dass er etwas arrogant ist. Er ist mit einer bekannten Sängerin verheiratet. Sie ist eine berühmte Schauspielerin. Sie spielt immer ähnliche Rollen, das finde ich ein bisschen schade. Er sieht richtig gut aus und zieht immer coole Hüte und Sonnenbrillen an. Er ist Sänger in einer Band. Sie ist bekannt, weil sie sich für die Menschenrechte einsetzt. Ich sehe auch gern Interviews mit ihr, die sind immer lustig. Sie wohnt in einer riesigen Villa irgendwo in Hollywood. Das weiß ich leider nicht. Ich hätte so gern ein Autogramm oder ein Foto mit ihr. Er ist nicht sehr groß und sieht ganz normal aus. Ich habe alle ihre Bücher. Er ist Vegetarier. Leider nur im Fernsehen, aber noch nie persönlich.

c Wer ist dein Vorbild? Welche Antworten passen zu ihm oder ihr? Formuliere Antworten auf alle Fragen.

d Bereite eine kurze Präsentation über dein Vorbild vor. Bring etwas mit (Musik, ähnliche Kleidung wie dein Vorbild …), um deine Präsentation lebendiger zu machen.

3 Wer bin ich?

a Klebt euch gegenseitig einen Zettel mit dem Namen einer berühmten Person auf die Stirn. Erratet durch Ja / Nein-Fragen, wer ihr seid.

? **b** Welche dieser Berühmtheiten würdest du gerne treffen? Warum diese Person und wo würdet ihr euch treffen?

So geht's: Vorbereitung auf Schriftliche Kommunikation

1 Meine Erfahrungen mit ...

a Zu welchem Thema haben Paul, Tim und Melanie ihre Erfahrungen geschrieben? Lies und kreuze an.

Tim: Ich habe seit einem Jahr eine Freundin. Wir sind beide im Schwimmverein und sehen uns da jede Woche. Ich fand Simone schon lange nett, aber ich habe mich nicht getraut, sie anzusprechen. Zum Glück war sie mutiger. Irgendwann kam sie zu mir und hat gesagt: „Schön, dass du mich immer ansiehst, aber mit mir kann man auch gut reden!" Das habe ich dann einfach gemacht und seitdem sind wir ein Paar.

Melanie: Ich habe keinen festen Freund. Aber meine Freundin Simone ist seit einem Jahr mit ihrem Freund Tim zusammen. Sie haben sich im Schwimmverein kennengelernt. Er war zu schüchtern, um sie anzusprechen. Da hat sie einfach den ersten Schritt gemacht und etwas zu ihm gesagt. Das hat zum Glück geklappt. Ich finde das ganz schön mutig von ihr. Es hätte auch echt peinlich werden können.

Paul: Ich habe einfach zu dem Mädchen gesagt, dass sie hübsch ist. Das fand sie gut. Jetzt ist sie meine Freundin.

☐ Wie hast du neue Freunde kennengelernt? Beschreibe deine Erfahrungen.
☐ Wer macht „den ersten Schritt" – Junge oder Mädchen? Was sind deine Erfahrungen?

Tipp

Im Teil Schriftliche Kommunikation musst du über deine Erfahrungen zum Thema schreiben. Du kannst auch über die Erfahrungen von einem Freund oder einer anderen dir bekannten Person schreiben. Wichtig ist, dass du die Erfahrungen ausführlich und zusammenhängend beschreibst.

b Wer in a schreibt ausführlich? Und was bedeutet zusammenhängend? Diskutiert in der Klasse.

2 Ideen sammeln und verknüpfen

a Such dir ein Thema aus 1a aus. Sammle und sortiere deine Erfahrungen in einem Wortigel.

b Timo hat über seine Erfahrungen zum Thema „Vorbilder aus dem echten Leben" geschrieben. Bring seine Textabschnitte in eine gute Reihenfolge.

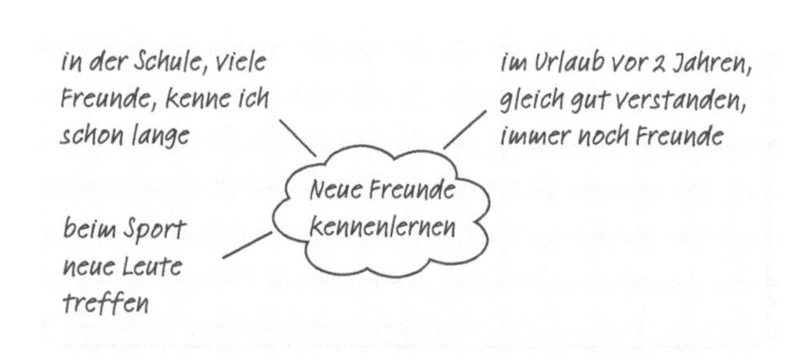

1 Mein Vorbild aus dem echten Leben ist mein Mathelehrer, Herr Müller. Ich weiß, normalerweise haben Schüler Probleme mit Lehrern und nehmen sie sich nicht als Vorbild.

☐ Außerdem findet er nicht, dass Mathe das Wichtigste auf der Welt ist. Er möchte natürlich,

☐ Er hat als Schüler selbst schlechte Erfahrungen mit seinen Lehrern gemacht und wäre einmal fast wegen Mathe sitzengeblieben. Deshalb

☐ uns zu verstehen. Wir fanden ihn von Anfang an cool. Er kann super gut erklären, hört zu, er ist lustig und hat viel Geduld.

☐ will er das mit seinen Schülern anders machen. Mir gefällt es sehr gut,

☐ dass wir mitmachen und lernen. Trotzdem versteht er es, wenn manche Schüler andere Fächer wichtiger finden.

☐ wie er mit uns umgeht. Wir sollen gerne lernen und nicht nur an Mathe denken. Vielleicht werde ich ja auch mal Lehrer.

☐ Aber Herr Müller ist anders. Er ist noch ziemlich jung und versucht,

Wichtige Menschen

1 Wörter zum Thema

a Kennst du diese Wörter?

sich verlieben | die Großfamilie | hilfsbereit | sich trennen | sich kennen(lernen) | helfen
die Clique | die Freundschaft | die Beziehung | echt | falsch | sympathisch | naiv
sich verabreden mit | Zeit verbringen mit | sich vertrauen | das Vertrauen | die Verwandten
mögen | erziehen | sich Sorgen machen um | sich verloben | Kontakt finden zu | heiraten
sich gut verstehen | mit jemandem spielen | jemandem etwas verbieten | hassen
sich ärgern über | anrufen | Probleme lösen | Ratschläge geben | glücklich
die Eigenschaft | das Aussehen | jemanden ausreden lassen | enttäuscht
das Vorbild | der Liebeskummer | das Einzelkind | aussehen | anrufen

b Sortiere die Wörter. Ergänze Wörter aus diesem Kapitel. Arbeite mit den Wörtern.

2 Superlative für Superstars: Spielt zu dritt und steigert Adjektive / Adverbien.

Mein Star singt gut.

Mein Star singt besser.

Mein Star singt am besten.

3 Stationen einer Beziehung

a Wie fängt sie an, wie hört sie auf? Finde passende Verben in der Liste oben und bringe sie in die richtige Reihenfolge.

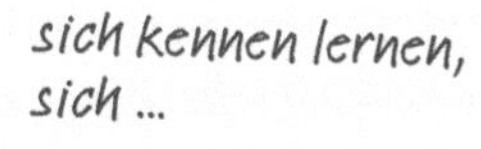

b Könnt ihr die Vergangenheitsform(en) der Verben bilden?

c Erfindet die Geschichte von Lucy und Luca. Benutzt dafür folgende Wörter.

zuerst | dann | danach | nach einigen Jahren | manchmal | oft | nie | am Anfang | am Ende | schließlich

4 Symbole

a Was seht ihr auf den Fotos?

b Welche Symbole …

… gibt es bei euch? | … gefallen dir? | … hast du schon verschenkt oder bekommen? | … möchtest du gerne bekommen oder verschenken?

5 Fragt und erzählt.

Wie viele Geschwister hast du?	Was machen deine Geschwister?	**?**	Wen magst du am liebsten in deiner Familie?	Was machst du gern mit deinen Freunden?
Hast du eine beste Freundin oder einen besten Freund?	Was magst du an deinen Freunden (nicht)?	Wo wohnen deine Großeltern?	**?**	Wie alt sind deine Eltern?
Was haben deine Eltern von dir gelernt?	**?**	Hast du eine Lieblingsband oder Lieblingsänger/in?	**?**	Wer ist dein Vorbild?

6 Präsentiere …

a Suche das Icon. Was hast du in diesem Kapitel präsentiert? Wie war das?

Thema „Wir“ ☺

b Was trifft auf dich zu. Kreuze an.

1 Ich habe in der Schule ☐ schon oft etwas präsentiert. ☐ noch nicht so oft etwas präsentiert.

2 Ich präsentiere ☐ gern ☐ nicht so gern, weil ____________________.

3 Wenn ich ein Thema höre, ☐ habe ich gleich viele Ideen. ☐ muss ich erst etwas nachdenken.

4 Meine Ideen kann ich ☐ anschaulich und klar ☐ leider nicht so klar präsentieren.

5 Ich präsentiere am liebsten ☐ mit PowerPoint. ☐ mit Fotos. ☐ an der Tafel. ☐ ____________________.

c Was könnte man zum Thema „Freunde“, „Familie“ oder „Wichtige Personen“ präsentieren? Sammelt Ideen.

7 Die Prüfung DSD I

a Über welche Prüfungsteile hast du in diesem Kapitel etwas erfahren? Notiere kurz, was du in den Teilen machen musst.

____________verstehen Teil ________

____________verstehen Teil ________

________________ Kommunikation

b Wie leicht oder schwer findest du die Prüfungsteile im Moment? Bewerte mit ☺, 😐 oder ☹.

c Das kannst du schon. Bewerte mit ☺, 😐 oder ☹.

Ich kenne viele Wörter zum Thema „Wichtige Menschen“.	
Ich kann Fragen zu dem Thema beantworten.	
Ich kann Schlüsselwörter erkennen.	
Ich kann Schlüsselwörter vergleichen und Texte Personen oder Situationen zuordnen.	
Ich kann über meine Erfahrungen zu einem Thema schreiben.	

3 Schule

1 Schulwörter

a Seht euch um: Was seht ihr im Klassenzimmer? Werft euch Wörter zu.

Lehrerin

die Lehrerin … Tafel

die Tafel … Wörterbuch

b Wer übersetzt diese zusammengesetzten Schulwörter am schnellsten – und richtig?

Schul- -jahr | -pflicht | -kameraden | -unterricht | -klasse | -hof | -bildung | -fach | -tüte | -frei
-ferien | -zeit | -ranzen | -buch | -heft | -sachen | -gebäude | -bus | -geld | -tag | -woche

c Welchen Artikel haben die Wörter? Welches Wort ist kein Nomen?

d Melanie erzählt von der Schule. Ergänze den Text mit passenden Wörtern aus b.

Das ________________ beginnt in Deutschland meistens im August und endet im Juli. Dann sind die ________________ zu Ende. Es gibt bei uns die ________________, d. h. alle Kinder ab ungefähr 6 Jahren müssen in die Schule gehen. Am ersten ________________ bekommt jedes Kind von den Eltern eine ________________ mit Süßigkeiten und kleinen Geschenken. Ich gehe in eine staatliche Schule, die kostenlos ist. ________________ bezahlt man nur in Privatschulen. Meine Eltern sagen, dass die ________________ die schönste Zeit im Leben ist. Naja, manchmal sehe ich das anders, aber ich stimme meinen Eltern in einem Punkt zu: Eine gute ________________ ist auf jeden Fall sehr wichtig für das Leben. Mein liebstes ________________ ist Mathe, aber ich mag auch Kunst sehr gern. In Sport bin ich leider nicht so gut. Was ich überhaupt nicht an der Schule mag ist, dass mein ________________ immer so schwer ist. Wir haben für jedes Fach mindestens ein ________________, dann noch andere ________________ wie Hefte, Mäppchen oder Sportsachen. Manchmal habe ich schon Rückenschmerzen …

2 Deine Schule

a Lies die Aussagen. Sind sie für deine Schule richtig oder falsch? Kreuz an.

	richtig	falsch
Bei uns fängt die Schule um 7 Uhr morgens an.		
Die Schule kostet Geld.		
Wir müssen alle Schulbücher kaufen.		
Wir haben auch immer nachmittags Schule.		
Am Wochenende haben wir keine Schule.		

b Formuliere die Sätze, bei denen du *falsch* angekreuzt hast, um, sodass sie richtig werden.

3 Was ist das?

a Verbinde die Wörter mit der passenden Erklärung.

1	Das Lehrerzimmer
2	Der Hausmeister
3	Die Sporthalle
4	Der Klassensprecher

A	ist ein Schüler, der von der Klasse gewählt wird, um sie zu vertreten. Das kann auch eine Schülerin sein.
B	ist ein Mann, der in der Schule für Ordnung sorgt, kaputte Sachen repariert, die Türen aufschließt usw.
C	ist der Raum, in dem sich die Lehrer aufhalten können, wenn sie keinen Unterricht haben.
D	ist ein großer Raum, in dem Sportunterricht stattfindet.

b Könnt ihr diese Wörter erklären?

der Schulhof **die Hausaufgaben** die Schulleitung das Klassenzimmer **das Lieblingsfach**

4 Wer macht was in der Schule?

a Markiere das richtige Verb.

1 Der Lehrer korrigiert / diskutiert / erklärt das Thema mit den Schülern.
2 Die Schüler besprechen / schreiben / geben eine Klassenarbeit.
3 Für eine Arbeit sollten die Schüler abschreiben / lernen / vorsagen.
4 Die Schulglocke klingelt / ruft / pfeift zur Pause.
5 Schlechten Schülern geben / bewerten / austeilen die Lehrer eine schlechte Note.
6 Gute Schüler helfen / erklären / abgeben die Aufgaben.

b Bildet Sätze mit den anderen Verben.

5 Schulfächer

a Wie viele Schulfächer findest du? Schreib sie in dein Heft.

te lo mie gie sik Che
lisch ma sik the sch ich tik
Phy Bio Ge Ma Eng Mu

b Welche Fächer gibt es an deiner Schule? Gibt es noch andere Fächer? Wie heißen sie auf Deutsch?

c Schreib deinen Stundenplan auf Deutsch in dein Heft.

d Stellt euch Fragen zum Stundenplan.

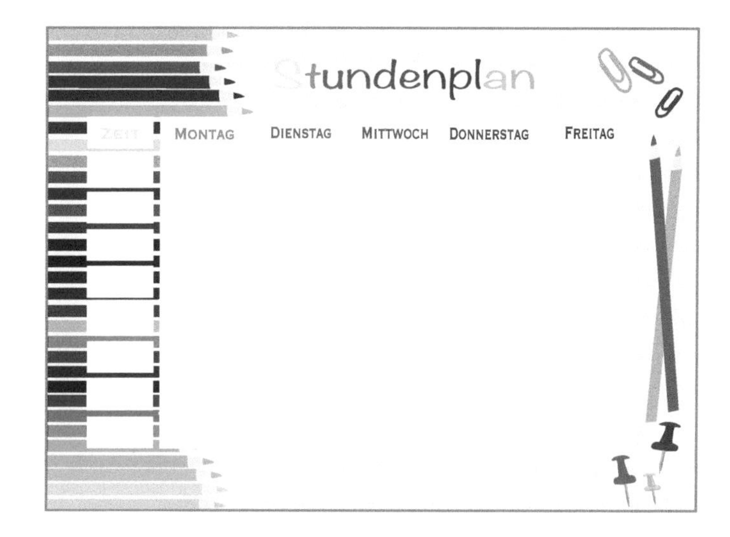

e Bildet fünf Gruppen. Jede Gruppe stellt einen Schultag vor. Präsentiert ausführlich und lebendig. Wählt danach den besten Schultag der Woche.

? **6** Welches Fach magst du am liebsten? Welches Fach magst du nicht so gern? Warum?

So geht's: Vorbereitung auf das Leseverstehen Teil 3

1 Schulen in aller Welt

a Lies die Informationen über die Schulen und markiere die Zahlen.

Das **Lycée Moderne** in Sekondé in Togo besuchen 2423 Schülerinnen und Schüler in 32 Klassen. In den Klassen sind bis zu 90 Schüler. Deshalb ist das Motto der Schule „Disziplin, Arbeit, Erfolg" besonders wichtig. Der Unterricht findet von 7.00 bis 12.00 Uhr und von 15.00 bis 18.00 Uhr statt, manchmal auch samstags. Jeden Freitag werden Klausuren geschrieben. Es gibt im Moment vier Deutschlehrer, die jeden Mittwoch einen Deutsch-Club anbieten. Außerdem gibt es einen Umwelt-Club, der Bäume pflanzt und sich um den Garten kümmert.

Das **Appleby-College** in Oakville in Kanada hat 750 Schüler und 98 Lehrer. Die Klassen haben nur 12 bis 16 Schüler. Seit 10 Jahren ist das College eine E-Schule, d. h. alle Schüler und Lehrer haben einen Laptop und können sich von einer Plattform Material und Informationen herunterladen.
Die Schüler können an Austauschprogrammen mit 14 Ländern teilnehmen. Landesweit sehr bekannt ist die Schule für ihr Orchester, ihren Chor und Musikbands. Außerdem ist Sport sehr wichtig, die Eishockey-, Rugby- und Volleyball-Mannschaften der Schule haben schon viele Preise gewonnen.

Das **Tallinna Saksa Gümnaasium** ist ein deutsches Gymnasium in Tallinn, der Hauptstadt Estlands. 894 Schüler werden hier von 69 Lehrern unterrichtet. Deutsch spielt eine große Rolle, es kann schon ab der 1. Klasse gelernt werden. Es ist das einzige Gymnasium in Estland, an dem man auch das deutsche Abitur ablegen kann. Das Gymnasium hat 7 Partnerschulen in Deutschland. Außer Deutsch kann man noch 5 weitere Fremdsprachen lernen. Es gibt zahlreiche Sport- und Musikangebote und man kann sogar den Führerschein an der Schule machen. Und: die Schule hat eine eigene Schulhymne.

b Spielt Zahlenrufen / Wörterrufen.

Um 7 Uhr fängt der Unterricht in Togo an.

Das ist die Hauptstadt von Estland.

c Was gefällt euch an den Schulen, was findet ihr nicht so gut?
Was hättet ihr gern an eurer Schule? Was gefällt euch an eurer Schule besser?

2 Wie gut kennt ihr eure Schule?

a Bildet Gruppen. Sammelt Informationen und gestaltet ein Plakat.

Schulhymne

Namen von der Schulleitung / vom Hausmeister / ...

Lieblingsessen in der Kantine / der Deutschlehrerin / ...

Schüler aus ... Ländern

Schulabschluss

Fremdsprachen? Welche, ab wann?

Berühmte Absolventen?

Anzahl Schüler / Lehrer / Deutschlehrer / ...

Preise / Auszeichnungen / Bekannt für ...?

Sportteams?

Projekte

...

b Präsentiert eure Ergebnisse.

3 Eure Schule im Internet

Wie und wo stellt sich eure Schule im Internet vor?
Wie findet ihr die Präsentation? Welche Informationen, Fotos würdet ihr ändern oder ergänzen?

4 Schule verbindet

Wir machen einen Schüleraustausch.

Wir schreiben …

a Habt ihr Partnerschulen im In- oder Ausland? Worin besteht die Partnerschaft?

b PASCH-Schulen machen häufig Projekte zusammen. Womit haben sich diese beiden Projekte beschäftigt?

© PASCH-net

EinBlick: Interkultureller Dialog durch das Medium Film

Beim Projekt EinBlick tauschen sich Schülergruppen in vierzehn Ländern auf fünf Kontinenten mithilfe des Mediums Film aus.
In einwöchigen Workshops lernen die Schülerinnen und Schüler, ihre eigenen Filme zu produzieren. So entstehen in jedem Land zwei Kurzfilme, in denen die Schülerinnen und Schüler von der Themenfindung über das Filmen bis hin zum Schnitt ihre eigenen Ideen umsetzen. Die Filme werden dann in Kleingruppen in verschiedenen Ländern ausgetauscht. Ein Blog dokumentiert das Projekt. Die Projektteilnehmerinnen und -teilnehmer lernen sich durch ihre Filme kennen und haben darüber hinaus die Möglichkeit zu diskutieren, sich gegenseitig Fragen zu stellen, voneinander zu lernen und Vorurteile zu hinterfragen.

© PASCH-net

Donau verbindet

Im Rahmen des Projekts „Donau verbindet" haben sich Schülerinnen und Schüler an Schulen im Donauraum mit ihren Gemeinsamkeiten und mit ihren Unterschieden beschäftigt.
Ziel des Projekts war es, ein Netzwerk von Deutsch lernenden Jugendlichen aufzubauen, die in regionalen und länderübergreifenden Projekten für zwei Jahre zusammen lernten und arbeiteten. Dabei standen die Themen Migration, Umwelt / Ökologie, Kulturgeschichte / Brauchtum und Sprache / Literatur im Vordergrund.
Der Blog „Donau verbindet" dokumentiert Einzelprojekte und Schüleraktivitäten. Die interaktive Landkarte gibt einen Überblick, wo und zu welchen Themen Schülergruppen aus verschiedenen Ländern recherchiert haben.

c Welches Projekt interessiert euch? Bildet Gruppen und sucht weitere Informationen auf den PASCH-Seiten im Internet.

? **5** Habt ihr schon einmal ein Projekt an eurer Schule gemacht? Wann war das und was habt ihr gemacht? Welches Projekt würdet ihr noch gerne machen?

6 Traumschulen – gibt es die?

a Diese drei Schulen wollen die beste Schule Deutschlands werden. Welche bekommt deine Stimme? Warum?

Schule A	Schule B	Schule C
▪ kleine Klassen ▪ kein Klingeln am Ende der Stunde ▪ nur Doppelstunden von 90 Minuten ▪ Fächerübergreifendes Lernen: ein Thema in mehreren Fächern ▪ Eltern betreuen nachmittags Lerngruppen	▪ keine Noten bis Klasse 8 ▪ Selbsteinschätzung der Schüler auf dem Zeugnis ▪ Jahrgangsübergreifende Klassen ▪ jede Woche ein „Welterkundungstag" mit Projekten außerhalb der Schule (z. B. Bauernhof, Museum)	▪ Schulradio ▪ Schulsanitätsdienst ▪ Schülertechniklabor ▪ keine Noten im Sportunterricht ▪ Streitschlichtung ▪ höchstens 20 Schüler pro Klasse ▪ intensives Nachmittagsprogramm

b Im Internet könnt ihr unter schulpreis.bosch-stiftung.de mehr über den Wettbewerb, die Schulen und die Gewinner erfahren.

c Beschreibt eure Traumschule.

7 **Schulen, die nicht jeder kennt**

a Wie versteht ihr die Überschrift? Was für Schulen könnten das sein? Überlegt zusammen.

b Lies den ersten Textabschnitt. Welche bekannten Schularten werden genannt?

1 München ist eine große Stadt mit vielen Kindern und Jugendlichen und deshalb auch sehr vielen Schulen. Von Grundschule, Hauptschule, Realschule und Gymnasium haben alle schon gehört. Ebenso von Gesamtschule. Aber es gibt auch einige Schulen, die weniger bekannt sind.

c Lies diese drei Textabschnitte und markiere, von welchen Schulen sie berichten.

2 Zum Beispiel eine Schule für Sehbehinderte und Blinde. Dort lernen Schülerinnen und Schüler denselben Stoff wie gut sehende Schüler – aber sie haben spezielle Hilfsmittel dafür. Die Schulbücher sind in Blindenschrift gedruckt, für Mathematik gibt es spezielle Lineale und Taschenrechner, und geschrieben wird mit einer besonderen Schreibmaschine. Tafeln gibt es in dieser Schule nicht und die Lehrer verteilen Arbeitsblätter in Blindenschrift. Außerdem ist es immer sehr leise im Klassezimmer, denn wenn man nicht sehen kann, ist Hören noch viel wichtiger.

3 Eine andere besondere Schule befindet sich in einem umgebauten Wagen und begleitet den „Circus Krone" überall hin. In diesem rollenden Klassenzimmer gibt es nur eine Klasse, die Kinder kommen aus verschiedenen Ländern, sind zwischen 5 und 14 Jahren alt und müssen ganz unterschiedlichen Stoff lernen. Die Lehrerin unterrichtet alle Schüler zusammen – aber meistens nur vormittags und auch nur im Sommer. Im Winter gehen die Zirkuskinder dann in Münchner Schulen.

4 Auch Jugendliche im Gefängnis sind schulpflichtig. Für sie gibt es Unterricht und sie können den Haupt- oder Realschulabschluss machen. Der Unterricht findet ähnlich wie an anderen Schulen statt, nur werden die Schüler auch in den Pausen bewacht. Und nach dem Unterricht gehen sie nicht nach Hause. Für erwachsene Gefangene gibt es die Möglichkeit, Schulabschlüsse nachzuholen. In größeren Gefängnissen gibt es auch andere Bildungsangebote wie z. B. Fremdsprachenunterricht. Und es gibt sogar die Möglichkeit, über das Internet an einem Fernstudium teilzunehmen.

d Lies die Aussagen 1–5. Auf welche Schule bzw. welchen Textabschnitt beziehen sie sich? Schreib die Nummer der Aussagen an den passenden Textabschnitt.

1 Die Schule ist mobil.

2 Hier können auch Erwachsene lernen.

3 In dieser Schule lernen die Schüler mit besonderen Materialien.

4 Nach dem Unterricht bleiben die Schüler noch.

5 Hier findet auch außergewöhnlicher Unterricht statt.

Tipp

Schlüsselwörter in den Aussagen helfen dir, die richtige Stelle im Text zu finden – aber auch hier sind die Schlüsselwörter oft nicht identisch, sondern synonym.

e Wie steht es in der Aussage und wie im Text?

Schlüsselwörter in der Aussage	*Schlüsselwörter im Text*
... Schule ... mobil	*... rollenden Klassenzimmer ...*

8 Richtig oder falsch?

Lest diese Aussagen. Markiert Schlüsselwörter, sucht die passenden Textstellen in den Abschnitten von Aufgabe 7, vergleicht und kreuzt dann an.

		richtig	falsch
1	Sehbehinderte Schüler lernen nach speziellen Lehrplänen.		
2	Es gibt eine Tafel mit Blindenschrift.		
3	Die Klasse wird in einem Wagen des „Circus Krone" unterrichtet.		
4	Im Winter ist die Zirkus-Schule in München.		
5	Im Gefängnis kann man die Schule abschließen.		
6	Gefangene können auch Sprachen lernen oder studieren.		

Tipp

In der Prüfung folgen die Aufgaben immer der Reihenfolge der Textabschnitte.

9 So ähnlich sieht die Aufgabe Leseverstehen Teil 3 in der Prüfung aus.

a Lies den Text und die Aufgaben 1–5. Welche Aufgabe bezieht sich auf welchen Textabschnitt?

Den ganzen Tag Schule …

Fabian geht in eine Ganztagsschule und findet es gut. Seine Klasse gefällt ihm, er hat dort viele Freunde; das Mittagessen in der Mensa schmeckt fast immer gut und bei den Hausaufgaben helfen sich die Schüler gegenseitig oder sie fragen einen der anwesenden Lehrer.

Normale Schulfächer wie Mathe oder Deutsch wechseln sich mit anderen Angeboten ab. Theater oder Chor sowie verschiedene Sportarten oder Kochen stehen auf dem Stundenplan. „Hier kann ich echt viel ausprobieren und muss mir nach der Schule nicht noch einen Verein oder so etwas suchen", freut sich Fabian.

Wenn er um 17 Uhr die Schule verlässt, dann ist er fertig – mit allem: Schule, Freunde, Sport. Jetzt hat er tatsächlich freie Zeit für seine anderen Hobbys und manchmal sogar für seine Eltern.

Fertig ist auch Sebastian am Ende des Tages. Für ihn ist es Stress, die Ganztagsschule und sein weiteres Leben unter einen Hut zu bringen. Die weiteren Angebote der Schule interessieren Sebastian eigentlich nicht, trotzdem muss er bis 17 Uhr bleiben. Sein Hobby ist Karate, aber diesen Sport bietet seine Schule nicht an. Dreimal die Woche trainiert Sebastian deshalb in einem Verein.

Abends muss er dann oft noch Hausaufgaben machen, weil er sich in der Schule mit so vielen Schülern in einem Raum nicht konzentrieren kann. Da bleibt ihm kaum Zeit, seine Freunde zu treffen. Die gehen nämlich in eine andere Schule.

		richtig	falsch
1	Fabian verbringt viel Zeit mit seinen Freunden.		
2	In der Ganztagsschule stehen keine gewöhnlichen Fächer auf dem Plan.		
3	Fabian muss sich bald einen Verein suchen.		
4	Sebastian trainiert mehrmals in der Woche Karate in der Schule.		
5	Sebastian sieht seine Freunde nur selten.		

b Löse die Aufgabe und vergleiche mit den anderen, was euch beim Lösen geholfen hat.

? **10** Erzähle von deiner Schule: Welche Angebote gibt es? Was machst du wann? Wie sieht ein Tag in deinem Schulleben aus? Erzähle, was du vom Aufstehen bis zum Schlafengehen machst.

So geht's: Vorbereitung auf Hörverstehen Teil 3

1 Endlich Pause

a Was macht ihr in der Pause?
Notiert Aktivitäten, ihr habt 5 Minuten Zeit.

b Auf Sendung: Ein Experte spricht über …
Lies die Einleitung und kreuz das Thema an.

> Kennst du das auch? Endlich klingelt es zur Pause, du hast lange darauf gewartet. Aber dann ist die Pause viel zu schnell vorbei und du kommst genauso müde wie vorher in die Klasse zurück. Eigentlich brauchst du jetzt noch eine Pause. Sind die Pausen zu kurz? Oder machst du vielleicht etwas falsch in der Pause? Und wie könntest du die Pause besser nutzen? Hier ein paar Tipps.

☐ Die Pausen in der Schule sind zu kurz. ☐ Falsches und richtiges Verhalten in der Pause.

11

c Hör jetzt den Experten. In welcher Reihenfolge spricht er über die Probleme? Nummeriere.

Problem ______: Die Hektik
Problem ______: Falsche Ernährung
Problem ______: Weder frische Luft noch Bewegung
Problem ______: Nur Schule im Kopf

d Markiere die Tipps des Pausenexperten mit ☺ und seine Aussagen über falsches Verhalten mit ☹.

- Nimm keine Schulsachen mit in die Pause.
- Du rennst aus der Klasse, vergisst das Pausenbrot, musst noch schnell die Hausaufgaben abschreiben und im Sekretariat etwas abgeben.
- Du bist froh, wenn es regnet und du im Schulgebäude bleiben darfst. Drinnen im Warmen findest du es viel gemütlicher. Du setzt dich auf eine Bank oder auf die Treppe … und sitzt wieder.
- Steh früh genug auf, frühstücke gut und nimm dir für die Pause ein Brot, Obst und genug zu trinken mit.
- Wenn du die Pausen als Arbeitszeiten einplanst, dann kannst du dich nicht erholen.
- Geh in der Pause lieber ins Freie und laufe etwas herum.
- Du hast am Morgen nicht gefrühstückt und bist deshalb in der Pause sehr hungrig. Du kaufst dir schnell einen Schokoriegel und eine Cola.
- Frische Luft und Bewegung machen fit und du kannst im Unterricht viel besser aufpassen.

e Welche Tipps habt ihr für eine optimale Pause? Bildet Sätze mit Infinitiv.

> Es ist gut, in der Pause auf den Schulhof zu gehen.

> Optimal ist es, etwas Gesundes zu essen.

> Eine Stunde Pause zu machen ist am besten.

2 Streit in der Schule

a Gibt es bei euch oft Streit in der Klasse?
Um was geht es dann?

b Lest diese Sätze. Ist das bei euch auch so?

1 Mädchen streiten sich häufiger als Jungen.
2 Mindestens einmal in der Woche prügeln sich Schüler.
3 Die Lehrer mischen sich nie in einen Streit ein.

12

c Hör diesen beiden Schülern zu. Zu welchem Satz aus b sagen beide nichts?

d Hör noch einmal und entscheide, ob die Sätze in b richtig oder falsch sind.

e Vergleicht eure Lösungen und warum ihr so gelöst habt.

3 Interview mit einem Streitschlichter

a Versteht ihr diese Wörter? Worum könnte es im Interview gehen?

Konflikt | Konfliktpartner | Mediation | Mediator | Schimpfwort | Perspektive | Streit schlichten | Streitschlichter | Streitende | prügeln | spiegeln | Gespräch | Ausbildung

13 **b** Jonas aus der 10a ist seit drei Jahren Streitschlichter. Hör zu und markiere in a Wörter, die du hörst.

c Erzählt euch, was ihr verstanden habt.

d Lies die folgenden Sätze und unterstreiche wichtige Wörter. Kreuz dann an.

		richtig	falsch
1	Meistens nehmen die Streitschlichter Kontakt zu den Streidenden auf.		
2	Ein Streitschlichter spricht immer allein mit den Streitenden.		
3	Im Gespräch steht der Streitende vor einem Spiegel.		
4	Alle müssen gut zuhören.		
5	Jonas streitet sich nicht mehr.		

13 **e** Hört das Interview noch einmal. Stoppt an der zur Aufgabe passenden Textstelle. Vergleicht eure Lösungen und sprecht darüber, warum ihr so gelöst habt.

4 Gibt es an eurer Schule Streitschlichter? Wer ist das? Helfen sie oft? Recherchiert.

5 Hörverstehen Teil 3 in der Prüfung

Lies, was du machen musst. Suche dann, welche Aufgabe auf dieser Doppelseite so ähnlich ist.

Du bekommst 5 Aufgaben. Du hast eine Minute Zeit, die Aufgaben zu lesen. Dann hörst du ein Interview und musst bei jeder Aufgabe ankreuzen: richtig oder falsch? Dann hörst du das Interview noch einmal und kannst deine Lösungen überprüfen.

6 Eine Übung gegen Schul- und Prüfungsstress

a Bring die folgenden Sätze in die richtige Reihenfolge. Markiere in jedem Satz, was dir geholfen hat, den nächsten Satz zu finden.

- [ ] … und wieder ganz tief aus – atme alle negativen Gedanken aus.
- [ ] Lass alle negativen Gedanken los. Denk an nichts, hör nur auf deinen Atem.
- [1] Setz dich ruhig hin und schließe die Augen.
- [ ] Nur auf deinen Atem. Atme tief ein …
- [ ] Zum Schluss streck deine Arme nach oben, so hoch du kannst. Und dann …
- [ ] Nochmal … atme tief ein … und wieder aus. Lass alles raus.
- [ ] Lass die Augen geschlossen. Nimm die Arme zur Seite oder nach oben und streck dich. Gähne, wenn du magst.
- [ ] öffne die Augen. Jetzt bist du ganz ruhig.
- [ ] Du sitzt gerade, du spürst den Stuhl am Rücken, den Boden unter deinen Füßen. Denk an nichts!

b Probiert die Übung aus. Eure Lehrerin oder euer Lehrer liest euch die Sätze vor.

? **c** Eure Tipps: Sammelt und vergleicht Tipps zur folgenden Themen:

Tipps gegen Stress

Tipps für eine gute Prüfung

Tipps für eine gute Prüfungsvorbereitung

So geht's: Vorbereitung auf Schriftliche Kommunikation

1 Dafür oder dagegen?

a Lies diese Aussagen. Stimmst du zu (+) oder bist du dagegen (–)?

- ☐ Die Pausen sollten länger sein.
- ☐ Lernen muss man lernen.
- ☐ 12 Stunden Schule am Tag wären gut.
- ☐ In der Schule lernt man für das Leben.
- ☐ Schule muss Spaß machen.
- ☐ Ohne Deutsch ist das Leben langweilig.
- ☐ Alle Englischlehrer sollten blaue Schuhe tragen.
- ☐ Mädchen sind in der Schule fleißiger als Jungen.

b Schreibt eigene Aussagen zum Thema Schule an die Tafel. Wer ist dafür, wer dageben?

2 Schuluniform: Pro oder contra?

a Lest die Argumente. Sind sie für (pro) oder gegen (contra) eine Schuluniform? Markiert mit + oder –.

A	Man muss morgens nicht lange aussuchen, was man anzieht.	
B	Man sieht in der Schule nicht gleich an der Kleidung, wer viel Geld hat.	
C	Man kann keinen eigenen Stil zeigen.	
D	Man identifiziert sich mit seiner Schule.	
E	Niemand kann sich über die Kleidung lustig machen.	
F	Alle sehen gleich aus.	
G	Manche sehen gut in der Uniform aus, anderen steht sie gar nicht.	
H	Man kann nicht frei entscheiden, was man anzieht.	

b Bist du pro oder contra? Und welche Argumente findest du gut? Formuliere Sätze damit.

Ich bin für eine Schuluniform, weil dann alle gleich aussehen.

Ich lehne eine Schuluniform ab, weil …

c Entwerft eure eigene Schuluniform und präsentiert sie.

3 Sollen Mädchen und Jungen getrennt unterrichtet werden?

a Markiere die Aussagen dafür grün und die dagegen rot.

1 Mädchen haben oft Probleme in Mathe und Naturwissenschaften, Jungen oft in Sprachen. Im getrennten Unterricht können die Lehrer sie dann besser in diesen Fächern fördern.
2 Jungen sind oft undisziplinierter und stören den Unterricht, deshalb werden die Mädchen abgelenkt und können nicht richtig im Unterricht mitmachen.
3 Im Berufsleben arbeiten Frauen und Männer auch zusammen. Aus diesem Grund sollte man schon früh lernen, wie das am besten geht.
4 Mädchen und Jungen haben unterschiedliche Stärken. So können sie sich gegenseitig helfen und voneinander lernen.
5 Man muss lernen, sich gegen das andere Geschlecht durchzusetzen, denn im echten Leben geht man ja auch keine getrennten Wege.
6 Mädchen trauen sich manche Sachen nicht, wenn Jungen da sind. Sie können mehr Selbstbewusstsein entwickeln, wenn sie alleine unterrichtet werden.

b Findet noch mehr Argumente und Begründungen zum Thema und notiert sie an der Tafel.

Tipp

Im Prüfungsteil Schriftliche Kommunikation musst du schreiben, welche Meinung du zu einem Thema hast. Nur „Ich bin dafür" oder „Ich bin dagegen" zu schreiben, reicht aber nicht. Du musst deine Meinung auch begründen, also schreiben, warum du dafür oder dagegen bist.

4 Deine Meinung

a Such dir vier Aussagen aus 1 aus. Schreib sie in eine Tabelle und notiere, ob du dafür (+) oder dagegen (–) bist. Notiere dann auch Argumente, die deine Meinung begründen.

Thema	*+/–*	*Argumente*
Pausen sollten länger sein	*+*	*lange Wege zwischen den Räumen*

b Formuliere und begründe deine Meinung. Diese Redemittel helfen dir.

Ich bin dafür / dagegen, dass … | Ich finde (nicht), dass … | Ich bin (nicht) der Meinung, dass … | Ich denke so, weil … | Ich meine das, weil… | … und deshalb finde ich …

5 Schulstrafen

a Was sind Schulstrafen und welche gibt es bei euch an der Schule?

b So ähnlich könnte eine Aufgabe im Prüfungsteil Schriftliche Kommunikation aussehen: Lies und markiere, um welches Thema es geht und was du machen musst.

Sollen Eltern informiert werden, wenn ihr Kind eine Schulstrafe bekommt?

In einem Internetforum liest du folgende Beiträge:

Lenka: Bei mir wäre das die absolute Katastrophe. Ich lerne so viel und habe trotzdem keine guten Noten. Meine Eltern würden mir den Computer verbieten oder Hausarrest geben.

Dirk: Meine Eltern sagen mir immer, dass Schule meine Sache ist. Ich lerne für mich und mein Leben. Und meine Fehler muss ich auch selbst machen. Sie möchten nicht informiert werden.

Katja: Ich bekomme nie eine Schulstrafe, also ist mir das egal. Aber ich finde, Eltern müssen über Strafen informiert werden. Dann bekommt das Kind zu Hause auch eine Strafe und macht in Zukunft alles besser.

Mario: Das kommt auf die Strafe an und warum man die Strafe bekommt. Wenn ein Schüler etwas Schlimmes gemacht hat, dann müssen die Eltern das wissen, finde ich. Aber so kleine Sachen wie Hausaufgaben vergessen … das interessiert doch die Eltern nicht.

- Wie ist deine Meinung zu dem Thema? Begründe deine Meinung.

c Wer ist pro, wer contra? Schreib + oder – an die Aussagen.

d Bist du pro oder contra? Ist eine der Meinungen oben deiner Meinung ähnlich oder genau das Gegenteil?

e Formuliere deine eigenen Argumente pro oder contra. Gib auch Beispiele an.

6 Keine klare Meinung?

Wie drückt der Schüler das aus? Markiere Redemittel.

Also, ich habe zu diesem Thema keine klare Meinung. In manchen Fällen ist es richtig, dass die Eltern informiert werden. Sie müssen ihr Kind erziehen, und deshalb müssen sie auch wissen, was es in der Schule macht. Wenn ihr Kind die Schule schwänzt oder bei Mobbing oder Gewalt, müssen die Eltern informiert werden und etwas dagegen tun.

Andererseits gibt es auch Lehrer, die schon bei vergessenen Hausaufgaben sofort einen Brief an die Eltern schreiben. Das finde ich übertrieben. Es reicht in dem Fall doch, wenn der Schüler die Hausaufgaben nachholt.

Ich bin also nicht prinzipiell dafür oder dagegen, dass Eltern über Schulstrafen informiert werden. Es gibt Gründe dafür und Gründe dagegen.

Schule

1 Schulwörter

a Kennst du diese Wörter?

nachsitzen korrekt stören ausfallen sich melden abschreiben ordentlich
kontrollieren eine Prüfung bestehen durchfallen faul sitzen bleiben aufpassen
korrigieren laut erziehen der Schulabschluss sich vorbereiten die Zensur
der Stundenplan die Note langweilig interessant die Prüfung streng begabt
der Mitschüler das Schuljahr gerecht das Lieblingsfach diskutieren der Unterricht
die Fremdsprache die Grammatik bewerten das Zeugnis die Bewertung der Kurs
das Angebot das Projekt das Experiment die Hausaufgabe unterrichten
schulpflichtig die Übung wiederholen auswendig lernen der Fehler
das Klassenzimmer erklären schwänzen fleißig die Nachhilfe
freiwillig die Arbeit die Bildung das Schulsystem fehlen

b Sortiere die Wörter. Ergänze Wörter aus diesem Kapitel. Arbeite mit den Wörtern.

2 Es gibt viele Gründe, Deutsch zu lernen

a Lies und unterstreiche, warum diese Schülerinnen und Schüler Deutsch lernen.

Ich spreche auch Englisch und ich finde, dass Deutsch ähnlich ist. Deshalb ist Deutsch für mich leicht. Mein Vater lernt auch Deutsch für seine Arbeit und wir können zusammen üben. Das macht Spaß.

Sam aus Uganda

Ich finde es toll, dass man auf Deutsch lange Wörter bilden kann. Man setzt zwei Wörter zusammen und dann hat man ein neues Wort, z.B. Zahn und Arzt ist Zahnarzt. Außerdem finde ich die Aussprache schön.

Krystof aus Polen

Deutsch ist meine vierte Sprache. Ich möchte Journalistin werden und da sind Fremdsprachen sehr wichtig. Ich war noch nicht in Deutschland, aber ich möchte sehr gern mal nach Berlin. Diese Stadt finde ich sehr interessant.

Revathi aus Indien

Meine Oma kommt aus Bremen. Ich lerne für sie Deutsch. Sie hilft mir oft bei den Hausaufgaben und spricht mit mir und sie singt Lieder auf Deutsch. Das klingt sehr schön. Aber die Grammatik mag ich nicht so sehr.

Tim aus den USA

Ich lerne seit zwei Jahren Deutsch und das macht mir großen Spaß und ist nicht schwer. Ich habe schon meine Tante in Deutschland besucht. Es hat mir sehr gut gefallen und ich konnte auch mit den Leuten sprechen.

Svetlana aus Kasachstan

Ich lerne Deutsch, weil ich später in Deutschland studieren will. Deutsch ist nicht so einfach für mich, besonders die Aussprache fällt mir schwer. Aber die Grammatik ist logisch. Englisch finde ich viel schwerer.

Lin aus China

b Zu wem passen die Aussagen? Ordne die Sätze den Schülern zu.

A Sie finden, dass Deutsch eine einfache Sprache ist.
B Sie mögen die deutsche Aussprache.
C Sie brauchen Deutsch für ihre berufliche Zukunft.

? **c** Wie wichtig ist Deutschlernen für dich? Wozu brauchst du Deutsch vielleicht mal? Erzähle.

3 Argumentieren üben

a Das Wichtigste in der Schule ist …

Schreib einen Gegenstand aus der Schule auf einen Zettel. Die Zettel werden neu verteilt. Warum ist der Gegenstand auf deinem Zettel der wichtigste an der Schule? Finde Argumente.

Die Klingel ist der wichtigste Gegenstand in der Schule, weil …

b Pro oder contra – Spontan argumentieren

Denkt euch Fragen aus, die mit Ja oder Nein beantwortet werden können. Fragt eure Mitschüler, sie antworten und begründen mit Argumenten.

Sollte Mathe verboten werden?

Ja, weil …

4 Erzähle …

a Suche das **?** in den Kapiteln 2 und 3. Welche Fragen findest du dort? Leg eine Liste für diese Frage an. Ordne sie nach Themen.

Schule

Welches Schulfach magst du am liebsten?

? **b** Wie ist deine Antwort auf diese Frage?

Gibt es an deiner Schule ein Schulfest? Wann ist / war das und was kann / konnte man dort machen?

5 Präsentiere …

a Welche Projekte hast du in diesem Kapitel gemacht und welche Internetseiten hast du dafür besucht?

b Welche Präsentationen der Ergebnisse waren besonders gut? Warum?

Tipp

In der Mündlichen Prüfung Teil 2 musst du ein Thema deiner Wahl präsentieren. Es sollte etwas aus deinem Leben sein, über das du interessant und lebendig mit Beispielen berichten kannst. Das kann z. B. „Schule bei uns und in Deutschland" sein oder „So verbringe ich meine Freizeit". Mach dir schon früh Gedanken, was du präsentieren möchtest und wie deine Präsentation sein soll. Mehr dazu erfährst du im Kapitel Mündliche Prüfung auf S. 150 bis 170.

6 Die Prüfung DSD I

a Über welche Prüfungsteile hast du in diesem Kapitel etwas erfahren? Notiere kurz, was du in den Teilen machen musst.

__________verstehen Teil ______

__________verstehen Teil ______

______________ Kommunikation

Mündliche Prüfung Teil ______

b Das kannst du schon. Bewerte mit ☺, 😐 oder ☹.

Ich kenne viele Wörter zum Thema „Schule".	
Ich kann Fragen zum Thema beantworten.	
Ich kann Aussagen in einer Aufgabe und einem Lesetext vergleichen und entscheiden, ob die Aufgabe richtig oder falsch ist.	
Ich kann sagen, ob ich für oder gegen etwas bin und meine Meinung mit Argumenten begründen.	

4 Freizeit

1 Freizeit = freie Zeit?

a Was heißt Freizeit für dich? Kreuze an oder finde eine für dich passende Ergänzung.

1 Freizeit habe ich ...

- ☐ jeden Tag nach der Schule.
- ☐ leider nur in den Ferien.
- ☐ nur am Wochenende.
- ☐ ______________________________

2 Freizeit ist, wenn ich ...

- ☐ nichts für die Schule machen muss.
- ☐ allein entscheide, was ich mache.
- ☐ einfach nichts machen muss.
- ☐ ______________________________

3 In meiner Freizeit habe ich hauptsächlich Zeit für ...

- ☐ mich selbst.
- ☐ meine Freunde.
- ☐ meine Familie.
- ☐ ______________________________

4 In meiner Freizeit will ich ...

- ☐ mich nur entspannen.
- ☐ Interessantes erleben.
- ☐ meine Hobbys machen.
- ☐ ______________________________

b Vergleicht, was ihr angekreuzt habt. Wie definiert ihr Freizeit? Schreibt einen Satz.

2 Freizeitaktivitäten von Jugendlichen

a Lest die Aktivitäten im Schüttelkasten und seht euch die Grafik an.
Ratet, welche Aktivität wie beliebt ist.

fernsehen | Radio hören | ins Kino gehen | CDs hören | Zeitschriften lesen |
Bücher lesen | Comics lesen | den Computer benutzen | Filme ansehen

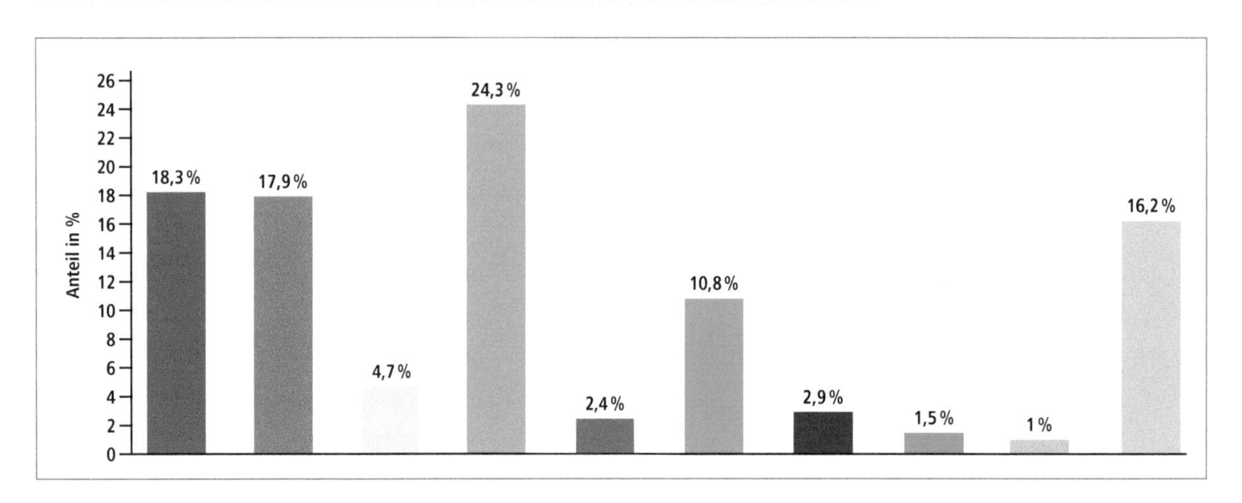

14

b Pia hat mehr über die Freizeitaktivitäten der Jugendlichen gelesen. Über welche Aktivität sagt sie nichts?

14

c Hör noch einmal zu und kreuze an, was Pia sagt.

1 Die meisten Jugendlichen ☐ sehen fern. ☐ benutzen in ihrer Freizeit den Computer.
2 18,3 % der Teenager ☐ sehen fern. ☐ hören CDs.
3 Die wenigsten Jugendlichen ☐ hören Radio. ☐ gehen ins Kino.
4 10,8 % der Jugendlichen lesen am liebsten ☐ Zeitschriften. ☐ Bücher. ☐ Comics.
5 16,2 % der befragten Personen ☐ machen nichts. ☐ geben „Sonstiges" an.

d Beschrifte die Grafik mit den Angaben aus c. Höre den Text so oft wie nötig, um die restlichen Angaben zu ergänzen.

3 „Sonstiges"

a Nennt Beispiele für diese Freizeitaktivitäten.

Sport treiben — in einem Verein sein — im Haushalt helfen

Musik machen — spielen — sammeln

b Kennt ihr noch andere Hobbys? Ergänzt die Liste.

c Bewertet die Aktivitäten. Vergleicht und begründet eure Bewertungen.

gefährlich | teuer | langweilig | außergewöhnlich | kreativ | zeitaufwendig | altmodisch | typisch für Mädchen / Jungen / ältere Leute | kein Hobby | verlangt viel Geschick / Talent

… ist ein außergewöhnliches Hobby, weil …

4 Eure Hobbys

a Macht eine Umfrage in der Klasse. Jeder nennt drei Freizeitaktivitäten, die sie oder er mindestens zweimal pro Woche macht.

Ich gehe zweimal in der Woche ins Fußballtraining.

Jeden Montag und Mittwoch, manchmal auch freitags, spiele ich …

b Wählt ein Hobby und ergänzt in einer Mindmap alles, was euch dazu einfällt.

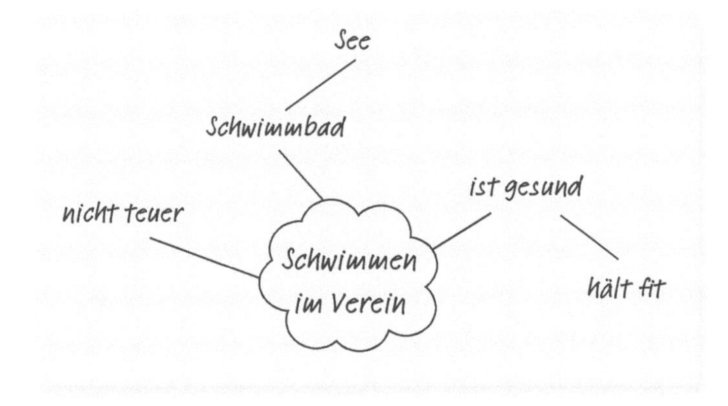

c Präsentiere dein Hobby. Bring Fotos oder einen typischen Gegenstand mit. Folgende Fragen helfen dir, deine Präsentation vorzubereiten:

- Wann machst du das?
- Wo machst du das?
- Seit wann machst du das?
- Wie oft / Wie lange machst du das?
- Mit wem machst du das? Was brauchst du dafür?
- Was gefällt dir besonders daran?
- Was ist nicht so gut?
- Warum sollten viele Leute das auch machen?

So geht's: Vorbereitung auf Leseverstehen Teil 4

1 Freizeittipps

a Diesen Jugendlichen ist langweilig. Welches Freizeitangebot würdest du wem empfehlen? Suche für jede Person das Angebot, das deiner Meinung nach am besten passt.

Karin (13) mag Kunst. | Jan ist 14 und liebt die Abwechslung. | Pascal ist 17, klettert gern und liest Comics. | Martina ist 15 und sehr musikalisch. | Steffi geht gern wandern, aber nicht in den Bergen. | Tobias ist sportlich und liebt das Risiko. | Florian (15) sucht eine neue Sportart. | Melanie ist 16, turnt gern und tritt auch vor Publikum auf.

A

Neue Saiten entdecken?

Du willst Gitarre spielen? Jemanden begleiten oder selber singen? Wir bringen es dir bei: In 13 Einzel- oder Gruppenstunden lernst du die Grundbegriffe der Liedbegleitung. (Ab 12)

B

Zirkusschule

Erfahrene Jongleure geben Tipps: Bälle, Ringe werfen, akrobatische Übungen trainieren. Mutige können das Feuerschlucken lernen. (Ab 16)

C

Gleitschirmfliegen

Schnupperkurs für erste Erfahrungen mit dem Gleitschirmfliegen. Die komplette Flugausrüstung mit Helm und Funkgerät wird gestellt. (Ab 15)

D

Manga zeichnen

Wir zeigen dir Schritt für Schritt, wie man Manga-Figuren zeichnet. Du brauchst keine besonderen Materialien, nur Bleistift, Papier und einen Radiergummi. (Ab 12)

E

Tour auf Rollen

Wir starten in der historischen Stadt Rothenburg und rollen bis nach Wertheim. Jede Menge Spaß in der Natur ist garantiert. Ein Servicewagen begleitet die Tour. (Ab 13)

F

Hoch in den Gipfeln

Ganz neu eröffnet und schon super beliebt: Der neue Kletterpark hat für jeden etwas! Begleitete und abgesicherte Klettertouren auf den Berg oder im Wald. Unser spezielles Angebot für Jugendliche ab 16: Zwei-Tages-Karte und komplette Ausrüstung zum Kennenlernpreis.

G

Romantisches Donautal

Keine Lust mehr auf den Sonntagsspaziergang mit den Eltern? Dann geh mit uns wandern! Lern deine Umgebung besser kennen und sei stolz auf jeden Kilometer. Am 15.5. wandern wir zur Burg Bad Wildenstein und zelten dort. Pack deinen Rucksack und komm mit!

H

Abenteuer Wildwasser

Für alle, die etwas Außergewöhnliches erleben wollen: 5 Tage Natur pur mit dem Kajak. Ihr braucht nur etwas Mut und Abenteuerlust. Alle Touren werden von Profis geführt. (Ab 14)

b Vergleicht eure Empfehlungen und begründet eure Wahl.

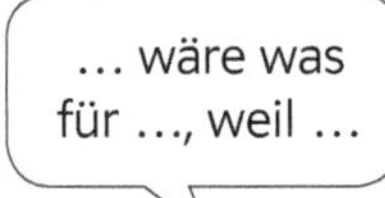

… könnte … oder … ausprobieren, denn das passt gut zu ihren / seinen Interessen.

… könnte zu … passen, denn …

… sollte lieber … machen.

c Was würdest du gern machen? Warum? Und was interessiert dich überhaupt nicht?

2 Jugendliche sprechen über …

a Lies, wovon Alex, Paulina und Tim erzählen. Worum geht es bei allen drei?

Alex: Am liebsten höre ich Rap und Hip-Hop. Mir gefällt, dass die Texte oft wie Gedichte sind und Reime haben. Die Musiker singen über ihre Gefühle, manchmal aber auch von Drogen oder Kriminalität. Meistens höre ich englische Musik – die Texte klingen einfach besser als deutsche, finde ich. Meine Lieblingsmusik höre ich überall: zu Hause im Bett, im Bus oder in der Pause. Vor allem, wenn ich traurig, wütend oder müde bin, mag ich diese Musik. Die Lieder machen mich wieder glücklich.

Paulina: Es ist wahrscheinlich ungewöhnlich, aber ich liebe deutsche Schlager. In meiner Klasse lachen viele darüber, aber das ist mir egal. Die Musik macht immer eine gute Stimmung. Sie bringt die Menschen zusammen. Ich höre Schlager schon morgens im Bus auf dem Weg zur Schule – da habe ich gleich gute Laune. In den Liedern geht es um Liebe und Vertrauen. So richtig was fürs Herz.

Tim: Ich war schon auf zwei Konzerten meines Lieblingssängers Tim Bendzko. Mir hat seine Musik wegen der guten Texte schon immer gefallen. Sie handeln vom Leben und allem, was dazu gehört. Die meisten Lieder sind ruhig – das passt immer. Ich brauche Musik, um mich zu entspannen. Manchmal erinnern mich bestimmte Lieder auch an bestimmte Momente. Deutsche Lieder mag ich lieber als englische, weil ich da einfach alles ganz genau verstehe.

In allen drei Texten geht es darum, welche Musik Alex, Paulina und Tim …
☐ kennen. ☐ kaufen. ☐ hören.

b Lies den Text von Alex noch einmal. Was ist richtig?

Alex mag Musik, die …
☐ keine gereimten Texte hat. ☐ seine Probleme beschreibt. ☐ seine Laune verbessert.

c Vergleicht eure Antwort und findet die passende Stelle im Text.

d Lies Paulinas Text noch einmal. Was ist richtig? Und warum sind die anderen Möglichkeiten falsch?

Paulina mag deutsche Schlager, sie …
☐ sorgen für eine gute Atmosphäre.
☐ helfen ihr bei Problemen in der Liebe.
☐ klingen sehr ungewöhnlich.

e Was ist für Tim richtig? Warum?

Tim bevorzugt Musik mit …
☐ lebendigen Texten. ☐ englischen Texten. ☐ ruhigen Melodien.

? **f** Welche Musik hörst du gern?

3 Ein Interview mit …

a Findet mehr über den Musikgeschmack einer Mitschülerin oder eines Mitschülers heraus. Lest den Satzanfang vor, sie oder er beendet den Satz.

Ich mag Musik, die … | Ich höre gern … | Ich höre Musik, wenn ich … | Musik macht mich … | Ich brauche Musik, weil … | Meine Lieblingsband heißt … | Mir gefällt ihre Musik, weil … | Ich habe einen Lieblingssänger, er heißt … | Musik auf Deutsch finde ich … | Ich mache auch selbst Musik. Ich …

b Stelle vor, was du herausgefunden hast.

Ich habe mit Dan gesprochen. Er mag …

Liz hat einen interessanten Musikgeschmack. Sie …

4 Cheerleading

a Was ist Cheerleading? Woher kennt ihr das?

b In der Prüfung bekommst du für das Leseverstehen Teil 4 einen längeren Text. Wie viele Abschnitte hat der Text? Nummeriere sie.

Ich heiße Nicole. Unsere Cheerleader-Mannschaft gehört zum Footballverein Bulldogs. Ich bin das erste Mal vor ungefähr fünf Jahren mit dem Cheerleading in Berührung gekommen. Damals war ich auf der Suche nach einer Sportart, die mich körperlich herausfordert und mir zusätzlich auch Spaß macht. Beides habe ich als Cheerleaderin gefunden. Jetzt bin ich für die Choreographien der Mannschaft zuständig.

Dreimal in der Woche treffen wir uns in der Turnhalle einer Schule, um neue Tanzchoreographien, Sprünge und Schritte einzustudieren. In den Ferien und bei gutem Wetter trainieren wir auch gerne unter freiem Himmel. Wir üben das ganze Jahr, denn wir sind eigentlich immer im Einsatz. In den Saisonpausen unseres Vereins kann man uns auf anderen Sportveranstaltungen oder Cheerleader-Wettbewerben sehen. Als nächster wichtiger Termin für uns steht der internationale Vergleich bei der Europameisterschaft in Nürnberg an.

Einen Cheerleader ohne blaue Flecken gibt es nicht. Dennoch versuchen wir, das Unfallrisiko so gering wie möglich zu halten. Wir achten beim Training deshalb besonders auf die Sicherheit der Mitglieder. Schließlich gibt es Figuren, bei denen man die Mädchen meterhoch in die Luft wirft und wieder auffängt. Jede Figur müssen wir sehr gut und immer wieder üben, bis alles perfekt ist – und die Mädchen sich blind aufeinander verlassen können.

Neben den Hebefiguren, Pyramiden und Sprüngen zählen auch Tanzschritte, Turnelemente und lautes Rufen zu den Aufgaben eines Cheerleaders. Was die meisten nicht wissen: Cheerleading begann als reiner Männersport. Erst am Anfang des 20. Jahrhunderts kamen weibliche Cheerleader dazu. Heute gibt es viele gemischte Teams, in denen auch mehrere Männer mit den Frauen mittanzen.

Cheerleading gibt es übrigens schon über 100 Jahre. Im Jahr 1898 motivierte der US-amerikanische Student Johnny Campell seine Schulmannschaft in Minnesota während des Spiels mit lauten Rufen. Seit den 1980er Jahren findet dieser Sport auch in Deutschland immer mehr begeisterte Anhänger.

c Zu jedem der fünf Abschnitte musst du eine Aufgabe lösen. Lies die erste Aufgabe, unterstreiche wichtige Wörter, suche die passende Stelle im ersten Textabschnitt – und kreuze eine Lösung an.

1 Nicole …

A ☐ suchte nach einer Frauen-Mannschaft.
B ☐ wollte eine neue Sportart ausprobieren.
C ☐ trainierte vor fünf Jahren Cheerleading.

d Vergleicht eure Lösungen, die Textstellen und warum ihr so gelöst habt.

e Geht für die Aufgaben 2 bis 5 ebenso vor. Vergleicht dann eure Lösungen.

2 Das Training findet … statt.

A ☐ in den Saisonpausen
B ☐ in den Sommerferien
C ☐ das ganze Jahr über

3 Beim Cheerleading …

A ☐ ist das Training immer sehr sicher.
B ☐ muss man immer vorsichtig sein.
C ☐ achtet man auf eine schlanke Figur.

4 Die Cheerleader dürfen …

A ☐ auch Männer sein.
B ☐ nur leise sprechen.
C ☐ in Paaren tanzen.

5 Cheerleader motivieren …

A ☐ amerikanische Studenten.
B ☐ auch in Deutschland.
C ☐ begeisterte Anhänger.

f Die sechste Aufgabe bezieht sich immer auf den gesamten Text. Welche Überschrift passt also am besten?

6 Cheerleading:

A ☐ Eine Herausforderung für starke Nerven
B ☐ Viel mehr als nur laute Rufe
C ☐ Nach jedem Spiel eine unglaubliche Show

So geht's: Vorbereitung auf Hörverstehen Teil 4

1 Kino

a Was passt zusammen? Verbinde.

1	Ein Schauspieler
2	Eine Hauptfigur
3	Ein Genre
4	Eine Szene
5	Eine Verfilmung

A	ist eine „Sorte" Film, z. B. eine lustige Komödie oder ein spannender Abenteuerfilm.
B	ist ein Film, der auf einem Buch oder einem Theaterstück basiert.
C	spielt eine Person in einem Film.
D	ist die wichtigste oder eine der wichtigsten Personen in einem Film.
E	ist ein bestimmter Moment in oder ein Ausschnitt aus einem Film.

b Könnt ihr diese Wörter erklären?

Hauptrolle Kulisse Lieblingsfilm Klassiker Kinofan Geschmack

15

c Emily erzählt. Welcher Titel passt am besten zu Emilys Bericht? Kreuze an.

☐ Mein Lieblingsfilm ☐ Meine Liebe: Filme! ☐ Liebesfilme sind am besten

15

d Hör noch einmal. Welche Filmgenres nennt Emily?

☐ Abenteuerfilme ☐ Krimis ☐ Romanverfilmungen ☐ Fantasyfilme
☐ Science-Fiction-Filme ☐ Horrorfilme ☐ Action-Filme ☐ Komödien

e Nennt Filme als Beispiele für die Genres. Übersetzt die Titel auf Deutsch – die anderen raten den Film.

?

2 Filme

a Lies die Themen und notiere zu jedem Thema deine Ideen.

Der schlechteste Film aller Zeiten! Mein absoluter Lieblingsfilm.

Ein Film, den ich immer wieder sehen kann. Ein Film, den man unbedingt sehen muss!

Ein Film, in dem ich mitspielen möchte. Ein Buch, das man unbedingt verfilmen sollte.

b Erzählt euch, was ihr zu den Themen notiert habt.

3 Deutsche Filme und Schauspieler

a Um was könnte es in diesen Filmen gehen?

Almanya – Willkommen in Deutschland Rubinrot Die Welle

b Sucht mehr Informationen über die Filme im Internet. Welchen Film würdet ihr gern sehen? Warum?

c Wo kann man bei euch deutsche Filme oder Bücher bekommen?

d Die Schauspielerin Maria Ehrich spielt im Film Rubinrot mit. Beschreibt sie mit Hilfe folgender Stichwörter:

- 26.2.1993
- 174 cm
- Reiten, Tanzen
- Erfurt
- braun
- Englisch, Französisch, Spanisch
- 2013 beste Nachwuchsschauspielerin
- Berlin

4 So ein Theater!

a Lies die Aufgabenstellung. Zu welchem Thema hörst du gleich etwas?

Vanessa Tokaya leitet die Theatergruppe „Ü14" in Berlin. Hör zu, was sie über die Gruppe erzählt.

b Lies die Fragen. Du hast dafür eine Minute Zeit. Notiere danach Wörter, an die du dich erinnerst.

- ☐ Woher kommt der Name „Ü14"?
- ☐ Wie viele Schauspieler seid ihr?
- ☐ Seid ihr vor Auftritten nervös?
- ☐ Wie oft probt ihr?
- ☐ Seit wann gibt es die Gruppe?
- ☐ Woher kommen eure Kostüme?
- ☐ Spielt ihr auch im Ausland?
- ☐ Was für Stücke spielt ihr?

16

c Hör zu, was Vanessa erzählt, und ergänze deine Notizen. Sagt Vanessa zu allen Punkten etwas?

Tipp

Es ist eine gute Strategie, beim Hören auf bestimmte Stichwörter, zu denen man mehr Informationen erfahren möchte, zu achten.

16

d Hör den Text nochmal und nummeriere die Fragen in b in der richtigen Reihenfolge.

e Erinnerst du dich? Kreuze an, wie der Satz weitergeht.

1 In der Theatergruppe sind alle Schauspieler über … Jahre alt.

☐ 14 ☐ 30 ☐ 25

2 Die Gruppe gibt es seit …

☐ neun Jahren. ☐ den neunziger Jahren. ☐ neunzehn Jahren.

3 In den Stücken spielen … mit.

- ☐ immer alle Mitglieder der Gruppe
- ☐ immer andere Mitglieder der Gruppe
- ☐ auch die Jugendlichen aus dem Publikum

4 Kostüme …

- ☐ braucht die Gruppe für ihre Stücke nicht.
- ☐ macht die Gruppe aus normaler Kleidung.
- ☐ kauft die Gruppe in speziellen Geschäften.

16

f Hört Vanessa noch einmal und vergleicht eure Lösungen.

5 Hörverstehen Teil 4 in der Prüfung.

a Lies die Sätze und verbinde, was zusammenpasst.

1	Lies die Einleitung auf dem Aufgabenblatt. Hier steht der Titel …
2	Zu dem Hörtext gibt es sechs Aufgaben. Es ist …
3	Du hast eine Minute Zeit, die Aufgaben zu lesen. Dabei …
4	Kreuze deine Lösung an. Du hörst den Text zweimal …

A	kannst du wichtige Wörter unterstreichen. Dann fängt der Hörtext an.
B	und kannst deine Lösungen überprüfen.
C	des Hörtexts und wer gleich über was spricht. Jetzt kannst du schon überlegen, worum es gleich geht.
D	immer ein Satzanfang und drei Möglichkeiten, den Satz zu beenden.

17

b Hör zu und überprüfe, ob du die Sätze richtig verbunden hast.

c So ähnlich sieht das Aufgabenblatt in der Prüfung aus. Lies die Einleitung und unterstreiche: Wer spricht? Was ist das Thema?

> **Hörverstehen Teil 4**
>
> **Kein Leben ohne Bücher!**
> Du hörst eine Reportage im Schülerradio. Frieda erzählt von ihrem Leben mit Büchern.

d Überlegt kurz, was Frieda gleich erzählen könnte.

Der Titel ist: Kein Leben ohne Bücher … Das heißt bestimmt, dass …

Vielleicht sagt Frieda, was sie liest oder …

e Lies die Aufgaben. Du hast dafür eine Minute Zeit.

1 Lesen …
A ☐ macht Frieda traurig.
B ☐ ist für Frieda langweilig.
C ☐ macht Frieda glücklich.

2 Bücher erzählen Frieda von …
A ☐ realen Menschen.
B ☐ fremden Welten.
C ☐ faszinierenden Figuren.

3 Frieda findet die Handlung in den Büchern …
A ☐ entspannend.
B ☐ real.
C ☐ interessant.

4 Frieda mag …
A ☐ Bücher lieber als Menschen.
B ☐ Menschen lieber als Bücher.
C ☐ Bücher mit echten Menschen.

5 Frieda meint, …
A ☐ Lesen ist besser als Fernsehen.
B ☐ Fernsehen ist besser als Lesen.
C ☐ Lesen und Fernsehen sind gleich.

6 Frieda ist Lesepate, weil sie …
A ☐ die Bibliothek gut kennt.
B ☐ Bücher so sehr liebt.
C ☐ kleine Kinder mag.

18

f Hör zu, was Frieda erzählt, und kreuze eine Lösung an.

g Vergleicht eure Lösungen und warum ihr so gelöst habt.

6 Friedas Hauptaussagen

a Ergänzt passende Wörter.

1 Bücher sind ____________ als die Realität.
2 Die Personen in einem Buch sind meine ____________ Freunde.
3 ____________ Bücher kann ich nicht leben.

b Hat Frieda recht? Und was denkt ihr? Diskutiert und schreibt eure drei Hauptaussagen zum Thema.

7 Präsentiere …

a Sieh dir folgende Themen für eine Präsentation an. Notiere zu allen Themen Stichwörter.

Ein Buch, das mein Leben verändert hat.

Ein Buch, das ich total schlecht fand.

Eine Buchfigur, die mich beindruckt hat.

Darüber kann ich ein Buch schreiben.

b Wähle ein Thema und bereite eine Präsentation vor.

So geht's: Vorbereitung auf Schriftliche Kommunikation

1 Textsorten

a Lies die Einleitungen. Was musst du schreiben? Unterstreiche die Textsorten.

A

In einem Internetforum geht es um das Thema „Sport". Hier kannst du lesen, was vier Schüler dazu denken.
...
Schreibe einen Beitrag für das Forum.

B

In einem Internetforum haben Schüler über das Thema „Kein Leben ohne Bücher!" diskutiert. Dort liest du folgende Aussagen:
...
Schreibe einen Leserbrief an die Schülerzeitung eurer Schule.

C

In einer Jugendzeitschrift gibt es eine Diskussion zum Thema „Freizeitstress". Dort findest du dazu folgende Meinungen:
...
Schreibe einen Leserbrief an die Jugendzeitschrift.

D

In einem Internetforum wird das Thema „Ehrenamtlich tätig in der Freizeit?" diskutiert. Dort liest du folgende Beiträge.
...
Schreibe einen Beitrag für eine Jugendzeitschrift.

b Ergänze den Tipp.

Tipp

In der Prüfung musst du einen Leserbrief an eine Schülerzeitung oder Jugendzeitschrift schreiben oder einen Beitrag für ein Internetforum oder eine Zeitung oder Zeitschrift. Welche Textsorte es sein soll, liest du unten auf dem Aufgabenblatt.

c Wer schreibt was für einen Text? Lies die Einleitungen und ordne zu.

Bratislava, 21.3.20...

Liebe Redaktion,

in der letzten Ausgabe eurer Zeitschrift ging es um das Thema „Gefährliche Freizeitaktivitäten". Verschiedene Schüler haben ihre Meinung dazu geschrieben.

...

Viele Grüße von Petra

Haustiere

Ich liebe Haustiere und lese immer gerne, was die Leute im Forum schreiben! Ich habe die Meinungen von vier Jugendlichen gelesen und möchte über meine Erfahrungen schreiben und darüber, was ich zum Thema denke.

...

Sonya

Santiago, 12. März 20...

Hallo liebe Redaktion der Schülerzeitung „Bleistift"!

„Kein Leben ohne Bücher?" Das ist eine Frage, die im Internetforum diskutiert wurde. Zwei Jugendliche waren der Meinung, dass Lesen nicht wichtig ist. Ich finde das gar nicht! ...

Euer Pablo

Petra		Leserbrief an die Schülerzeitung.
Sonya	schreibt einen	Leserbrief an eine Jugendzeitschrift.
Pablo		Beitrag für das Internetforum.

d Woran habt ihr die Textsorte der Jugendlichen erkannt?

2 Formalia

a Was gehört zu einem Leserbrief, was zu einem Beitrag? Verbinde.

Leserbrief		**Beitrag**
	Ort und Datum	
	eine Anrede	
	eine Einleitung	
	eine Überschrift	
	ein Schluss	
	ein Gruß	
	eine Unterschrift	

b Welche Anrede passt zu einem Leserbrief? Diskutiert.

Hallo Leute! | Liebe Redaktion, … | Liebe Leser der Schülerzeitung, … | Sehr geehrte Leser, … | Liebes Publikum! | Liebe Jungen und Mädchen! | Hallo ihr! | Liebe Freunde, …

Tipp

Nur in einem Leserbrief musst du den Ort und das Datum in die rechte, obere Ecke des Antwortblatts schreiben. In einem Beitrag kannst du das Thema als Überschrift über deinen Text schreiben und dann gleich mit der Einleitung anfangen.

3 Die Einleitung

a Lies noch einmal die Einleitungen von Petra, Sonya und Pablo. Unterstreiche in verschiedenen Farben: Was ist das Thema? Wo haben sie die Meinungen der Jugendlichen gelesen?

b Jan hat eine Einleitung zu dieser Aufgabenstellung geschrieben. Was fehlt in seiner Einleitung?

In einer Jugendzeitschrift gibt es eine Diskussion zum Thema „Freizeitstress". Hier findest du dazu folgende Meinungen:
…
Schreibe einen Leserbrief an die Jugendzeitschrift.

Ich habe die Meinungen von vier Schülern gelesen. Ich denke ganz anders und schreibe euch deshalb einen Leserbrief.

c Schreibt eine bessere Einleitung. Diese Redemittel helfen euch. Aber nicht alle passen zur Aufgabenstellung.

... in der letzten Nummer der Schülerzeitung wurde das Thema ... angesprochen. Einige Schüler haben ihre Meinung dazu geäußert.

Ich möchte einen Beitrag für die Schülerzeitung zum Thema ... schreiben. In einem Internetforum habe ich dazu verschiedene Meinungen gelesen.

Ich heiße ... und bin in der Klasse ... Ich habe etwas Interessantes im Internet / in eurer Zeitschrift / in der Schülerzeitung gelesen. Deshalb möchte ich ... schreiben.

Das Thema ... ist bei Jugendlichen sehr aktuell. In einem Internetforum habe ich die Aussagen von vier Jugendlichen gelesen. Ich denke noch etwas ganz anderes und schreibe deshalb ...

Tipp

Ihr braucht eine Einleitung! Hier schreibt ihr, ob euer Text ein Beitrag oder Leserbrief ist, zu welchem Thema ihr schreibt und wo ihr die Meinungen der Jugendlichen darüber gelesen habt.

4 So könnte die Aufgabe in der Prüfung aussehen

a Lies und ergänze die Tabelle mit den passenden Informationen.

In der Schülerzeitung gab es eine Diskussion zum Thema „Sollte man in den Ferien lernen?"
Du findest folgende Aussagen:

...

Schreibe einen Leserbrief an die Schülerzeitung. Bearbeite dabei die folgenden Punkte ausführlich:
- Gib die Aussagen der vier Jugendlichen mit eigenen Worten wieder.
- Was denkst du über das Lernen in den Ferien? Begründe deine Meinung.
- Lernst du in den Ferien? Warum? Warum nicht?

Thema:	
Ich muss	
einen Leserbrief an ______ schreiben.	einen Beitrag für ______ schreiben.
➤ Formalia: ______, den ______ Anrede? ______	➤ Thema als Überschrift
Einleitung Thema, Meinungen gelesen ☐ in der Schülerzeitung ☐ in der Jugendzeitschrift ☐ im Internetforum Ich schreibe ...	

b Ergänze die Sätze und schreib damit eine Einleitung in dein Heft. Achte auf die richtige Reihenfolge.

In der letzten Ausgabe der Schülerzeitung habt ihr gefragt: „______?"

______, den ______

Einige Schüler haben ihre ______ dazu geschrieben.

Liebe ______,

Ich habe auch eine Meinung dazu und schreibe deshalb diesen ______.

c Lies diese Aufgabenstellung. Wie müsste die Einleitung jetzt aussehen?

In einem Internetforum gab es eine Diskussion zum Thema „Sollte man in den Ferien lernen?"
Du findest folgende Aussagen:
...
Schreibe einen Beitrag für das Forum.

Tipp

Wenn du die vier Meinungen wiedergegeben und deine eigene Meinung und eigene Erfahrung zum Thema geschrieben hast, solltest du noch einen Schluss schreiben, der zu deinem Leserbrief oder deinem Beitrag passt.

5 Ein guter Schluss

a Welche Sätze sind ein guter Schluss für einen Leserbrief, welche für einen Beitrag? Ordnet zu.

Leserbrief:	A Viele Grüße ...
	B Schreibt weiter über so interessante Themen! Eure Zeitung ist toll!
	C Hoffentlich hat euch mein Beitrag gefallen.
Beitrag:	D Das war alles, was ich zu diesem Thema schreiben möchte.
	E Ich hoffe, ihr veröffentlicht meinen Leserbrief.
	F Natürlich gibt es noch viele andere Meinungen zu diesem Thema. Aber das war meine.

b Schreibe einen passenden Schluss für die Aufgabenstellungen in 4a und 4c.

6 Was schreibst du zu dem Thema „Sollte man in den Ferien lernen?"

a Worüber willst du zuerst schreiben?

☐ meine Meinung ☐ meine Erfahrungen

b Sammle Ideen: Notiere Stichpunkte zu den Fragen.

- Bist du pro oder contra? Welche Argumente hast du?
- Welche Beispiele kannst du dafür geben?
- (Was) Lernst du in den Ferien?
- Was machst du lieber in den Ferien? Gib Beispiele (wann, wo, wie oft ...)

c Fasse deine Aussage in drei bis fünf Sätzen zusammen.

d Vergleicht eure Aussagen: Welche sind ähnlich? Was ist ähnlich?

7 Was die anderen schreiben

Lies die Aussagen und ergänze eine Tabelle

Jonas: In den Ferien lernen? Nein danke! Wir müssen uns doch auch mal erholen. Für mich gibt es in den Ferien nur Sport – schwimmen, Rad fahren oder auch mit Freunden wandern – und ausruhen. Wenn ich mal ein Buch in die Hand nehme, dann ganz sicher kein Schulbuch!

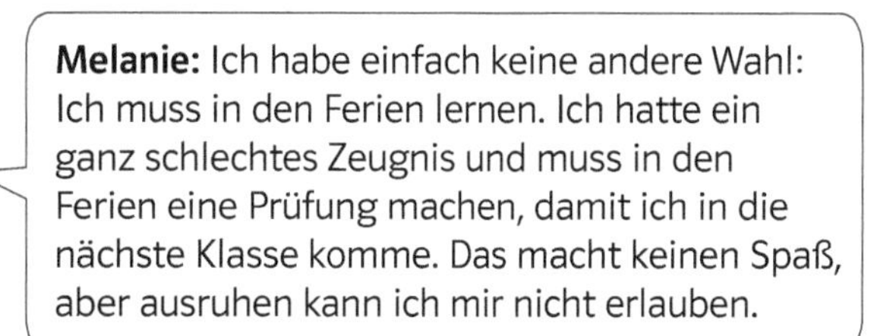

Melanie: Ich habe einfach keine andere Wahl: Ich muss in den Ferien lernen. Ich hatte ein ganz schlechtes Zeugnis und muss in den Ferien eine Prüfung machen, damit ich in die nächste Klasse komme. Das macht keinen Spaß, aber ausruhen kann ich mir nicht erlauben.

Max: Ich lese immer und bin neugierig auf alles, auch in den Ferien. Ich lese noch mehr, gehe ins Museum, sehe Filme und lerne natürlich dabei, weil es mir Spaß macht. Und manche Sachen lernt man viel besser in den Ferien. Sprachen zum Beispiel, wenn man Urlaub in dem Land macht.

Paulina: In den Ferien sollte man sich ausruhen. Die Schule ist ja auch anstrengend und irgendwann müssen wir uns auch mal erholen und Sachen machen, für die man sonst wenig Zeit hat. Für mich ist das Sport treiben, spät ins Bett gehen und lange schlafen. Englisch lerne ich aber auch in den Ferien, das macht mir einfach so viel Spaß.

Name	Argumente pro	Argumente contra	Aktivitäten
Jonas		braucht Erholung	Sport, Freunde, ausruhen, lesen
Paulina			

Tipp

Durch so eine Tabelle siehst du auf einen Blick, wer eine ähnliche Meinung hat oder Ähnliches macht. Das hilft dir auch bei der Zusammenfassung der Aussagen.

Freizeit

1 Wörter – rund um den ____________________

a Lies die Wörter. Zu welchem „Thema" passen sie alle? Ergänze das Thema oben in der Überschrift.

das Pferd   Tennis   der Trainer   der Sportplatz   trainieren   verlieren   das Gerät
schwitzen   das Stadion   sich anstrengen   sich verletzen   beweglich   das Hobby
der Kampfsport   die Mannschaft   Judo   einen Ball werfen   fangen   üben   führen
der Sportler   sportlich   rennen   verletzt   Mitglied sein   Sport treiben
Ski fahren   Leichtathletik   Turnen   Segeln   das Boot   die Halle   der Wassersport
die Bewegung   der Zuschauer   springen   gewinnen   kräftig   die Veranstaltung
der Schläger   der Verein   Punkte machen   der Punktestand   die Siegerin
sich anschauen   teilnehmen   Handball   der Mitspieler   die Sporthalle
begeistert sein von   der Schwimmanzug   der Fan   laufen   das Trikot
an einem Wettbewerb teilnehmen   die Regel   das Netz   der Sport

b Sortiere die Wörter. Ergänze weitere Wörter aus diesem Kapitel. Arbeite mit den Wörtern.

2 Freizeitbeschäftigungen raten: Beschreibe eine Aktivität in einem Satz. Die anderen fragen und raten.

Das macht man im Wasser.

Braucht man etwas dazu, einen Ball?

Ja.

Spielt man das in einer Mannschaft?

Das ist …

3 Ein perfekter freier Tag

a Seht ihr das auf den Fotos? Zeigt euch die Wörter. Was seht ihr noch?

Rutsche | Riesenrad | Achterbahn | Freizeitpark | Wasserpark | Brunnen | drinnen | draußen | Imbiss | gefährlich | Musik | Sommer | sich drehen | Angst haben | nass | Karussell

? **b** In welchem Freizeitpark würdest du lieber einen Tag verbringen? Warum? Was machst du dort (nicht)?

c Wähle eine Überschrift und schreibe einen Text.

Karussell des Glücks – eine Liebesgeschichte

Alles an einem Tag – ein Drama

Verfolgung in der Rutschbahn – eine Kriminalgeschichte

Sommertag – ein Gedicht

? **4** Erzähle …

a Dein perfektes freies Wochenende! Geld, Zeit, Ort … nichts spielt eine Rolle. Die einzige Bedingung: Um 12 Uhr Mitternacht am Sonntag bist du wieder zu Hause! Was machst du?

b Suche das **?** in diesem Kapitel. Welche Fragen findest du dort? Ergänze deine Fragenliste zum Thema Freizeit.

Freizeit

Welchen Film magst du am liebsten? Warum?

? **c** Wie ist deine Antwort auf diese Frage? Nutze die Wörter im Schüttelkasten für deine Antwort.

Bist du musikalisch?

Ich spiele Gitarre / Flöte / Klavier … | seit … Jahren | mit … | … in der Schule / Musikschule … gelernt | von meinem Onkel / meiner Tante … gelernt | habe ich mir selbst beigebracht | spiele in einem Orchester / in einer Band …

5 Präsentiere …

a Was hast du in diesem Kapitel präsentiert? Wie war das? Was hast du gezeigt?

Thema	☺	☹	Material	Bezug zu Deutschland?

b Hatte eine der Präsentationen einen Bezug zu Deutschland? Kannst du noch einen Bezug zu Deutschland finden?

c Lege eine Liste über alle Präsentationen an, die du bis jetzt (Kapitel 1–4) gemacht hast.

6 Die Prüfung DSD I

a Über welche Prüfungsteile hast du in diesem Kapitel etwas erfahren? Notiere kurz, was du in den Teilen machen musst.

_______________verstehen Teil ________

_______________verstehen Teil ________

______________________ Kommunikation

Mündliche Prüfung Teil ________: *Ideen für eine Präsentation mit Bezug zu Deutschland.*

b Das kannst du schon. Bewerte mit ☺, 😐 oder ☹.

Ich kenne viele Wörter zum Thema Freizeit.	
Ich kann Fragen zu dem Thema beantworten.	
Ich kann Textstellen vergleichen und das richtige Satzende finden.	
Ich kann eine Einleitung und einen Schluss zu einem Leserbrief oder Beitrag schreiben.	

5 Arbeit und Berufe

1 Berufe-ABC

a Ordnet die Berufe alphabetisch.

Maler | Journalistin | Fotograf | Pilotin | Deutschlehrer | Zahnärztin | Nachrichtensprecher | Sekretärin | Arzt | Gärtnerin | Opernsänger | Reiseleiterin | Hausmeister | Chemikerin | Landwirt | Verkäuferin | Wissenschaftler | Erzieherin | Uhrmacher | Bäckerin | Tierarzt | Krankenschwester | Bankkaufmann | Physiklehrerin

A: Arzt, ...
B:
C:

b Ergänzt jeweils die passende weibliche oder männliche Bezeichnung.

c Kennt ihr noch andere Berufe? Ergänzt eure Liste.

2 Zu Besuch bei ...

19

a Wer sagt diese Sätze? Hör zu und rate den passenden Beruf.

1 ______________ 3 ______________ 5 ______________

2 ______________ 4 ______________ 6 ______________

b Welche Verben passen zu den Berufen? Ordne zu.

betreuenforschengießenerklärenfotografierenschreibenreparierensingenfliegenbehandeln unterhaltenpflegenspielenlesenberatenunterrichtenverkaufenbackenuntersuchen

c Schreibt zehn Sätze zu den Berufen, ergänzt auch einen Ort und weitere Wörter, die ihr braucht.

im Krankenhaus | am Theater | im Büro | in der Praxis | im Garten | im Zoo | Patientin | Kunden | Chef | ...

Der Arzt untersucht die Patientin in der Praxis. Die Pilotin fliegt mit dem Flugzeug nach Indien.

d Stellt Fragen zu den Berufen.

Wer backt ...?

Wo arbeitet ein ...?

Was macht eine ...?

e Denkt euch Sätze aus wie in 2a. Die anderen raten, wer das sagt.

? **3** Was wolltest du als Kind werden? Warum? Erzähle ...

Als ich 5 war, wollte ich ... werden.

4 Ferienjobs

a Seht die Bilder an: Wo sind Mark und Nicole? Und (als) was arbeiten sie?

b Welche Überschrift passt am besten zu welchem Bild? Wähle aus.

Leuchtende Kinderaugen

Ich bin ein anderer

Spaß bringt Geld

Ferien in der Schule

c Ein Interview mit Mark: Verbinde die Fragen mit der passenden Antwort.

1	Was machst du bei dieser Arbeit?
2	Ist diese Arbeit dein Beruf?
3	Was darfst du nicht?
4	Was gefällt dir am besten an deiner Arbeit?
5	Was findest du nicht so gut?
6	Wie lange machst du das schon?

A	Alle sind total begeistert und freuen sich, wenn sie mich sehen. Viele Kinder glauben, dass ich wirklich Shrek bin. Das finde ich toll.
B	Ich laufe herum, gehe zu den Besuchern und lasse mich fotografieren. Manchmal spiele ich auch mit den Kindern. Ich mache außerdem bei einer Show mit – das macht mir viel Spaß.
C	Nein, das ist nur mein Nebenjob am Wochenende oder an Feiertagen. Ich gehe noch zur Schule und mache erst nächstes Jahr Abitur.
D	Jetzt im Sommer, wenn es richtig heiß ist, ist das Kostüm sehr, sehr warm. Ich schwitze stark und naja … vielleicht rieche ich auch nicht so gut. Aber das passt ja zur Figur.
E	Schon zwei Jahre – und ich will das gern auch noch länger machen, auch nach der Schule, während des Studiums und in den Ferien.
F	Ich darf nicht sprechen. Denn dann würden die Kinder merken, dass ich nicht Shrek bin. Und dann wären sie bestimmt traurig.

d Finde eine gute Reihenfolge und schreib das Interview in dein Heft.

5 Ganz weit weg

a Erzählt, was Nicole (Foto oben) gemacht hat. Nutzt folgende Wörter:

Togo | halbes Jahr | Kinderdorf | Kinder total süß | keine Eltern | spielen | Spaß haben | lernen

b Nicole war über das Programm „Kulturweit" in Togo. Recherchiert mehr über dieses Programm.

So geht's: Vorbereitung auf Leseverstehen Teil 5

1 Nebenjobs

a Die Schülerzeitung ***Bleistift*** hat gefragt: „Arbeitet ihr neben der Schule?" Lies und unterstreiche, welche Jobs die Jugendlichen haben.

Paul

Ich arbeite am Wochenende in einem Kaufhaus. Mit dem Geld, das ich verdiene, will ich mir eine Gitarre kaufen.

Emily

Ich verkaufe Blumen auf dem Markt. Das Geld spare ich. Irgendwann brauche ich das bestimmt mal. Vielleicht für den Führerschein oder später beim Studieren.

Nick

Ich kenne mich gut mit Computern aus und jobbe beim „Computer-Notdienst". Da bekomme ich auch alle Computersachen billiger. Ich gebe mein verdientes Geld gleich dort wieder aus.

Pia

Ich gehe dreimal in der Woche zum Babysitten. Ich spare für eine Reise mit meiner Freundin nach Italien.

Max

Ich trage mittwochnachmittags Werbung aus und helfe samstags unserem Nachbarn bei der Gartenarbeit. Ich will mir später ein Mofa kaufen. Aber dafür muss ich noch lange arbeiten.

Sophie

Ich gebe zwei Schülerinnen Nachhilfe in Englisch. Dabei lerne ich auch noch was und bekomme sogar Geld dafür. Ich kaufe mir davon CDs und gehe in Konzerte.

b Zeichne eine Tabelle in dein Heft. Ergänze die Informationen: Wer? Was? Wo? Wann / Wie oft? Wofür?

c Aus welchem Grund arbeiten die Schülerinnen und Schüler? Bildet Sätze mit *weil, um … zu, damit, denn.*

… arbeitet, um … zu kaufen.

… verdient Geld, damit sie … kaufen kann.

…, denn er will später …

… arbeitet als …, weil …

2 Pro und Contra: Neben der Schule arbeiten?

a Bildet vier Gruppen (zwei pro und zwei contra) und sammelt Argumente.

b Diskutiert dann das Thema.

3 Eure Nebenjobs

a Schreibt eure Nebenjobs an die Tafel. Was machen die meisten?

b Interviewt euch zu den Nebenjobs. Nutzt dafür die Fragen in Aufgabe 4c auf S. 57 und denkt euch noch weitere Fragen aus.

c Stellt dann vor, was ihr erfahren habt.

4 Jugendarbeitsschutzgesetz

a Kennt ihr diese Wörter? Was könnten sie bedeuten?

Jugendarbeitsschutzgesetz | Ausnahme | Einschränkung | schulpflichtig

Das sind vier Wörter Jugend-Arbeit-…

b Was sagt das Gesetz? Lies die Abschnitte auf der nächsten Seite und markiere Schlüsselwörter.

A

______________________: Kinder unter 13 Jahren dürfen nicht arbeiten. Kinder zwischen 13 und 15 Jahren dürfen mit der Zustimmung der Eltern leichte Tätigkeiten ausführen, maximal 2 Stunden pro Tag, nicht während der Unterrichtszeit, nicht vor 8 Uhr oder nach 18 Uhr und auch nicht am Wochenende oder an Feiertagen. Jugendliche über 15 dürfen arbeiten – aber es gelten besondere Einschränkungen.

B

______________________: Leichte Tätigkeiten sind zum Beispiel: Zeitungen austragen, Nachhilfe geben, Babysitten, bei der Ernte oder im Garten helfen, Tiere betreuen oder Reinigungsarbeiten wie Autoputzen oder Straßekehren. Sehr anstrengende Arbeit oder gefährliche Arbeit ist auch für Jugendliche verboten. Sie dürfen keine schweren Sachen tragen oder mit gefährlichen Maschinen oder Chemikalien arbeiten.

C

______________________: Jugendliche, die noch schulpflichtig sind, dürfen in den Schulferien arbeiten, aber höchstens 4 Wochen lang oder 20 Arbeitstage pro Jahr. In den Schulferien sollen sich die Schüler vor allem erholen.

D

______________________: Die maximale Arbeitszeit für Jugendliche beträgt acht Stunden täglich und 40 Stunden wöchentlich. Nach mehr als 4,5 Stunden Arbeit müssen sie eine Pause von mindestens 30 Minuten machen. Nach mehr als 6 Stunden ist eine Pause von mindestens 60 Minuten vorgeschrieben.

E

______________________: Jugendliche dürfen zwischen 20 Uhr abends und 6 Uhr morgens nicht arbeiten. Eine Ausnahme gilt für Jugendliche über 16 Jahren in Gaststätten, in Bäckereien und in der Landwirtschaft. An Samstagen und Sonntagen dürfen Jugendliche nicht arbeiten. Auch hier gibt es Ausnahmen z. B. für Sportveranstaltungen.

c Welche Überschrift passt? Schreib die Überschrift zum passenden Textabschnitt.

Erlaubte Tätigkeiten **Starke Einschränkungen für Kinder** **Pausen sind vorgeschrieben**

Arbeitszeiten **Jobben in den Ferien**

d Was ist erlaubt? Kreuze an.

- ☐ Chris ist 14 und will jeden Tag eine Stunde in der Gärtnerei seiner Eltern arbeiten.
- ☐ Tina ist 16 und arbeitet in einem Restaurant. Sie arbeitet jede Woche 50 Stunden.
- ☐ Daniel ist in der 9. Klasse. In den Ferien will er fünf Wochen lang im Kino arbeiten.
- ☐ Tim ist 17 und verkauft sonntags bei Fußballspielen Würstchen und Getränke.

e Wie ist das bei euch? Recherchiert, welche Gesetze es gibt, und vergleicht mit Deutschland.

5 Melinas Ferienjob

a Lies Melinas Beitrag für die Schülerzeitung und markiere in verschiedenen Farben:
Wo war sie? Wie lange? Was hat sie gemacht? Warum war sie dort?

Es waren die besten Sommerferien, die ich je hatte. Endlich war ich 18 und konnte bei einem internationalen Workcamp mitmachen. Da geht es immer um Hilfsprojekte im Ausland und das interessiert mich. Viele Jugendliche wollen in der Nähe bleiben und nur in Länder wie Italien, Spanien oder Frankreich gehen. Ich aber wollte gerne ganz weit weg und war ganz begeistert, als man mir Armenien angeboten hat, wo ich helfen konnte, ein Jugendzentrum zu renovieren. Den Flug nach Eriwan musste ich bezahlen, Unterkunft und Verpflegung wurden von der Organisation bezahlt. Wir waren eine tolle Gruppe: 17 Jugendliche aus 7 Ländern. Wir haben zusammen gewohnt und viel erlebt. Wir hatten genug Freizeit, sodass wir auch viel unternehmen konnten. Jeden Tag haben wir 4 bis 6 Stunden gearbeitet und das Jugendzentrum in drei Wochen renoviert. Die Arbeit war eine gute Erfahrung, aber vor allem auch die Leute aus den verschiedenen Ländern. Ich habe so viel über sie, ihre Kultur, was sie kochen und wie sie leben erfahren – das werde ich nicht vergessen. Die Freunde, die ich dort gefunden habe, werden hoffentlich immer meine Freunde sein.

b Gebt dem Bericht eine Überschrift.

6 Jans Praktikum im Supermarkt

a Was bedeuten diese Wörter?

Werbung | lagern | Ware | auspacken | liefern | beraten | einräumen

b Jan erzählt. Lies und kreuze an, worum es geht.

Ich habe viel gemacht, aber an der Kasse habe ich nicht gesessen. Da habe ich nur zugesehen und war darüber auch froh, denn die Verantwortung ist groß. Auch wenn vieles heute elektronisch geht, muss man an der Kasse doch noch viele Preise im Kopf haben. Und alles muss stimmen.

- ☐ viel sitzen
- ☐ kassieren
- ☐ Preise schreiben

c Welche Schlüsselwörter im Text belegen deine Lösung?

d Bilde Sätze zu folgenden Aufgaben im Supermarkt:

A Regale einräumen
B Reinigung
C Kundenberatung
D Lagerung
E Lieferung
F Werbung
G Ware kontrollieren
H Ware auspacken

e Welche Aufgabe passt zu welchem Text? Schreib den passenden Buchstaben in die Kästchen.

☐ Wenn ein Produkt neu ist, muss man es bekannt machen. Ich habe bei solchen Aktionen geholfen und Kunden angesprochen. Es war immer gut, wenn wir etwas zu Trinken oder zu Essen angeboten haben. Dafür haben sich alle interessiert.

☐ Gerne habe ich den Leuten geholfen, die Probleme oder Fragen hatten. Wenn jemand zum Beispiel etwas Bestimmtes gesucht hat. Einmal hat mich ein Mann angesprochen, der alles für eine Feier im Büro kaufen wollte. Wir sind eine halbe Stunde durch den Markt gelaufen und haben alles zusammengesucht. Das hat richtig Spaß gemacht.

☐ Besonders bei den frischen Lebensmitteln ist es sehr wichtig, regelmäßig zu überprüfen, ob noch alles gut ist. Jeden Tag habe ich deshalb das Obst und Gemüse, manchmal auch noch die Milchprodukte genau angesehen. Sachen, die nicht mehr so gut waren, wurden dann entweder im Preis reduziert oder weggeworfen.

☐ Wenn neue Ware kommt, muss alles erst an die richtige Stelle im Lager. Manches muss kühl und anderes trocken aufbewahrt werden. Das hört sich einfacher an, als es ist. Ich hatte da manchmal Probleme. Das ist auch ganz schön anstrengend, weil manche Waren schwer sind.

Tipp

So ähnlich ist auch die Aufgabe Leseverstehen Teil 5 in der Prüfung. Du bekommst vier kurze Texte und musst aus acht Sätzen oder Begriffen den passenden zu jedem Text auswählen.

7 Praktika

a Wo machen diese Jugendlichen ein Praktikum?

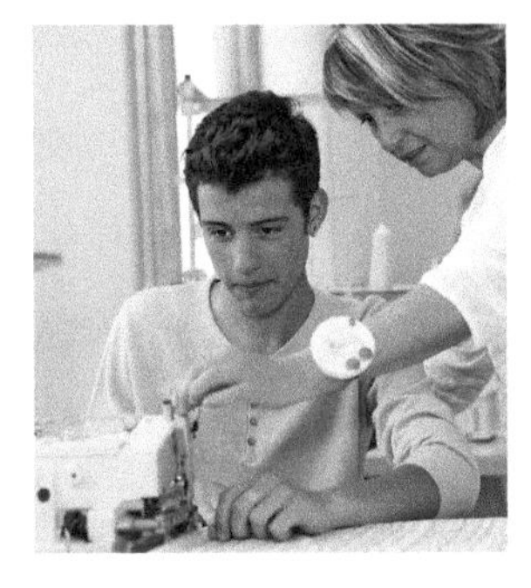

b Wo möchtest du gern ein Praktikum machen? Bewirb dich! Schreib einen kurzen Text zu folgenden Punkten:

Warum willst du genau dort ein Praktikum machen? Was willst du dort machen? Warum bist du die perfekte Kandidatin oder der perfekte Kandidat für dieses Praktikum?

So geht's: Vorbereitung auf Hörverstehen Teil 5

1 Betriebsbesichtigung bei der Deutschen Flugsicherung

a Versteht ihr diese Wörter zum Thema?

die Betriebsbesichtigung | der Fluglotse | der Pilot | landen | starten | das Kontrollcenter | der Tower | die Startbahn | die Landebahn | der Simulator | der Kopilot | steuern | fliegen | die Flugsicherung

b Welcher Programmteil würde dich am meisten interessieren? Was stellst du dir darunter vor?

Z Fliegen – fast wie echt
A Starten und Landen hautnah sehen und hören
B Film über die Arbeit von Fluglotsen
C Interview mit einem Piloten
D Starten und Landen von oben
E Auszubildende erzählen
F Für einen Tag in Uniform
G Schnupperunterricht
H Informationspaket zum Mitnehmen

c Lies mehr zu einem Programmteil und unterstreiche, worum es sich handelt.

0 ________________________________
Ihr könnt ein Flugzeug selbst steuern. Im Flugsimulator bekommt ihr das Gefühl, ihr würdet richtig abheben und im Flugzeug fliegen. Entweder nehmt ihr die Rolle des Piloten oder ihr seid der Kopilot und haltet Funkkontakt zum Kontrollcenter.

d Welche Überschrift passt hier? Ergänzt sie über dem Text.

20

e Hör mehr zu den weiteren Programmteilen. Welche der Überschriften aus b könnte jeweils passen?

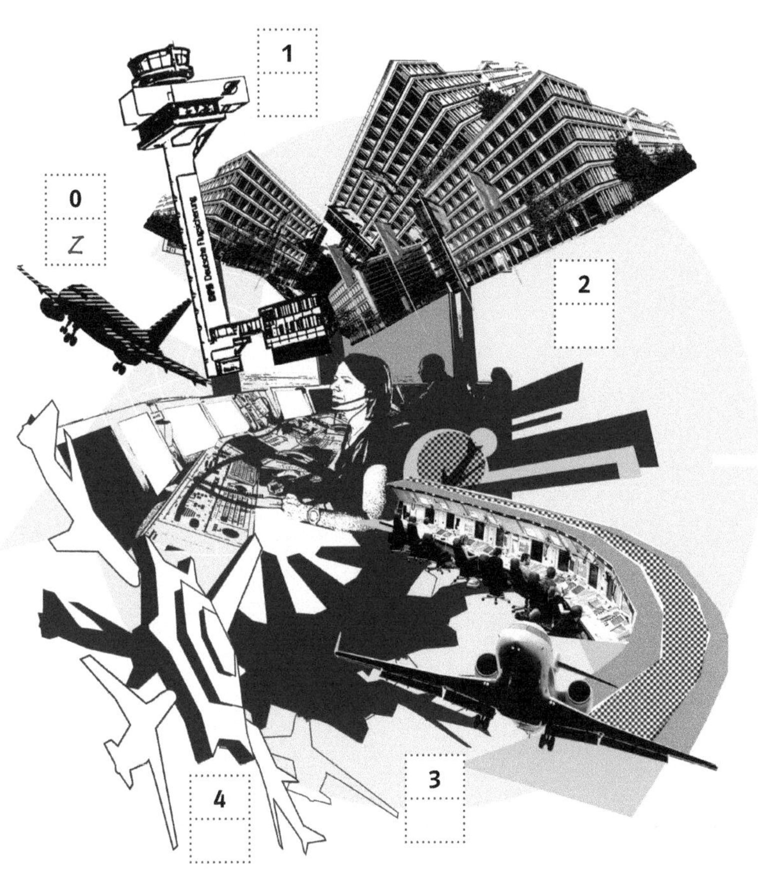

2 Berichte über ...

21 **a** Wovon erzählt Peter? Hör zu und kreuze an.

Peter erzählt ...
☐ von einer Ausbildung. ☐ vom „Tag der Berufe". ☐ von Ausbildungsberufen.

22 **b** Hörst du die folgenden Sätze? Kreuze an.

☐ Ich war bei Porsche.
☐ Ich kann dort ein Praktikum machen.
☐ Ich beginne nächstes Jahr mein Praktikum.
☐ Mit der Schule ist dann Schluss.
☐ Duales System heißt: Man arbeitet in einem Betrieb und geht in die Berufsschule.

c Vergleicht eure Lösungen. Hört dann noch einmal zu und korrigiert die Fehler in den falschen Sätzen.

3 Sandra und Gabi berichten vom Girls' Day

a Lies zuerst die Wörter. Du hast 30 Sekunden Zeit.

Girls' Day technische Berufe Mädchen Männerberuf
Veranstaltungstechnikerin stark Betriebe Technik MINT

23 **b** Hör die Berichte von Sandra und Gabi. Wer sagt was? Unterstreiche die Wörter oben in zwei verschiedenen Farben.

c Formuliert für jeden der beiden Berichte eine Überschrift.

Sandra:

Gabi:

4 So ähnlich sieht die Aufgabe in der Prüfung aus. Lies die Einleitung, beantworte dann die Fragen.

Was kommt nach der Schule?
In einem Projekt hat die 10a ehemalige Schülerinnen und Schüler gefragt: „Was habt ihr nach der Schule gemacht?" Du hörst gleich fünf Berichte.
Lies zuerst die Liste mit verschiedenen Aussagen (A-H). Du hast dafür 30 Sekunden Zeit.
Notiere beim Hören zu jedem Bericht den richtigen Buchstaben (A-H).
Vier Buchstaben bleiben übrig.
Achtung! Du hörst die Berichte nur einmal. Zuerst hörst du ein Beispiel (Nr. 0). Die Lösung ist Z.

- Was ist das Thema?
- Wer berichtet?
- Wie viele Berichte hörst du?
- Wie viele Aussagen gibt es dazu?
- Wie viele müssen passen?
- Wie viele bleiben übrig?
- Wie oft hörst du die Berichte?
- Was hörst du zuerst?

5 Das Beispiel

a Lies die Aussage Z und erkläre die Wörter.

Z	Ausbildung, Studium und dann die eigene Werkstatt.

b Lies den Bericht 0. Unterstreiche, was zur Aussage Z passt.

0 Ich habe nach dem Abitur eine Ausbildung als KFZ-Mechaniker begonnen, weil ich mich schon immer für Autos interessiere. Ich bin in einem großen Betrieb mit 150 Angestellten und ich lerne in allen Fachbereichen. Das ist wichtig für mich, denn ich will mich später selbständig machen. Aber vorher will ich noch studieren.

c Fass noch einmal in eigenen Worten zusammen, warum die Aussage Z zum Bericht 0 passt.

6 Die Aussagen

a Lies die Aussagen schnell durch. Markiere wichtige Wörter.

Z	Ausbildung, Studium und dann die eigene Werkstatt.
A	Arbeit mit Kopf und Herz für die Menschen.
B	Viel Theorie für eine musikalische Zukunft.
C	Kreativer Beruf, aber stressige Arbeitszeiten.
D	In der ganzen Welt unterwegs.
E	Schüler für Mathe begeistern – mein Ziel.
F	In der Natur kreativ zu sein, ist wichtig für mich.
G	Ich mag Zahlen, Menschen und elegante Kleidung.
H	Musik in Zukunft nur für Kinder.

b Deck die Aussagen ab und notiere Wörter, an die du dich erinnerst.

Tipp

In der Prüfung kannst du beim Hören auf die Aussagen sehen. Konzentriere dich auf die Schlüsselwörter. Das hilft dir, die passende Aussage zu jedem Bericht zu finden.

7 Die Berichte

24

a Hör den ersten Bericht und entscheide dich für eine Aussage.

Zu Bericht 1 passt die Aussage ________.

b Vergleicht eure Lösungen und erklärt, warum diese Aussage passt und die anderen nicht.

Tipp

Du hörst die Berichte nur einmal. Die Aussagen stehen nicht in der Reihenfolge der Berichte. Ordne jedem Bericht sofort eine Aussage zu. Gib auf alle Fälle eine Lösung an, auch wenn du dir nicht ganz sicher bist – sonst bekommst du ganz sicher keinen Punkt in der Prüfung.

25

c Hör die weiteren Berichte an und schreib den Buchstaben der passenden Aussage in die Tabelle.

0	*Z*
1	
2	
3	
4	

d Vergleicht eure Lösungen und warum ihr so gelöst habt. Habt ihr noch weitere Tipps?

?

8 Was willst du nach der Schule machen?
Erstelle eine Mindmap und erzähle.

- Beruf?
- Wie bist du darauf gekommen?
- Ausbildung? Studium?
- Wo, wie, wann und mit wem arbeitest du dann?
- Was interessiert dich daran?
- Was machst du genau?
- ?

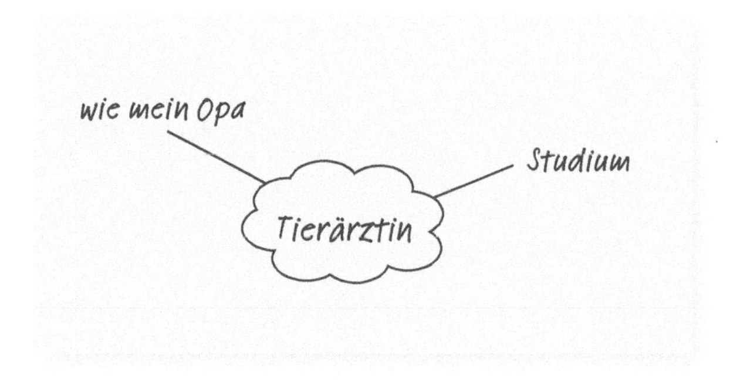

So geht's: Vorbereitung auf Schriftliche Kommunikation

1 Wie versteht ihr das Wort „Hausarbeit"? Sammelt Ideen.

2 Was musst du schreiben?

a Lies das Aufgabenblatt und unterstreiche in verschiedenen Farben: Worüber geht die Diskussion? Wo wird diskutiert? Was musst du schreiben?

In einem Internetforum wird die Frage diskutiert, ob Kinder im Haushalt helfen sollen. Du findest dort folgende Aussagen:

Jan: Das ist doch selbstverständlich! Alle in der Familie machen doch die Wohnung schmutzig oder wollen etwas essen, also machen wir auch zusammen die Wohnung sauber, kaufen ein oder kochen. Das funktioniert bei uns problemlos und ich finde es auch richtig so. Ich helfe immer.

Max: Meine Mutter arbeitet nicht, deshalb sagt sie, der Haushalt ist ihre Arbeit. Manchmal helfe ich – aber das mag meine Mutter dann auch nicht, weil ich das nicht so gut mache wie sie. Mein Zimmer muss ich aber schon alleine aufräumen. Das finde ich o.k. Ich will gar nicht, dass meine Mutter alle meine Sachen sieht.

Pia: Der Haushalt ist doch heute überhaupt kein Problem mehr. Es gibt für alles Maschinen. Einfach die Wäsche in die Waschmaschine, die Teller in die Geschirrspülmaschine und fertig. Naja, trotzdem macht das fast immer alles meine Mutter. Ich helfe selten.

Melanie: Ich helfe viel zu Hause, weil meine Eltern beide arbeiten und auch erst spät nach Hause kommen. Ich sauge dann Staub oder fange schon mal an, das Abendessen zu kochen. Mein Bruder hätte viel Zeit, etwas im Haushalt zu tun, aber er meint, das ist „Frauenarbeit". Ich finde, zur Strafe müsste er täglich die Toilette putzen!

- Schreib einen Beitrag für die Schülerzeitung.

b Zeichne eine Tabelle in dein Heft und ergänze die Informationen.

Thema:

Was muss ich schreiben?

einen Leserbrief an ______	*einen Beitrag für* ______
Formalia Leserbrief *Ort + Datum* *Anrede (z.B. Liebe Redaktion)*	*Thema als Überschrift*

Einleitung:

Thema nennen, wo Meinungen gelesen, was schreibe ich

c Schreib jetzt eine Einleitung zum Thema auf einen Zettel.

d Vergleicht eure Einleitungen und korrigiert sie.

3 **Diese drei Punkte sollst du in deinem Beitrag ausführlich bearbeiten. Was ist was? Ordne zu.**

eigene Erfahrung | Wiedergabe der Aussagen | eigene Meinung

1 Gib die Meinungen wieder, die du zum Thema gelesen hast. → ______________________

2 Wie ist deine Meinung zu dem Thema? Begründe deine Meinung. → ______________________

3 Hilfst du im Haushalt mit? Was machst du und wie gefällt dir das? → ______________________

Tipp

Dein Text soll einen guten ersten Eindruck machen, d.h. er sollte insgesamt einen logischen Aufbau haben und gut verständlich sein. Dabei helfen Überleitungen zwischen den Teilen deines Texts.

4 **Überleitung**

a **Drei Beispiele für eine Überleitung von der Einleitung zur Wiedergabe: Schreib die Sätze richtig.**

1	Ich zuerst der Meinungen wieder Jugendlichen die gebe
2	Zuerst ich Aussagen ich habe fasse die zusammen, die gelesen
3	Das die Forum haben geschrieben: Jugendlichen im

b **Wähle einen Satz für deine Überleitung und schreib ihn auf einen Zettel.**

5 **Die Aussagen wiedergeben**

a **Lies, was die Jugendlichen geschrieben haben (Aufgabe 2a), und unterstreiche wichtige Wörter.**

b **Zu wem passt das?**

A … ärgert sich, weil ihr Bruder nicht hilft. **B** … findet, dass Hausarbeit ganz einfach ist, trotzdem hilft sie fast nie. **C** … ist der Meinung, dass alle putzen sollten, denn alle machen auch Dreck. **D** … macht viel zu Hause, weil ihre Eltern viel arbeiten. **E** … macht wenig, weil seine Mutter das so möchte.
F … meint, dass Hausarbeit keine Arbeit mehr ist, weil es für alles Geräte gibt.
G … ist nur für sein Zimmer verantwortlich und das gefällt ihm.

Jan: ______________________ Pia: ______________________

Max: ______________________ Melanie: ______________________

c **Notiere wichtige Informationen in einer Tabelle.**

Tipp

Notiere dir für jeden Teil deines Texts, was du schreiben willst. Eine übersichtliche Vorbereitung hilft dir später beim Schreiben. Du kannst deine Sätze mit Hilfe der Notizen formulieren und vergisst auch nichts.

	Jan	**Pia**
Hilft im Haushalt?	*Ja*	
Wie oft?		
Was macht sie / er?		
Warum hilft sie / er? Warum nicht?		

d **Auf einen Blick: Gibt es ähnliche Aussagen? Kannst du in zwei Sätzen schreiben, was ähnlich ist?**

e **Schreib eine Wiedergabe der Aussagen. Aufgabe c, d und diese Redemittel helfen dir.**

ähnliche Aussagen	**unterschiedliche Aussagen**
Auch … meint, dass … | Wie Jan findet auch …, dass … | … sieht das genauso wie … | … und … vertreten dieselbe Meinung. Sie denken, dass…	Im Gegensatz zu … hilft … wenig im Haushalt. | Bei … ist das anders: Er … | … ist ganz anderer Meinung als …

6 Und du?

a Hat einer der Jugendlichen eine ähnliche Meinung oder macht etwas ähnlich wie du? Wer?

☐ Jan ☐ Pia ☐ Max ☐ Melanie ☐ keiner der vier

b Was ist ähnlich?

Meinung:
☐ Alle sollten im Haushalt helfen.
☐ Helfen ist selbstverständlich.
☐ Kinder sollten nicht im Haushalt helfen.
☐ Haushalt ist keine Arbeit.
☐ Ich habe noch eine ganz andere Meinung.
☐ ____________________

Erfahrung:
☐ Ich putze / wasche / koche auch.
☐ Meine Mutter mag auch nicht, wenn ich helfe.
☐ Meine Mutter macht auch alles.
☐ … denkt auch, das ist Frauenarbeit.
☐ Ich habe ganz andere Erfahrungen als die vier Jugendlichen.
☐ ____________________

Tipp

Du kannst wählen, ob du zuerst über deine Meinung oder deine Erfahrung schreibst. Wenn du ähnliche Erfahrungen hast wie einer der Jugendlichen, kannst du daran anknüpfen. Wenn du eine ähnliche Meinung hast, kannst du mit deiner Meinung weitermachen. Schreib in einer Überleitung, welchen Punkt du jetzt bearbeitest.

c Worüber schreibst du weiter? Wähle eine Überleitung und schreib sie auf einen Zettel.

Ich schreibe jetzt über meine Erfahrungen zum Thema. | Ich habe folgende Erfahrungen zum Thema: … | Ich denke ähnlich wie …, deshalb schreibe ich jetzt über meine Meinung. | Was ich über … denke, schreibe ich jetzt. | Meine Meinung ist ganz anders. Ich nämlich denke, dass …

7 Deine Meinung

a Was genau denkst du über das Thema? Notiere Stichwörter.

Was sollten Jugendliche im Haushalt machen?
Wie oft?
Warum denkst du das?
Beispiele:

b Schreib deine Meinung auf einen Zettel.

c Vergleicht und korrigiert eure Texte. Achtet auf Folgendes:

Versteht man alles? Wird die Meinung begründet? Gibt es Beispiele?

8 Deine Erfahrungen

a Wozu genau sollst du deine Erfahrungen schreiben? Sieh auf dem Aufgabenblatt nach.

b Ergänze die Überleitungen. Wähle eine und schreib sie auf einen Zettel.

1 Nachdem ich meine ____________ zum Thema „Helfen im Haushalt" gesagt habe, …
2 Das war meine Meinung zum Thema und jetzt schreibe ich etwas über meine ____________.
3 Im letzten Teil meines Beitrags beantworte ich die Frage, ob ich im ____________ helfe.

c Notiere in Stichwörtern, was du zu den Fragen schreiben willst.

Was machst du im Haushalt?
Wie oft machst du das?
Warum machst du das?
Wie gefällt dir das?

d Schreib jetzt über deine Erfahrungen.

9 Komplett

a Klebe alle deine Zettel zu einem Text zusammen. Hast du alle Teile?

b Ergänze, was deinem Text noch fehlt. Ideen für einen Schlusssatz findest du in Kapitel 4, Seite 53.

c Lest und vergleicht eure Texte. Achtet auf Folgendes:

Kann man den Text verstehen? Gibt es eigene Beispiele? Ist alles begründet? Fällt sonst etwas positiv oder negativ auf?

Einleitung
Überleitung
Überleitung
Meine Meinung
Zusammenfassung der Aussagen
Überleitung
Schlusssatz und Unterschrift
Meine Erfahrungen

10 Kristinas Text

a Markiert in verschiedenen Farben: die Einleitung, die Wiedergabe der Aussagen, Kristinas Meinung, Kristinas Erfahrungen, Überleitungen.

Liebe Redaktion,
ich habe im Internet eine Diskussion zum Thema „Helfen im Haushalt" gefunden. Es gab verschiedene Meinungen, die ich euch vorstellen möchte.
Alle vier Kinder helfen im Haushalt. Jan denkt, das ist selbstverständlich. Er sagt, dass alle Familienmitglieder die Wohnung unordentlich machen, also müssen sie die Wohnung auch zusammen sauber machen. Max sagt, dass seine Mutter keinen Job hat, deshalb putzt sie jeden Tag. Manchmal hilft er ihr, aber seine Mutter mag es nicht, weil sie es besser macht als er. Pia sagt: Haushalt ist doch heute überhaupt kein Problem. Es gibt für alles Maschinen. Die Wäsche kommt in die Waschmaschine, die Teller in die Geschirrspülmaschine. Das alles macht ihre Mutter. Melanie sagt, dass sie viel zu Hause hilft, ihr Bruder aber nicht, weil das „Frauenarbeit" ist. Zur Strafe putzt er täglich die Toilette.
Nun möchte ich über meine Erfahrungen schreiben. Ich bin sehr faul und ich hasse Hausarbeit, aber ich muss meinen Eltern helfen. Sie sind sehr streng und ich möchte keine Strafe bekommen. Wenn ich aus der Schule komme, spüle ich das Geschirr. Mein Bruder und ich wechseln uns ab. Ich helfe meiner Mutter auch, die Wäsche zu bügeln, einmal in der Woche. Ich putze außerdem mein Zimmer und mache jeden Morgen mein Bett. Auch ich bin der Meinung, dass es gut ist, wenn alle Familienmitglieder bei der Hausarbeit helfen. Aber ich denke auch, dass es schlecht ist, wenn Kinder zu viel im Haushalt helfen müssen.
Viel Grüße, Kristina

b Bewertet Kristinas Text nach folgenden Kriterien:

- Hat Kristina die richtige Textsorte geschrieben mit den passenden Formalia?
- Konntet ihr den Text gut verstehen?
- Hat sie in der Einleitung …
  das Thema genannt? / … geschrieben, wo sie die Meinungen gelesen hat? /
  … gesagt, was für einen Text sie schreibt?
- Hat sie in der Wiedergabe der Aussagen …
  … alle vier Aussagen wiedergegeben? / … eine eigene Struktur für die Wiedergabe gefunden? /
  … alle Aussagen richtig wiedergegeben? / … eigene Wörter dafür benutzt?
- Hat sie ihre eigene Meinung geschrieben, sie begründet und Beispiele genannt?
- Hat sie über ihre eigene Erfahrung geschrieben, begründet und Beispiele genannt?

c Wie viele Punkte von 1 bis 10 würdet ihr Kristina geben? Warum?

Arbeit und Berufe

1 Wörter zum Thema

a Kennst du diese Wörter?

die Arbeit · der Beruf · jobben · nebenbei arbeiten · der Arbeitsplatz · die Ausbildung · feste / flexible Arbeitszeiten · der Betrieb · das Büro · der Chef · qualifiziert · bedienen · der Nebenjob · selbständig · das Gehalt · die Aushilfe · sich kümmern um · reparieren · handwerklich geschickt sein · Zeitungen austragen · vertreten · das Taschengeld aufbessern · der Arbeitgeber · gut / schlecht bezahlt · der Stress · das Stellenangebot · anspruchsvoll · das Handwerk · ausüben · der Arbeitsvertrag · die Überstunde · anstrengend · sich bewerben · Geld verdienen · ehrenamtlich arbeiten · Karriere machen · ein Praktikum machen · im Team arbeiten · der / die Angestellte · die Anzeige · zufrieden · die Stärke · motiviert · der Job · aushelfen · der Praktikant · die Bewerbung · kündigen · angestellt

b Sortiere die Wörter. Ergänze Wörter aus diesem Kapitel. Arbeite mit den Wörtern.

2 Berufe raten: Stellt einen Beruf pantomimisch dar oder nennt typische Aktivitäten und typische Gegenstände. Die anderen raten.

3 Berufswünsche

a Was will Mario später machen? Fasse seinen Berufswunsch und seine Motivation in zwei Sätzen zusammen.

Ich möchte Gehörlosen-Pädagogik studieren, um dann als Lehrer für Kinder zu arbeiten, die nicht gut oder gar nicht hören können. Als Kind habe ich mal beobachtet, wie sich taubstumme Menschen mit ihren Händen unterhalten haben. Das hat mich sehr beeindruckt und seitdem interessiere ich mich für das Thema. Es gibt viele taube und schwerhörige Kinder und sie haben das Recht auf eine gute Ausbildung. Dabei will ich ihnen helfen.

b Was ist dir bei einem Beruf wichtig? Lies die Aussagen und verteile Punkte von 1 (nicht wichtig) bis 5 (sehr wichtig).

Mir ist wichtig, dass …

… ich viel Geld verdiene. _____
… ich im Team arbeiten kann. _____
… der Beruf angesehen ist. _____
… ich kreativ sein kann. _____
… ich bestimmen kann, was ich mache. _____
… die Arbeit Spaß macht. _____
… ich gute Arbeitszeiten habe. _____
… ich mit Menschen arbeite. _____
… die Arbeit abwechslungsreich ist. _____

c Kennst du deine Stärken? Kreuze in den blauen Kästchen an, was auf dich zutrifft.

Ihr plant ein Klassenfest. Du weißt, was alles zu tun ist, und leitest die Planung. ☐ ☐
Ihr müsst eine Gruppenarbeit machen. Das findest du super, weil du gern im Team arbeitest. ☐ ☐
Ihr habt ein Problem in der Klasse. Du weißt, wie man eine Lösung findet, ohne zu streiten. ☐ ☐
In eurem Klassenzimmer ist mal wieder etwas kaputt. Du weißt, wie man es repariert. ☐ ☐
Einer von euch soll bei einer Schulveranstaltung eine Rede halten. Du machst das. ☐ ☐
Ihr bekommt einen neuen Mitschüler, der eure Sprache schlecht spricht. Du hilfst ihm gerne. ☐ ☐

d Tauscht die Bücher aus. Jetzt kreuzt deine Partnerin oder dein Partner an, was auf dich zutrifft.

e Ihr bekommt zwei „fremde" Bücher. Seht euch an, was in den Aufgaben b und c angekreuzt ist und schreibt verschiedene Vorschläge für einen passenden Beruf auf.

4 Traumberufe?

a Was macht ein …? Erklärt und ergänzt weitere „Berufe".

Glückskeksautor

Wasserrutschen-Tester

Tierfutter-Vorkoster

Golfballtaucher

Deo-Tester

Laut-Lacher

Zeit-Sparer

Sachen-Finder

Kaffeetassen-Designer

Einen Sachenfinder ruft man, wenn …

Ein Golfballtaucher hat einen sehr wichtigen Beruf. Er arbeitet auf einem …

? **b** Was ist dein Traumberuf? Erzähle.

5 Präsentiere …

a Was hast du in diesem Kapitel präsentiert? Ergänze die Liste, die du in Kapitel 4 begonnen hast.

b Hat jemand aus deiner Klasse etwas präsentiert, das dich auch interessiert? Oder was könntest du noch zum Thema Berufe präsentieren? Notiere Ideen.

Der schlimmste Beruf der Welt

Berühmte Deutsche und ihre Berufe

6 Erzähle …

a Suche das **?** in diesem Kapitel: Welche Fragen findest du dort? Ergänze deine Fragenliste zum Thema Arbeit und Berufe.

? **b** … für einen Tag: Welchen Beruf würdest du wählen? Warum?

Astronautin Opernsänger Politikerin Arzt Pilotin ?

7 Die Prüfung DSD I

a Über welche Prüfungsteile hast du in diesem Kapitel etwas erfahren? Notiere kurz, was du in den Teilen machen musst.

__________verstehen Teil ______ ______________ Kommunikation

__________verstehen Teil ______

b Das kannst du schon. Bewerte mit ☺, 😐 oder ☹.

Ich kenne viele Wörter zum Thema Arbeit und Berufe.	
Ich kann Fragen zu dem Thema beantworten.	
Ich kann über meine Erfahrungen und Berufswünsche sprechen.	
Ich kann einen Leserbrief oder einen Beitrag zum Thema schreiben.	

6 Feste und Feiern

1 Feste feiern

a Findet in 5 Minuten so viele Wörter wie möglich zum Thema.

b Welche „Feste“ findest du in der Wortschlange? Markiere.

abzwweihnachtendiegeburtstaggeftaufeoledosternmnemuttertag
vatanationalfeiertaghqlhalloweenveinavalentinstag

c Seht euch die Bilder oben an: Was wird gefeiert? Warum denkt ihr das? Notiert Stichwörter und stellt eure Überlegungen vor.

d Nennt Beispiele für … Wann und wie lange werden die „Feste“ gefeiert?

Volksfest | Familienfest | religiöses Fest | gesetzlicher Feiertag

… wird im Sommer gefeiert.

… ist am 25. Dezember.

feiert man zwei Tage lang.

… ist im Juli.

2 Gedenktage

a Welcher Tag ist das? Ordnet zu.

Welttag gegen Kinderarbeit | Internationaler Frauentag | Internationaler Tag der Muttersprache | Tag des Baumes | Weltkrebstag | Internationaler Tag der Jugend | Ändere-deinen-Namen-Tag

1 Der Wald ist wichtig für den Menschen und die Wirtschaft. Daran soll der ______________________ am 25. April erinnern.

2 Eine Politikerin aus Luxemburg sagt zu diesem Tag: „Solange wir diesen Tag extra feiern müssen, ist klar, dass wir keine Gleichberechtigung haben.“ ______________________ ist am 8. März.

3 Der ______________________ ist am 13. Februar. Dieser Aktionstag aus den USA gefällt besonders den Menschen, die lieber anders heißen möchten, denn man kann sich 24 Stunden lang mit einem anderen Vornamen ansprechen lassen.

4 Nach Angaben von UNICEF arbeiten heute 19,7 Millionen Kinder zwischen 5 und 14 Jahren, viele unter schlimmsten Bedingungen. Der ______________________ am 12. Juni möchte kritisch darauf hinweisen.

b Woran erinnern die anderen Tage vielleicht? Und wie findet ihr solche Tage?

c Am 26. März ist der *Erfinde-deinen-eigenen-Feiertag-Tag*. Was würdest du feiern und warum?

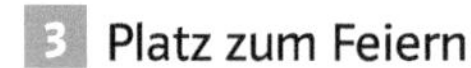

3 Platz zum Feiern

a Wo kann man ein Fest feiern? Schreibt Orte auf einen Zettel. Tauscht die Zettel mit einem anderen Paar. Fragt und antwortet.

Restaurant
Schwimmbad
zu Hause

? b Was und wo feierst du gern? Warum ist das ein guter Ort dafür?

4 Eine Einladung: Welches Wort passt? Streich das falsche Wort durch.

Liebe / Lieber Ralph,
am / im Montag, 14. Mai, habe ich Geburtstag. Ich werde / bin 16 und möchte ganz groß mit meine / meinen Freunden feiern. Du bist herzlich einladen / eingeladen. Die Party findet in der / die Disco Roxy statt und geht am / um 20 Uhr los.
Bitte sag mir Bescheid, ob / wenn du kommst.
Liebe Grüße / Grüßen
Nele

5 Partyspiele

a Conni fragt im Internet. Was will sie wissen? Markiere.

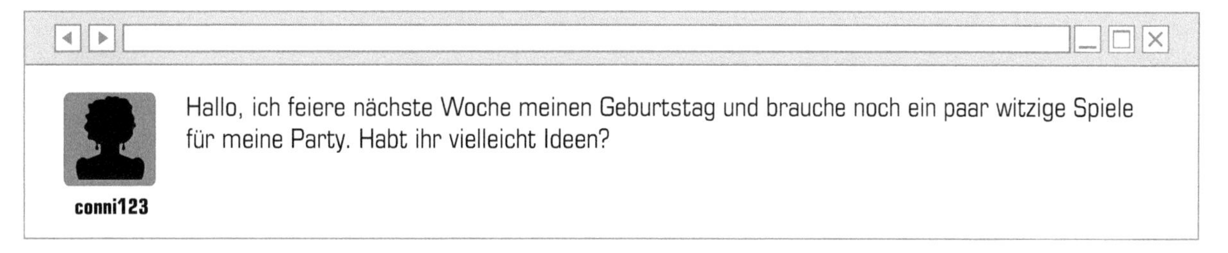

Hallo, ich feiere nächste Woche meinen Geburtstag und brauche noch ein paar witzige Spiele für meine Party. Habt ihr vielleicht Ideen?

conni123

b Lies die Vorschläge. Welche Spiele gefallen dir?

bibi_14

Mein Cousin hat seinen 16. gefeiert, da haben wir dieses Spiel gespielt: Alle standen in einem Kreis und haben einen Sack mit Kleidungsstücken herumgereicht. Die Musik lief und immer, wenn die Musik gestoppt hat, musste der, der den Sack gerade in der Hand hatte, etwas rausnehmen und anziehen. Mein Cousin hatte zum Schluss einen Minirock und Handschuhe an. Ich fand das total witzig.

LaLars

Ich mag keine Partys, bei denen man nur rumsteht oder tanzt. Ich mag Spiele. Mörder-Blinzeln finde ich klasse, da stehen alle im Kreis, einer ist der Mörder und einer der Detektiv (da zieht man vorher Zettel). Der Mörder tötet die anderen, indem er ihnen zublinzelt und dann muss man „Ich bin tot!" sagen. Der Detektiv muss rausfinden, wer der Mörder ist. Macht total Spaß.

Loulo

Also ich finde das Turmspiel lustig. Da müssen 3 Leute oder so rausgehen. Die anderen stellen 4 bis 6 Stühle zu einem Turm zusammen, ganz schief und hoch. Dann kommt eine Person wieder rein, man erzählt der Person, dass das ein ganz alter Turm ist und etwas Schlimmes passiert, wenn man ihn berührt. Dann gibt man diese Aufgabe: „Zieh deine Schuhe aus und spring drüber!" Und die Person denkt natürlich, sie muss über den Turm springen … aber die Lösung ist: Sie soll nur über die Schuhe springen. ☺

? c Hast du einen Vorschlag für ein Partyspiel? Wie muss eine Party sein, damit sie dir gefällt? Erzähle.

So geht's: Vorbereitung auf Leseverstehen Teil 1

1 Gefährlicher Spaß

a Was kann beim Feiern gefährlich sein? Notiert Ideen und vergleicht.

zu viele Gäste

b Seht euch die Wörter an. Zu welcher Wortart gehören sie?

Abischerz | Großeinsatz | Krankenwagen | Rettungshubschrauber | Schulgelände | Schaumkanone | Partyschaum | Atembeschwerden | Schulleitung | Notarzt | Mischungsverhältnis

c Untersucht die Wörter. Was könnten sie bedeuten?

Abi ist die Abkürzung für Abitur.

Scherz bedeutet …

Großeinsatz … das sind zwei Wörter, groß und …

d Lies diesen Artikel aus der Zeitung. Unterstreiche die Wörter aus b.

In Kronberg endete ein Abischerz mit einem Großeinsatz von Krankenwagen und Rettungshubschrauber. Die Abiturienten hatten zu Schulbeginn große Teile des Schulgeländes mit Partyschaum vollgespritzt. Die Schüler der Schule liefen und tanzten um die Schaumkanonen herum und hatten Spaß. Nach und nach wurde aber immer mehr Schülern schlecht, andere hatten Atembeschwerden und juckende Augen. Die Schulleitung rief den Notarzt an. Fast 200 Schülerinnen und Schüler mussten ins Krankenhaus gebracht werden. Warum der Streich so schlecht endete, ist unklar. Richtig gemischt ist Partyschaum ungefährlich für die Gesundheit. Die Polizei vermutet aber, dass die Abiturienten das Mischungsverhältnis von Schaumkonzentrat und Wasser nicht beachtet haben.

2 Sara schreibt einen Leserbrief

a Lies Saras Brief. Worum geht es?

Mainz, den 23. Mai 20…

Liebe Redaktion,

ich habe in der letzten Ausgabe vom Bleistift ______ die Antworten zu eurer Umfrage „Zu alt für den (Kinder)Geburtstag?" gelesen. Die Meinungen der Schüler fand ich ______, besonders die von Lukas. Er schreibt, ______ er mit 15 Jahren schon zu alt ist, um noch zu feiern. Geburtstage sind nur etwas für kleine Kinder oder ältere Leute ab 50, findet er. Also, das finde ich gar nicht. Ich bin auch 15 und ich ______ meinen Geburtstag sehr gern. Es ist doch ______, wenn wenigstens einmal im Jahr alle an dich denken und dir persönlich ______ oder dich anrufen. Da fühlt man sich doch mal besonders. Geschenke müssen nicht sein, da hat Lukas recht. Aber ich liebe es, wenn mir meine ______ eine Geburtstagstorte backt. Die steht dann schon morgens ______ dem Tisch, mit Kerzen, und der Tag fängt einfach gut an.

Eure Schülerzeitung gefällt mir übrigens immer sehr gut. Macht weiter so!

Viele Grüße
Sara

b Überlegt zusammen: Welche Wörter könnten in die Lücken passen?

c Vergleicht: Wie habt ihr gelöst? Was hat euch beim Lösen geholfen?

3 Fehlende Wörter

a Sieh dir diese Wortliste an. Welche Wortarten erkennst du? Markiere mit unterschiedlichen Farben: Nomen, Verb, Adjektiv, Adverb, Präposition.

feiern | modernes | schön | Geburtstag | gerne | am | um | Fest | im | gefällt | gratulieren | beliebt

b Lies die folgenden Sätze. Entscheide, welche Wortart in der Lücke fehlt und welches Wort aus der Liste passt. Vier Wörter bleiben übrig.

1 Mein ____________ ist am 3. März. Ich bekomme viele Geschenke und feiere am Tag mit meiner Familie und dann am Abend mache ich eine Party für meine Freunde.
2 ____________ 3. Oktober ist der deutsche Nationalfeiertag. Er heißt „Tag der deutschen Einheit".
3 Meine Eltern sind am 2. Februar schon 25 Jahre verheiratet, deshalb ____________ sie am Sonntag silberne Hochzeit mit allen Kindern und Enkeln.
4 Weihnachten ____________ mir besser als mein Geburtstag, weil da jeder Geschenke bekommt.
5 An Karneval ist bei uns viel los. Sehr ____________ ist immer der Umzug am Sonntag, finde ich.
6 Halloween ist ein ____________ Fest, das aus Amerika kommt. In Deutschland wird es noch nicht so lange gefeiert und nicht alle Leute kennen es. Hauptsächlich Jugendliche und Kinder feiern da.
7 An Silvester läuten ____________ Mitternacht alle Kirchenglocken und das Feuerwerk beginnt.
8 Besonders ____________ gehe ich zu den Schulfesten im Sommer, da gibt es immer coole Musik.

4 Passende Überschrift

a Welche Überschrift passt zu welchem Satz in 3b? Warum passt die Überschrift?

☐ Ein Fest für die Familie
☐ Mit Freunden feiern macht Spaß
☐ Ein Fest im Winter
☐ Feiern rund ums Jahr
☐ Feiern macht im Sommer Spaß
☐ Ein unbekanntes Fest

b Welche der Überschriften passt zu allen Sätzen?

Tipp

In der Prüfung musst du im Leseverstehen Teil 1 nicht nur die richtigen Wörter für die Lücken im Text finden, sondern auch noch aus drei Überschriften die auswählen, die zum Text passt. Die Überschrift muss zum ganzen Text passen, nicht nur zu einigen Sätzen oder einem Absatz.

5 Feste in eurem Land und in Deutschland

a Euer Land: Welches Fest ist in welchem Monat? Gestaltet ein Plakat. Malt oder klebt Typisches dazu.

b Sucht im Internet und ergänzt auf eurem Plakat Feste, die in Deutschland gefeiert werden. Was ist dort typisch für das Fest?

c Vergleicht und präsentiert eure Ergebnisse. Bringt Musik, Fotos, Essen … mit.

6 Leseverstehen Teil 1

a So ähnlich sieht die Aufgabe in der Prüfung aus. Wo sind: die Wortliste, ein Beispiel, eine Lücke, der Text, eine Überschrift?

A machen	B Abend	C gegangen	D Sänger	E Fotograf
F Zeit	G fahren	H gewartet	Z Hochzeit	

Letztes Wochenende hat meine Cousine Nina ihren Freund Sinan geheiratet. Die ___Z___ (0) fand in einem großen Saal mit ungefähr 120 Gästen statt. Sinans Familie kommt aus der Türkei, deshalb waren auch viele türkische Verwandte und Freunde da. Das war sehr spannend. Eine Band hat den ganzen ______ (1) Musik gemacht. Die Stimmung war toll und ich habe so viel getanzt, dass ich kaum Zeit zum Essen hatte.

Um Mitternacht wurden die Geschenke überreicht. Das Brautpaar hat in der Mitte der Tanzfläche ______ (2) und von jedem Gast etwas bekommen. Natürlich war auch ein professioneller ______ (3) auf dem Fest und hat viele Fotos gemacht.

Ihre Hochzeitsreise ______ (4) Nina und Sinan auf einer kleinen Insel im Mittelmeer. Nina hat mir Fotos vom Hotel und der Insel im Internet gezeigt – es ist sehr schön dort.

Aufgabe 5

Welche Überschrift passt am besten zum Text? Kreuze an.

A ☐ Ein ganzes Wochenende lang feiern
B ☐ Feiern mit Gästen aus zwei Ländern
C ☐ Fotos zur Erinnerung an die schöne Feier

b Ergänze: Wie viele …

1 Wörter sind in der Wortliste? ______
2 Lücken sind im Text? ______
3 Überschriften hast du zur Auswahl? ______
4 Aufgaben musst du lösen? ______

c Bringt die Tipps in die richtige Reihenfolge. Ergänzt die Buchstaben in der Sprechblase.

A [1] Lies zuerst die Wörter in der Wortliste. Dann erst den Text.
U ☐ Überlege nicht zu lange bei jeder Lücke, kontrolliere lieber zum Schluss noch einmal.
E ☐ Suche dann in der Wortliste, ob dort dieses oder ein ähnliches Wort steht.
S ☐ Wenn du ein passendes Wort in der Liste findest, überprüfe, ob die Wortart und die Endung richtig sind und zu den Wörtern vor und nach der Lücke passen.
E ☐ Wenn du bei einer Lücke nicht weißt, was passt, wähle zum Schluss ein Wort von denen, die noch übrig sind.
G ☐ Schreibe das Wort und den Buchstaben in die Lücke. Streiche das Wort in der Wortliste durch.
L ☐ Lies den Satz mit der Lücke immer ganz zu Ende. Vielleicht fällt dir dabei gleich ein passendes Wort ein.

Wir wünschen
_ L _ _ _
_ _ T _

d Löse jetzt die Aufgaben und vergleiche dann mit den anderen. Haben die Tipps geholfen? Habt ihr andere Tipps?

So geht's: Vorbereitung auf Hörverstehen Teil 1

1 Sehen, hören, auswählen

a Sieh die Bilder kurz an und beantworte die Fragen.

A ☐

B ☐

C ☐

Welche Personen siehst du?

Was machen die Personen?

Wo sind die Personen?

Was siehst du noch?

Tipp

Im Prüfungsteil Hörverstehen 1 ist es wichtig, dass du genau zuhörst und dir klar machst: Wer spricht mit wem? Wo sind die Personen? Was machen sie? Worum geht es im Gespräch?

26

b Hört die Szene an und macht Notizen zu den Fragen. Vergleicht eure Notizen.

Wer spricht? (wie viele Personen, Geschlecht, Alter)	
Worüber sprechen die Personen? (Thema, wichtige Wörter, Namen, Zahlen …)	
Wo sind die Personen vielleicht?	

c Welches Bild in a passt zu der Szene und warum? Was auf dem Bild und im Hörtext hat euch die Lösung verraten? Kreuzt an.

☐ das Thema ☐ der Ort auf dem Bild ☐ ____________

☐ Details auf dem Bild ☐ die Sprecher

27

2 Szene 2

a Hör diese Szene und mach dir Notizen wie in 1b.

b Welches Bild aus 1a passt zu Szene 2? Warum?

28

3 Szene 3

a Hör diese Szene und mach dir Notizen wie in 1b.

b Passt ein Bild aus 1a? Warum – oder warum nicht?

c Wie könnte ein zur Szene passendes Bild aussehen? Zeichne eine Skizze.

4 Hörverstehen Teil 1 in der Prüfung

29

Du bekommst die Aufgabenblätter und hörst, was du gleich machen sollst.
Hör zu und ergänze die Lücken in der Aufgabenstellung.

> Teil 1
>
> **Feste und Feiern**
>
> Gleich hörst du ______ Szenen zum Thema Feste und Feiern. Zu jeder Szene gibt es ______ Bilder. Welches Bild ______? Kreuze beim Hören zu jeder Szene das richtige Bild (______ oder ______ oder ______) an.

Tipp

In der Prüfung hörst du nach der fünften Szene noch einmal alle Szenen und kannst deine Lösungen überprüfen. Kreuze auf jeden Fall eine Lösung an, auch wenn du dir nicht ganz sicher bist. Vielleicht ist es ja die richtige Lösung. Wenn du nichts ankreuzt, bekommst du sicher keinen Punkt in der Prüfung.

5 Szene 1:

a Sieh die drei Bilder an. Du hast dafür 6 Sekunden Zeit. Denk an die Fragen: Wer? Wo? Was?

A ☐

B ☐

C ☐

30

b Hör die Szene 1. Denk auch hier an die Fragen: Wer? Wo? Was? Kreuze beim Hören das passende Bild an.

c Vergleicht eure Lösungen. Was hat euch geholfen?

31

6 Szene 2: Geh wie in 5 beschrieben vor.

A ☐

B ☐

C ☐

So geht's: Vorbereitung auf Schriftliche Kommunikation

1 Umfrage in der Schülerzeitung ***Bleistift*** „Zu alt für den (Kinder)Geburtstag?"

a Lies, was Lukas zum Thema geantwortet hat und unterstreiche wichtige Wörter.

Lukas: Also, ich finde, Geburtstage sind Kinderkram. Wenn man klein ist, dann ist das natürlich ganz wichtig und man freut sich total auf den Tag, besonders auf die Geschenke. Aber wenn man dann älter wird, dann sind andere Sachen wichtiger. Aber so einen Geburtstag wie den Fünfzigsten feiert man dann wieder. Ich mag gar nicht, wenn an meinem Geburtstag plötzlich Leute zu mir kommen, die sich sonst das ganze Jahr nicht für mich interessieren.

b Lest, wie Sara die Aussagen von Lukas im Leserbrief auf S. 72 wiedergibt. Entscheidet und kreuzt an:

Sara gibt die Aussagen von Lukas ☐ richtig ☐ nicht ganz richtig wieder.
Sara benutzt ☐ eigene Worte ☐ zitiert Lukas wörtlich.

Tipp

Gib die Aussagen der Jugendlichen richtig wieder, aber zitiere nicht wörtlich. Formuliere alles ein bisschen um und benutze möglichst eigene Wörter. Wichtig ist auch, dass du die Aussagen vollständig wiedergibst, also alle Aspekte, die die Person anspricht.

c Notiert: Welche Aspekte spricht Lukas an? Welche hat Sara wiedergegeben?

Lukas	*Sara*

d Schreib eine richtige und vollständige Wiedergabe von Lukas Aussagen.

e Welche Meinung hat Sara auf S. 72? Gib ihre Aussagen wieder. Du kannst dafür diese Formulierungen nutzen.

Sara sagt / findet / meint, dass … | … stimmt Lukas zu. | stimmt … nicht zu. | … hat eine ganz andere Meinung … | Besonders gern feiert sie, weil …

? **2** Du zum Thema Geburtstag

a Notiere Stichwörter zu folgenden Fragen:

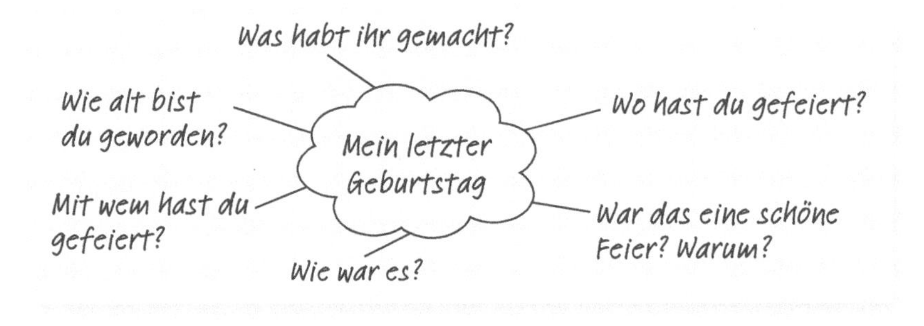

b Kannst du anhand deiner Notizen besser über deine Erfahrungen oder über deine Meinung schreiben?

c Formuliere einen Text aus deinen Stichwörtern.

? **3** Was wünschst du dir zum Geburtstag? Erzähle und begründe.

Ich wünsche mir …, weil …

4 Gleicher Meinung?

a Lies diese Aussagen. Welche sind ähnlich?

Ralf: Der Tag gehört bei uns der Familie. Wir stehen alle ganz früh auf und frühstücken gemeinsam, so mit Kuchen, Kerzen usw. Dann gehen alle aus dem Haus, wir zur Schule und die Eltern zur Arbeit. Am Abend essen wir dann was Besonderes zusammen oder gehen in ein Restaurant. Mit meinen Freunden feiere ich nicht extra. Die treffe ich ja sowieso immer.

Lena: Also, ich mache immer eine ganz große Party. Jeder bringt etwas zum Essen mit. Meine Eltern besorgen die Getränke und ich die Musik. Die Stimmung ist immer super. Ich freue mich jedes Jahr darauf.

Kim: Ich feiere immer mit den Leuten aus meiner Clique. Bei uns ist es Tradition, dass wir zusammen irgendwo hingehen. Wir waren schon im Zirkus, in einem Museum mit Sauriern oder wir haben zusammen gebacken. Meine Eltern fahren und bezahlen.

Tipp

Noch mehr Punkte bekommst du in der Prüfung, wenn du die Aussagen nicht einfach nacheinander wiedergibst, sondern eine eigene Struktur oder Ordnung findest. Das heißt, du fasst ähnliche Aussagen mit einem übergeordneten Satz zusammen oder vergleichst Aussagen, die ganz unterschiedlich sind.

b Arbeitet die Gemeinsamkeiten oder Unterschiede in den Aussagen heraus. Diese Fragen helfen euch:

- Wer feiert eine Party?
- Wie und wo feiert die Person?
- Wer feiert mit der Familie / mit Freunden / mit Freunden und Familie?

c Fasst in einer Tabelle zusammen, was ihr besprochen habt.

Name	*feiert?*	*mit wem?*	*wie?*	*wo?*
Ralf	*ja*			

d Ergänze diese Sätze mit passenden Wörtern oder dem passenden Namen.

1 ___________ feiern ihren Geburtstag.
2 ___________ Jugendliche laden ihre ___________ ein, einer feiert nur mit seiner ___________.
3 ________ und ________ feiern mit Freunden, ___________ dagegen lädt seine ___________ nicht ein.
4 ________ und ________ feiern beide mit ihren ___________, aber sie feiern trotzdem unterschiedlich.

e Fass die Aussagen zusammen, finde eine eigene Struktur dafür.

f Tauscht dann eure Texte aus und überprüft:

Gibt es eine eigene Struktur? Sind alle Aussagen wiedergegeben? Stimmt alles inhaltlich?

5 Dein Leserbrief zum Thema

a Welche Teile hast du schon geschrieben?

☐ die Einleitung ☐ die Wiedergabe der Aussagen ☐ deine Meinung
☐ deine Erfahrungen ☐ Überleitungen

b Welche Redemittel kannst du für die Überleitungen nutzen? Markiere in zwei verschiedenen Farben:
Wiedergabe → eigene Erfahrung eigene Erfahrung → eigene Meinung

Ich stimme mit … überein. | Ich feiere ähnlich wie … | … kann ich verstehen, aber ich habe eine andere Meinung. | Bei mir ist das ganz anders als bei …

6 So könnte die Aufgabe in der Prüfung aussehen.

a Wie ist das Thema und was musst du schreiben?

In einem Internetforum wird die Frage diskutiert, wie der letzte Tag des Jahres gefeiert werden soll: „Silvester mit oder ohne Feuerwerk?" Dort findest du folgende Aussagen:

Nora: Ich bin total gegen diese Knallerei. Was hat man denn davon? Nach ein paar Minuten ist alles vorbei. Aber ein Feuerwerk kostet sehr viel Geld und verschmutzt die Umwelt. Außerdem kann man sich dabei schwer verletzen. Es ist viel zu gefährlich.

Jan: Ich freue mich immer das ganze Jahr auf Silvester mit dem Feuerwerk. Es ist eine schöne Tradition bei uns. Natürlich geben wir viel Geld dafür aus, aber es ist ja nur einmal im Jahr: Das sieht einfach schön aus und macht sehr viel Spaß.

Anna: Silvester ohne Feuerwerk ist undenkbar. Wir gehen immer alle zusammen kurz vor Mitternacht auf den Rathausplatz. Dort organisiert die Stadt ein riesiges Feuerwerk. Das ist fantastisch. Ich selber möchte keine Raketen anzünden, da hätte ich Angst.

Peter: Bei uns an der Schule gab es einen Aufruf, keine Feuerwerkskörper zu kaufen. Lieber soll man das Geld einer Organisation spenden, die Kindern in aller Welt hilft. Das ist eine gute Idee. Ich bin zwar nicht prinzipiell gegen ein Feuerwerk, aber das Geld zu spenden finde ich noch besser. Ich rede also mit meinen Eltern und auch mit den Nachbarn. Vielleicht spenden ja alle.

Schreibe einen Beitrag für das Internetforum.

Bearbeite in deinem Beitrag die folgenden Punkte:
- Gib alle vier Aussagen mit eigenen Worten wieder.
- Wie feierst du Silvester? Findest du das gut oder würdest du lieber anders feiern? Erzähle ausführlich.
- Wie ist deine Meinung zu dem Thema? Begründe deine Meinung ausführlich.

b **Bereite deinen Beitrag vor. Wie gehst du vor? Nummeriere die Schritte in der Reihenfolge, die für dich passt.**

- [ ] Aussagen lesen und wichtige Wörter unterstreichen.
- [ ] Übersichtlich (Tabelle) notieren, was die Jugendlichen sagen.
- [ ] Meine Argumente und Aktivitäten notieren.
- [ ] Gemeinsamkeiten und Unterschiede der Aussagen herausfinden.
- [ ] Eine Einleitung schreiben – mit den zur Textsorte passenden Formalia.
- [ ] Meine Meinungen zusammenfassen.
- [ ] Meine Meinung zum Thema schreiben.
- [ ] Meine Erfahrungen schreiben und die Fragen der Aufgabenstellung beantworten.
- [ ] Alles kontrollieren.

c **Schreibe deinen Beitrag. Mach dir danach Notizen zu folgenden Fragen:**

Wie lange hast du gebraucht?
Wo hattest du Schwierigkeiten?
Was würdest du beim nächsten Mal anders machen?

Tipp

Während der Prüfung darfst du ein Wörterbuch benutzen. Schlage aber nicht zu viele Wörter nach, um deinen Text zu schreiben – dadurch verlierst du viel Zeit. Versuche mit deinem vorhandenen Wortschatz zu schreiben.

Feste und Feiern

1 Ein Geschenk voll Wörter

a Lies die Wörter. Kannst du sie alle übersetzen?

das Fest | der Feiertag | einladen | die Feier | der Brauch | feiern | die Tradition
festlich | schenken | herzlich | das Jubiläum | sich bedanken | das Geburtstagskind
das Weihnachtslied | die Kerze | singen | gratulieren | das Geschenk | das Datum
zusagen | der Blumenstrauß | wünschen | die Einladung | die Taufe | die Hochzeit
eine Karte schreiben | eine Rede halten | jemanden umarmen | fröhlich
der Gast | die Party | sich amüsieren | der Glückwunsch | das Familienfest
der Anlass | absagen | sich verspäten | vorbereiten | planen | beliebt
das Feuerwerk

b Sortiere die Wörter. Ergänze Wörter aus diesem Kapitel. Arbeite mit den Wörtern.

2 Gute Wünsche: Zu welchem Anlass oder Fest sagt man das?

Alles Gute | Herzlichen Glückwunsch | Guten Rutsch | Viel Glück |
Meine allerbesten Wünsche | Herzliches Beileid | Frohe Feiertage | Frohes Fest

3 Das Oktoberfest in München – das größte deutsche Volksfest

a Schreib die Zahlen in Ziffern neben die Zahlwörter.

☐ Seit achtzehnhundertzehn gibt es das Oktoberfest.

☐ Man kann einhundertzweiundsiebzig Attraktionen bestaunen und auf einhundertviertausend Sitzplätzen oder eintausendachthundert Toiletten sitzen.

☐ Man kann in einhunderteinundvierzig Gastronomiebetrieben trinken und essen.

☐ Es kommen fast sieben Millionen Besucher jedes Jahr.

☐ Es dauert sechzehn Tage.

☐ Gegessen werden: Einhundertachtzehn Ochsen, einhundertfünfzigtausend Paar Würstchen und fünfhunderttausend Brathähnchen.

☐ Jedes Jahr gibt es etwa eintausend Tonnen Müll und dieses Jahr wurden viertausendsiebenhundertfünfzig Fundsachen vergessen.

b Gibt es bei euch auch ein Oktoberfest oder etwas Ähnliches? Wo? Wann? Recherchiert und präsentiert.

4 Verrückt?!

a Tim aus der 10a erzählt von seinem Lieblingsfest. Wie heißt es?

Die Deutschen sind immer so ernst, sagt man. Das stimmt vielleicht im Frühling, Sommer, Herbst und Winter ... Aber es gibt hier auch noch die Fünfte Jahreszeit. Sie beginnt am 11.11. um 11:11 Uhr. Die Zahl 11 gilt als „närrische“, also verrückte Zahl und genau das ist wichtig im Karneval: Verrückt sein, Spaß haben und das richtige Kostüm. Das liebe ich! Ich verkleide mich sehr gerne – dieses Jahr war ich Vampir, aber meine Freunde und ich waren auch schon als Müllmänner oder Affen verkleidet. In meiner Stadt gibt es jedes Jahr einen Umzug am Faschingssonntag mit geschmückten Wagen, viel Musik und auch Faschingspartys in der Schule. Aber nicht alle Leute finden Fasching lustig und wollen feiern. Meine Tante wohnt in Köln, das ist im Rheinland, und dort ist der Karneval ganz groß. Zum Umzug am Rosenmontag kommen über eine Million Narren und Närrinnen – so heißen die Leute, die gerne Fasching feiern. Unglaublich! Am Aschermittwoch ist dann alles vorbei und für religiöse Menschen beginnt die Fastenzeit, die bis Ostern dauert. Ich esse zu dieser Zeit keine Süßigkeiten – oder probiere es wenigstens.

b Was erfahrt ihr noch über dieses Fest? Fasst die wichtigsten Informationen zusammen.

c Feiert man bei euch Karneval? Was ist gleich, was anders als in Deutschland? Erzählt.

? 5 Erzähle ...

a Suche das ? in diesem Kapitel: Welche Fragen findest du dort? Ergänze deine Fragenliste zum Thema Feste und Feiern.

b Übt spontan erzählen.

Magst du den Valentinstag? Warum (nicht)?	Welches Fest feierst du am liebsten?	Welches Fest ist das wichtigste für deine Familie und wie feiert ihr es?	Welche berühmte Person würdest du gern zu deinem Geburtstag einladen?

6 Ein gelungenes Fest - ein misslungenes Fest

Bildet Gruppen. Entscheidet euch für das Thema „Ein gelungenes Fest“ oder „Ein misslungenes Fest“ und bereitet eine Präsentation vor. Denkt an folgende Punkte: Ort, Zeit, Anlass, Kleidung, Programm, Gäste, Stimmung, Essen ...

7 Präsentiere ...

a Was hast du in diesem Kapitel präsentiert? Ergänze deine Liste.

b Was könntest du noch zum Thema präsentieren? Sammle Ideen.

8 Die Prüfung DSD I

Wie fit fühlst du dich für diese Prüfungsteile? Bewerte mit ☺, 😐 oder ☹.

Hörverstehen Teil 1	
Leseverstehen Teil 1	
Schriftliche Kommunikation	

Tipp

Setzt euch in Gruppen zusammen und sprecht über Lösungsstrategien und Tipps für die verschiedenen Prüfungsteile. Mehr Informationen über die Prüfungsteile findet ihr im Überblick auf S. 128 – 134.

7 Natur und Umwelt

1 Natur

a Schließ die Augen und denk an „Natur". Was siehst du? Öffne die Augen, male eine Skizze oder notiere Wörter.

b Vergleicht und erzählt: Warum habt ihr daran gedacht?

Das ist typisch für …

Das ist bei uns in der Nähe.

Ich war da mal mit …

32

c Alex erzählt. Hör zu und überlege: Wo war Alex vielleicht?

d Welches Bild von oben passt zu dem, was Alex erzählt?

2 Eurer Land

a Was ist typisch für euer Land? Wählt drei Stichpunkte pro Gruppe und gestaltet ein Plakat.

Jahreszeiten   Wetter   Landschaften   Pflanzen   Städte   Himmelsrichtungen
Menschen   Kultur   Tiere   Produkte   Sprachen

b Präsentiert eure Plakate in der Klasse.

3 Deutschland

a Notiert eurer Wissen zu Deutschland mit den Stichpunkten von 2a.

b Wisst ihr das? Vergleicht mit den anderen Gruppen.

Gibt es in Deutschland ein Meer / Vulkane / hohe Berge?

Wo liegt Hamburg / München / Berlin?

In Deutschland leben ca. … Millionen Menschen.

Die größte deutsche Stadt heißt …

Deutschland hat Grenzen zu …

Der größte See Deutschlands heißt … und liegt im Norden / Süden / Osten von Deutschland.

c Was interessiert euch noch? Recherchiert mehr über Deutschland.

4 Tiere

a Ihr habt eine Minute Zeit: Sagt abwechselnd ein Tier. Wie viele fallen euch ein?

b Hier haben sich 28 Tiere versteckt. Findest du sie?

H	G	V	O	G	E	L	S	C	H	A	F	T	S
A	I	A	F	B	Ä	R	H	U	H	N	L	R	C
S	R	O	P	I	K	A	L	Ö	W	E	I	K	H
E	A	F	F	E	U	T	M	Ü	C	K	E	R	L
M	F	I	E	N	H	T	B	T	E	A	G	O	A
A	F	S	R	E	L	E	F	A	N	T	E	K	N
U	E	C	D	I	N	S	E	K	T	Z	I	O	G
S	W	H	I	D	K	R	Ö	T	E	E	G	D	E
P	I	N	G	U	I	N	S	C	H	W	E	I	N
A	R	H	U	N	D	Z	I	E	G	E	L	L	E

c Markiere mit drei verschiedenen Farben: der, das oder die?

? d Erzähle: Welche Tiere …

… magst du? … sind Haustiere? … gibt es bei euch? … siehst du im Zoo?

e Seht euch die Bilder an: Was seht ihr und wie findet ihr das? Warum?

5 Umwelt und Natur

a Welche Wörter passen zu Umwelt, welche zu Natur?

Schutz zerstören verschmutzen schonen
Produkt Natur sauber halten Zerstörung
freundlich Umwelt
feindlich Katastrophe schützen

die Um·welt (kein Plural)
1. alles, das, was den Menschen umgibt: Erde, Wasser, Luft, Pflanzen und Tiere; die Natur, die Umwelt schützen / bewahren / zerstören / verschmutzen.
-schutz, -schützer

b Ordne in zwei Gruppen.

Bäume pflanzen | Flüsse verschmutzen | Abgase reduzieren | Abgase produzieren | Müll trennen | Plastiktüten wegwerfen | Müll vermeiden | wenig Auto fahren | Wasser sparen | Regenwasser sammeln | Rohstoffe wiederverwerten / recyceln | Wasser verschwenden | umweltbewusst leben | Rücksicht nehmen

Umweltverschmutzung	Umweltschutz
	Bäume pflanzen

c Ergänzt die Tabelle mit weiteren Ausdrücken.

So geht's: Vorbereitung auf Leseverstehen Teil 2

1 Ansichtssache

a Lies den Text. Ist diese Familie anders als andere? Wenn ja, warum?

Wir stehen erst auf, wenn es draußen hell wird und wir gehen schlafen, wenn die Sonne untergeht. Wir baden nur einmal in der Woche und alle im selben Wasser. Mit dem Wasser putzen wir danach auch unsere Wohnung. Wir haben kein Auto und fahren überall mit dem Fahrrad hin – oder wir gehen zu Fuß. Wir benutzen fast nie elektrische Geräte und essen unser Essen immer kalt. Im Garten pflanzen wir Obst und Gemüse an. Wir nehmen keine Medikamente, sondern trinken Kräutertee, wenn wir krank sind.

b Welcher Satz passt am besten zu dieser Familie? Begründe deine Wahl.

☐ Besser nur zu Fuß. ☐ Baden verschwendet Wasser. ☐ Energie sparen ist wichtig.

c Was macht die Familie anders als ihr? Vergleicht.

Ich stehe um kurz nach 6 auf, egal, ob es hell oder dunkel ist. Ich muss ja in die Schule gehen.

Ich fahre auch oft Fahrrad, aber ich …

2 Wasser

a Was denkt ihr: Wie viel Wasser braucht man für …?

- einmal Hände waschen
- die Toiletten-Spülung benutzen
- in der vollen Wanne baden
- 10 Minuten duschen
- 10 Teller mit der Hand spülen
- eine volle Waschmaschine waschen
- einmal die Zähne putzen
- 1 Minute den Wasserhahn laufen lassen

10 Liter · 20 Liter · 20–40 Liter · 8–12 Liter · 50 Liter · 150–180 Liter · 3–5 Liter · 10 Liter

b Vergleicht eure Zahlen und errechnet: Wie viel Wasser braucht Nick pro Tag? Manche Zahlen müsst ihr schätzen.

Nick

1 x duschen, 5 x Toilette, 2 x Zähne putzen, Nudeln kochen, 4 x Hände waschen, 3 l trinken, ...

c Und wie viel Wasser braucht ihr ungefähr pro Tag und Person?

d Wofür wird noch Wasser gebraucht? Sammelt und vergleicht eure Ideen.

e Hast du das gewusst? Unterstreiche für dich neue Informationen im Text.

In Deutschland braucht jede Person ungefähr 130 Liter Wasser pro Tag für den eigenen Bedarf. Aber auch die Industrie und die Landwirtschaft brauchen täglich sehr viel Wasser: In den großen Industrieländern rechnet man mit ungefähr 700 Litern pro Tag und Person. Die Landwirtschaft braucht das Wasser für die Bewässerung der Felder, aber auch für die Tierhaltung, z. B. zum Trinken oder auch zum Saubermachen. Für die Herstellung von 1 kg Rindfleisch sind es über 15 000 Liter Wasser, für 1 kg Butter sind es ungefähr 5 bis 10 Liter. Für die Herstellung von 1 kg Papier benötigt die Industrie ungefähr 280 Liter – um 1 kg Papier aus Altpapier herzustellen, braucht man allerdings nur noch etwa 2 Liter. Wenn du gerne Cola oder andere Getränke aus der Dose trinkst, dann interessieren dich vielleicht diese Zahlen: Für die Herstellung einer Dose braucht man 40 Liter Wasser und für 36 g Zucker über 4 Liter. Und für ein Auto? 400 000 Liter!

f Vergleicht: Welche Zahlen haben euch überrascht?

3 Energiequellen

a Sieh dir die Grafik an: Wie viele Energiequellen gibt es?

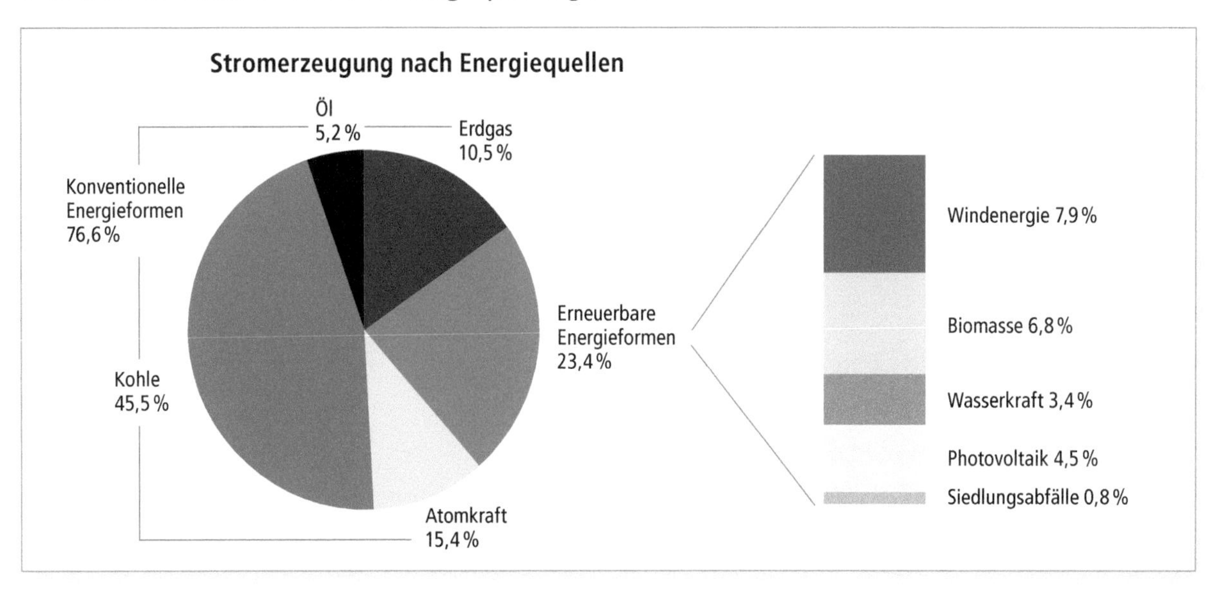

b Ergänze den Text mit den richtigen Informationen aus der Grafik.

2013 kamen in Deutschland ____________ des Stroms aus konventionellen Energiequellen: ____________, ____________, ____________ und ____________.
Energie, die immer wieder neu entsteht, ist ____________. Dazu gehören neben Photovoltaik, also Sonnenenergie, und Biomasse (das sind organische Stoffe) und Siedlungsabfällen, die verbrannt werden, auch ____________ und ____________. Dabei wird die meiste Energie durch den ____________ gewonnen.

c Welche Energieformen werden in eurem Land genutzt?

4 Energieverbrauch

a Was braucht oder verbraucht man für diese Tätigkeiten? Beendet die Sätze.

1 Beim Kochen verbraucht man ____________.
2 Zum Autofahren braucht man ____________.
3 Wenn man wäscht, dann verbraucht man ____________.

b Bildet weitere Sätze.

Motorradfahren | heizen | am Computer spielen | Lampen anmachen | grillen | staubsaugen | Produkte transportieren | in den Urlaub fliegen | …

c Wie kann man Energie und Wasser sparen?
Gestaltet ein T-Shirt mit lustigen Tipps.

5 Zum Wegwerfen – Müll

a Welchen Tipp gibt der Text?

Jeder Mensch in Deutschland produziert im Durchschnitt über 450 kg Müll pro Jahr – und das ist nur der Haushaltsmüll. Die Müllabfuhr holt ihn ab und dann ... verschwindet er nicht einfach! Was passiert also damit, fragt man sich. Man sammelt ihn auf großen Müllbergen, vergräbt ihn oder verbrennt ihn. Manchmal wird er recycelt, um wertvolle Rohstoffe zurückzugewinnen und wiederzuverwerten. Das ist gut, funktioniert aber nicht immer. Am besten wäre, wenn alle schon beim Einkaufen darauf achten würden, unnötigen Müll zu vermeiden.

b Pia und Jonas haben für das Klassenfrühstück der 10a eingekauft. Was haben sie gekauft?

c Was bleibt nach dem Frühstück übrig? Und was machen die Schüler damit?

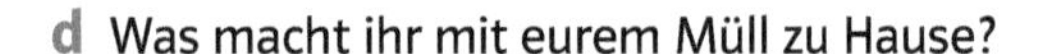

d Was macht ihr mit eurem Müll zu Hause?

6 Umweltschützer und Energiesparer

a Lies die Texte A–D und die Überschriften 1–6. Markiere Schlüsselwörter und ordne zu.

A Über 2 Milliarden Menschen auf der Erde haben kein sauberes Wasser zum Trinken! Sei froh, dass du genug Wasser hast und verschwende es nicht. Ein Bad in der Badewanne verbraucht dreimal so viel Wasser wie eine Dusche. Lass beim Zähneputzen das Wasser nicht laufen und Blumen kannst du auch mit Regenwasser gießen.

B Glas ist wertvoll. Deshalb kauft man am besten Pfandflaschen – sie werden gereinigt und wieder verwendet. Einwegflaschen werden eingeschmolzen, um daraus neues Glas zu gewinnen und damit wieder Flaschen oder andere Produkte herzustellen. Deshalb sind überall Glascontainer aufgestellt, in denen man den Rohstoff Glas sammeln kann.

C Mehr als die Hälfte unseres Mülls sind Verpackungen. Plastikverpackungen können zwar recycelt werden – in der EU passiert das im Moment aber nur mit ca. 25 % des gesamten Plastikmülls. Kaufe also lieber Produkte ohne Plastikverpackung und verzichte beim Einkaufen auf Plastiktüten. Ein Einkaufskorb oder eine Tasche aus Stoff sehen doch auch viel edler aus.

D Wie viele Handys hattest du schon? Wusstest du, dass in jedem Handy, Computer, Tablet usw. wichtige und seltene Rohstoffe verarbeitet werden? Vor allem Kupfer, aber auch Edelmetalle wie Gold und Silber, die dann einfach weggeworfen werden. Auch andere Elektrogeräte landen oft im Müll, obwohl sie noch funktionieren. Man könnte sie auch reparieren und so Geld sparen und die Umwelt schonen.

1 Öfter mal mit einer Stofftasche einkaufen 2 Achte auf deinen Verbrauch 3 Edle Stoffe kaufen
4 Recyceln geht ganz einfach 5 Geräte sind Gold wert 6 Lieber zu Fuß zum Einkaufen

b Vergleicht eure Lösungen. Welche Schlüsselwörter haben euch geholfen?

c Welche Tipps zum Umweltschutz und Energiesparen an der Schule habt ihr? Gestaltet ein Plakat und stellt eure Tipps vor.

7 Schüler engagieren sich

a Lies, wofür sich die Schüler einsetzen. Markiere wichtige Wörter.

A Leider waren unsere Mitschüler immer sehr unordentlich. Wir haben dafür gesorgt, dass überall in der Schule Mülleimer stehen, trotzdem wurde immer noch viel auf den Boden geworfen. Deshalb haben wir die Mülleimer im Kunstunterricht besonders schön gestaltet und beschriftet. Jetzt sehen sie wie Kunstwerke aus und werden benutzt.

B Hinter unserer Schule war früher einmal Wald. Der wurde beim Bau der Siedlung und der Schule abgeholzt. Wir pflanzen jetzt wieder Bäume. Wir konnten den Elternbeirat überzeugen, uns zu unterstützen. Die Eltern finanzieren die Bäume und wir von der Gruppe „Die Schule im Grünen" pflanzen und pflegen sie.

C Ich bin Mitglied einer Theatergruppe in unserer Stadt. Wir kommen von verschiedenen Schulen und spielen Theaterstücke, in denen es um die Rettung der Natur oder der Tiere geht. Im Moment haben wir ein Stück über exotische Tiere, die nicht als Haustiere gehalten werden sollen. Wir spielen in Schulen, aber auch im städtischen Theater.

D Ich arbeite freiwillig in einem „Eine Welt"-Laden. Wir verkaufen dort nur Produkte aus fairem Handel. Zum Beispiel Kaffee aus Peru oder Guatemala. Fair heißt, dass die Bauern, die den Kaffee anbauen, auch genügend Geld dafür bekommen. Manchmal besuchen auch Schulklassen den Laden und wir erzählen ihnen mehr über fairen Handel. Sie erfahren dann auch mehr über die Arbeits- und Lebensbedingungen der Menschen, die die Produkte herstellen.

E Wir haben Partnerschulen in verschiedenen Ländern, mit denen wir über Internet in Kontakt stehen. Wir machen an unserer Schule Aktionen, um Geld zu verdienen und das Geld schicken wir dann abwechselnd an „unsere" Schulen. Letzte Woche haben wir einen Lauf durchgeführt, bei dem Sponsoren jedem Schüler pro gelaufenen Kilometer einen Euro gegeben haben. Da ist viel Geld zusammengekommen.

F Ich gehe sehr gern in den Zirkus, vor allem, um mir die Tiere anzusehen. Besonders im Winter haben es die Zirkustiere aber schwer, deshalb habe ich mit Freunden eine Gruppe gegründet, die Zirkustieren hilft. Wir sammeln Geld für gutes Futter und wir unterstützen den Zirkus auch bei der Werbung, damit mehr Zuschauer kommen.

G Meine Gruppe ist besonders im März und April aktiv. Wir bauen Krötenzäune entlang der Straßen, damit die Kröten nicht von Autos überfahren werden. Da sie nicht über die Straße können, wandern sie am Zaun entlang und fallen am Ende des Zauns in Eimer, die wir dort in die Erde gesteckt haben. Jeden Morgen bringen wir die Kröten dann in Sicherheit.

H Ich arbeite ehrenamtlich im Tierheim. Es gibt so viele Tiere dort, die betreut werden müssen. Die Hunde brauchen jemanden, der mit ihnen spazieren geht. Das mache ich ziemlich oft, fast jeden Tag. Ich helfe auch bei anderen Arbeiten mit, zum Beispiel gehe ich mit den Tieren zum Tierarzt oder kümmere mich um die Aktion „Tier sucht Heim". Da suchen wir besonders für Hunde ein neues Zuhause.

b Sucht euch drei Texte aus und schreibt für jeden eine Überschrift oder eine Situation, die gut passt und eine, die nicht so gut passt.

1 *Tom interessiert sich für ...*
2 *Nina mag ...*
3 *Tiere brauchen Menschen*
4

c Tauscht eure Sätze mit einem anderen Paar und ordnet die Texte zu.

? **d** Engagierst du dich in einem ähnlichen Projekt? Was machst du und was sind deine Aufgaben? Bei welcher Aktion würdest du gern mitmachen?

So geht's: Vorbereitung auf Hörverstehen Teil 2

1 Rettet das Meer!

33

a Melanie ruft dich an. Was sagt sie?

1 Melanie …

A ☐ ist seit Montag krank.
B ☐ ist Mitglied in der Meer-AG.
C ☐ kann am Montag nicht.

2 Du sollst …

A ☐ in die Meer-AG eintreten.
B ☐ die Präsentation machen.
C ☐ Melanie zurückrufen.

b Ruf Melanie zurück und hinterlasse ihr eine Nachricht. Was sagst du?

34

c Melanie erklärt, wie du helfen kannst. Was ist zu tun?

1 Die Meer-AG braucht … Hilfe.

A ☐ nur heute
B ☐ heute und am Montag
C ☐ wenn Nick noch krank ist

2 Am Montag sollst du …

A ☐ Besucher informieren.
B ☐ Fotos und Plakate aufhängen.
C ☐ den Raum dekorieren.

d Seht vier Fotos der Ausstellung an. Was seht ihr und was könnte das Problem sein?

A

B

C

D

35

e Melanie gibt dir mehr Informationen. Hör zu, kreuze an und ergänze danach die Karten mit der richtigen Information.

1. Überfischung bedeutet, es werden ______________ Fische gefangen.

A ☐ zu viele B ☐ zu große C ☐ gesunde

2. Beifang bedeutet, man fängt ______________.

A ☐ Fische, die nahe beim Boot sind.
B ☐ Fische, die man nicht fangen will.
C ☐ neben großen auch kleine Fische.

3. Verschmutzung wird vor allem durch ______________ verursacht.

A ☐ Schiffe B ☐ Fische C ☐ Plastikmüll

4. Unterwasserlärm ist gefährlich, denn dadurch können ______________.

A ☐ Wale und Delfine sterben.
B ☐ sich Fische nicht mehr hören.
C ☐ sich Schiffe nicht mehr orientieren.

f Welches Schild gehört zu welchem Bild? Ordne zu.

2 Durchsagen in der Schule

a Zu welchen Themen könnte es eine Durchsage in der Schule geben?

gesunde Ernährung   wichtige Termine   AGs   Haustiere   Projekte   Energiesparen   Ausflüge

b Überlegt euch eine Durchsage zu einem Thema. Macht die Durchsage, die anderen raten das Thema.

c Lies die Aufgaben. Du hast eine Minute Zeit.

1 Die Meer-AG …

A ☐ macht am Montag einen Ausflug.
B ☐ lädt heute zu einer Präsentation ein.
C ☐ informiert am Montag um 15 Uhr.

2 Das Rauchen ist …

A ☐ überall verboten.
B ☐ an manchen Plätzen erlaubt.
C ☐ am Bahnsteig zu beachten.

3 Gesundheitsbewussten Kunden bietet man …

A ☐ günstige Produkte aus biologischem Anbau.
B ☐ ein Kochbuch von Jochen Löffler.
C ☐ eine Kochshow in der Frischeabteilung.

4 Die neue Energiespar-AG …

A ☐ bekommt von der Schule Geld für Projekte.
B ☐ will Sparprojekte in der Schule durchführen.
C ☐ bestimmt, wie viel Geld ausgegeben wird.

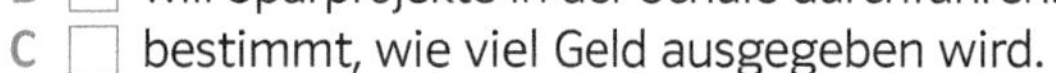

36

d Hör die Durchsagen und löse die Aufgaben.

e Vergleicht eure Lösungen. Was hat euch beim Lösen geholfen?

f Welche Durchsage hört man tatsächlich in einer Schule? Wo hört man die anderen? Woran hast du das erkannt?

3 Umweltminister/in für einen Tag …

a Lies die folgenden Aussagen. Gibt es Wörter, die du nicht verstehst?

Emily würde mehr Fußgängerzonen in den Städten bauen. Sie würde nur noch Elektroautos in den Städten erlauben und alle Atomkraftwerke sofort verbieten.

Paul würde alle Atomkraftwerke sofort abschalten und alternative Energiequellen wie Wind- und Wasserenergie fördern. Schulen würde er immer nur energiesparend bauen lassen.

Tim würde Schulunterricht in der Natur einführen - und selber mit mehr Energie am Schulunterricht teilnehmen. Außerdem würde er umweltfreundliche Verkehrsmittel in allen Städten einführen.

Paulina würde Schulen, die Umweltprojekte durchführen, fördern. Andere Schulen würde sie auffordern, im Unterricht mehr Energie zu sparen. Zum Beispiel, indem man den Unterricht nur bei Tageslicht durchführt.

b Welcher Schüler hat das gesagt und welche seiner Aussagen in 3a ist richtig?

> Ich würde mich zuerst für erneuerbare Energien einsetzen. Atomkraftwerke finde ich viel zu gefährlich, da muss man Alternativen finden und fördern. Auch an den Schulen muss sich etwas ändern, damit junge Leute mehr Umweltbewusstsein entwickeln. Man könnte z. B. nur Elektrobusse benutzen, um die Kinder zur Schule zu bringen und mehr Ausflüge in die Natur machen.

? **c** Wenn du Politiker wärst, wofür würdest du dich einsetzen?

So geht's: Vorbereitung auf Schriftliche Kommunikation

1 Haustiere

a Was glaubt ihr: Welches ist das beliebteste Haustier in Deutschland?

b Der Text verrät dir die Lösung.

Dieses Haustier begleitet seit über 9000 Jahren das Leben der Menschen. Heute ist es das beliebteste Haustier: Geschätzt leben 8,2 Millionen dieser Tiere in deutschen Haushalten. Es gibt sie mit **k**urzen, l**a**ngen oder ganz ohne Haare, mi**t** oder ohne Schwan**z**, in verschiedenen Farb**e**n und Größen. Laut einer Umfrage hat jeder zweite Besitzer ein Foto seines Lieblings im Geldbeutel. Und weil es alle so lieben, gibt es ihm zu Ehren seit 2002 sogar den Welttag am 8. August.

c Welche Lieblingshaustiere habt ihr? Mögen Mädchen und Jungen unterschiedliche Tiere?

? **d** Hast du ein Haustier? Erzähle von ihm. Denk an folgende Fragen:

- Was für ein Haustier hast du?
- Wo schläft es?
- Wer kümmert sich um das Tier?
- Wie heißt es und wie sieht es aus?
- Was frisst und trinkt es?
- Was macht es den ganzen Tag?
- Seit wann hast du es?
- Was machst du mit ihm, wenn du in den Urlaub fährst?

2 Diskussion im Internet zum Thema „Tiere"

a Wer hat zu welcher Frage geschrieben?

- Sind Haustiere etwas für Kinder?
- Soll man Tiere verschenken?
- Soll man Haustiere halten?

Jana: Ein Tier ist kein Spielzeug und passt deshalb nicht als Geschenk. Vielleicht hat die beschenkte Person ja gar keine Zeit für ein Tier. Oder mag Tiere nicht so gern, wie man gedacht hat. Wenn man ein Tier will, soll man sich das selber kaufen, finde ich.

Petra: Tiere mag doch jeder! Natürlich muss sich jemand um sie kümmern. Aber in einer Familie kann man sich ja abwechseln. Wir sind drei Kinder und haben einen Goldhamster zu Weihnachten bekommen. Da macht jeder alle 3 Wochen den Käfig sauber. Das funktioniert gut.

Nico: Ich bin generell gegen Tiere im Haus. Tiere werden frei geboren und müssen in Freiheit leben. Sie sind kein Spielzeug für Menschen. Eine Ausnahme sind für mich z. B. Blindenhunde. Sie werden gebraucht.

Paul: Gerade für Kinder sind Tiere ideal. Man kann mit ihnen spielen, sie hören immer zu, sie freuen sich, wenn man da ist. Kinder lernen für ihr Tier Verantwortung zu übernehmen. Und eine Katze z. B. ist leicht zu halten. Sie fängt Mäuse und trinkt Wasser – kinderleicht!

Tipp

Einer der drei Punkte im Teil „Schriftliche Kommunikation" fragt nach deinen Erfahrungen zum Thema. Hier steht oft eine Frage. Schreibe also nicht einfach zum Thema, sondern antworte auf die Frage und schreibe deine Erfahrungen dazu.

b Wer schreibt auch etwas über eigene Erfahrungen?

3 Thema: Sind Haustiere etwas für kleine Kinder?

a Schreib deine Meinung auf einen Zettel.

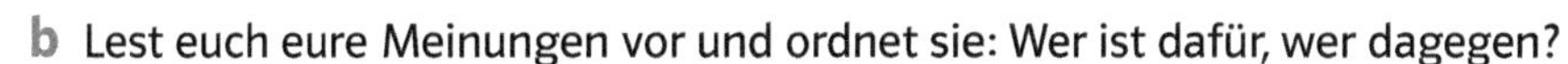

b Lest euch eure Meinungen vor und ordnet sie: Wer ist dafür, wer dagegen?

c Auf dem Aufgabenblatt findest du folgende Punkte. Welcher fragt nach deinen Erfahrungen? Und wonach genau wird gefragt? Markiere.

> Schreibe einen Beitrag für die Schülerzeitung.
> Bearbeite in deinem Beitrag die folgenden drei Punkte ausführlich.
> - Gib die Meinungen wieder, die du in der Schülerzeitung gelesen hast.
> - Hattest du als kleines Kind ein Haustier? Kennst du kleine Kinder, die ein Haustier haben?
> - Wie ist deine Meinung zum Thema? Begründe deine Meinung.

d Sammelt Erfahrungen, die ihr gemacht oder bei anderen beobachtet habt.

positive Erfahrungen	*negative Erfahrungen*
- um Haustier gekümmert und Verantwortung gelernt *- hat gut mit Geschwistern „zusammengearbeitet"*	*- hat sich nicht um das Tier gekümmert* *- hat viel geweint, als der Hamster gestorben ist*

e Vergleicht und ergänzt weitere Ideen. Schreibt dann einen eigenen Text.

f Wer hat zusammenhängender über (eigene) Erfahrungen geschrieben? Nina oder Tom?

Nina: Ich wollte immer Tiere haben, aber meine Eltern waren dagegen. Da hat mir meine Oma einen kleinen braunen Hund aus dem Tierheim geschenkt. Ich habe ihn Pfiff genannt und war so glücklich, aber meine Eltern haben den Hund zuerst nur für einen Monat zur Probe erlaubt. Schnell haben sie aber gesehen, dass ich gut zu ihm war und mich um alles gekümmert habe. Ich bin mehrmals täglich mit ihm spazieren gegangen, habe immer an sein Futter gedacht und gewaschen habe ich ihn auch. Da waren auch meine Eltern einverstanden und jetzt lieben sie meinen Pfiff auch.

Tom: Ich habe kein Tier. Ich hatte nie ein Tier. Mein Freund Jan hat einen Hund. Jans Tante hatte einen Hund. Dieser Hund hatte Babys. Jans Tante hat Jan ein Hunde-Baby geschenkt. Jetzt ist das Hunde-Baby groß. Der Hund ist schwarz. Und wild und stark. Er muss spazieren gehen. Jeden Tag viele Stunden. Jan macht das. Er mag den Hund nicht gern. Der Hund ist sehr stark und bellt viel. Der Hund beißt auch. Jan macht viel mit dem Hund. Er ist immer weg und hat keine Zeit mehr.

g Vergleicht, wie Nina und Tom geschrieben haben. Achtet z. B. auf Satzanfänge und Satzverbindungen.

h Verbessert Toms Text zusammen.

4 Euer Beitrag

a Schreibt zusammen einen Text zu allen Punkten.

b Tauscht den Text mit einem anderen Paar. Kontrolliert und bewertet nach folgenden Punkten:

- Könnt ihr den Text leicht lesen und gut verstehen?
- Sind alle Punkte bearbeitet?
- Sind die vier Meinungen richtig und in eigenen Worten wiedergegeben?
- Ist die eigene Meinung verständlich formuliert und begründet?
- Ist die eigene Erfahrung verständlich und mit persönlichen Beispielen formuliert?
- Sind Wortschatz und Satzbau abwechslungsreich?

Tipp

> Übe so oft wie möglich mit anderen zusammen, so werdet ihr alle sprachlich und inhaltlich sicherer. Schreib nicht zu einfache Sätze, aber auch nicht zu kompliziert, sonst machst du zu viele Fehler.

Natur und Umwelt

1 Wortschatz

a Kennst du diese Wörter?

die Umweltorganisation das Flugzeug zerstören der Park die Erde das Wetter
abholzen das Gift die Industrie die Umweltpolitik der Müll vermeiden
die Straßenbahn der Stau wegwerfen das Dorf der Smog verschmutzen
krank werden / machen die Katastrophe das Tier das Gebirge erneuerbare Energien
der Unfall die Luftverschmutzung das Feld das Fahrrad das Meer der Klimawandel
das Recycling säubern der Fluss die Mülltrennung die Abgase die Klimaerwärmung
die Pflanze die Umweltverschmutzung der Zug trennen öffentliche Verkehrsmittel
der Wald schaden die Überschwemmung die Blume der Klimaschutz
der Bus schützen die Luft sammeln die Wiese mobil sein
sich ehrenamtlich engagieren die Wasserverschmutzung der Baum
die Landwirtschaft das Auto die Ruhe der Lärm der See

b **Sortiere die Wörter. Ergänze Wörter aus diesem Kapitel. Arbeite mit den Wörtern.**

2 Ein Quiz

a Wisst ihr die Lösung?

1 Umweltverschmutzung ist, wenn ...

A ☐ die Straßen schmutzig sind.
B ☐ Müll auf die Straße geworfen wird.
C ☐ man beim Arbeiten schmutzig wird.

2 Recycling bedeutet, dass ...

A ☐ man Rohstoffe aus Abfällen wiederverwertet.
B ☐ man gebrauchte Gegenstände kauft.
C ☐ man Glasflaschen mehrmals benutzt.

3 Energiesparen heißt: Man ...

A ☐ gibt nur wenig Geld aus.
B ☐ fährt nur langsam Fahrrad.
C ☐ verbraucht möglichst wenig Strom.

4 Sondermüll ist Müll, ...

A ☐ der besonders schlecht riecht.
B ☐ den man recyceln kann.
C ☐ der besonders umweltschädlich ist.

b **Schreibt vier ähnliche Aufgaben für eine andere Gruppe.**

3 Tierisch

a Kennst du diese Tiere? Zu welcher Tierart gehören sie?

die Zikade

die Ameise

der Floh

der Mistkäfer

b **Unglaubliche Rekorde: Welches Tier schafft das?**

Die Goldmedaille im Hochsprung gewinnt die _______________. Sie springt 70 cm hoch – das ist über hundertmal ihre Körperlänge. Silber bekommt der _______________. Er schafft bis zu 30 cm und zeigt diese Leistung auch manchmal im Zirkus. Würde die rote Wald_______________ an den Olympischen Spielen teilnehmen, hätten die menschlichen Gewichtheber keine Chance mehr. Obwohl sie nur maximal 7 mm groß wird, ist sie sehr stark und kann das 30- bis 50-fache ihres Körpergewichts tragen. Trotzdem ist ein anderes Tier noch stärker: Der _______________ bewegt mehr als das Tausendfache seines Körpergewichts.

4 Ski fahren

a Was seht ihr auf diesem Foto?

Skifahrer Schnee Skilift

Wald Berg abfahren

Abhang

Snowboarder

Piste

Ausrüstung

? b Fahrt ihr Ski? Erzählt.

c Was am Skisport könnte schlecht für die Umwelt sein? Sammelt Ideen.

d Umweltregeln für Wintersportler: Das rät der internationale Skiverband. Fasst in eigenen Worten zusammen.

1 Informieren Sie sich über Ihr ausgewähltes Skigebiet. Unterstützen Sie Orte, die sich um die Umwelt sorgen. 2 Wählen Sie umweltfreundliche Verkehrsmittel wie Bus oder Bahn für die Anreise. 3 Lassen Sie Ihr Auto am Ski-Ort stehen, nehmen Sie den Ski-Bus. 4 Fahren Sie nicht abseits der markierten Pisten. 5 Fahren Sie nicht in Waldgebieten oder in geschützten Gebieten. 6 Schonen Sie Tiere und Pflanzen. 7 Nehmen Sie Ihren Abfall mit.

? 5 Erzähle ...

a Suche das ? in diesem Kapitel: Welche Fragen findest du dort? Ergänze deine Fragenliste zum Thema Natur und Umwelt.

b Stellt euch gegenseitig Fragen aus der Liste und übt spontan erzählen.

6 Präsentiere ...

a Was hast du in diesem Kapitel präsentiert? Ergänze deine Liste.

b Was könntest du noch zum Thema präsentieren? Sammle Ideen.

7 Die Prüfung DSD I

a Wie fit fühlst du dich für diese Prüfungsteile? Bewerte mit ☺, 😐 oder ☹.

Hörverstehen Teil 2	
Leseverstehen Teil 2	
Schriftliche Kommunikation	

b Blättert im Buch: Auf welchen Seiten findet ihr mehr Informationen zu diesen Prüfungsteilen?

8 Medien

1 Eure Medien

a Welche Medien benutzen die Jugendlichen auf den Fotos ?

b Welche Medien habt ihr heute dabei? Legt alle auf den Tisch und zählt. Welches Medium gibt es am häufigsten?

c Welche Medien gibt es in den Räumen in eurer Schule? Welche nutzt ihr für welches Fach?

2 Computer und Co.

a Wie viele „Computerwörter" findest du in der Wortschlange? Markiere sie.

MAUSZUMCHATITLOBILDSCHIRMERMLLAUTSPRECHERPACMAHOMEPAGEEIENOM
SSTHONVETSUCHMASCHINERECHLINKSEMETASTATURTERIMEMAILBREMTERMIS

b Ergänze die passenden Wörter aus der Wortschlange.

1 Über die ____________ kann man Buchstaben in den Computer eintippen.

2 Auf dem ____________ werden Texte und Bilder gezeigt.

3 Du suchst eine Information? Eine ____________ im Internet kann dir schnell helfen.

4 Klick den ____________ an und rufe weitere Informationen zum Thema auf.

5 Eine ____-____________ ist ein elektronischer Brief.

6 Eine geschriebene Unterhaltung im Internet nennt man ____________.

7 Mit der ____________ kann man etwas auf dem Bildschirm anklicken.

8 Hoffentlich hat dein Computer ____________, sonst kannst du keine Musik hören.

9 Das deutsche Wort ist *Startseite*, aber der englische Begriff ____________ klingt besser.

c Was passt zusammen? Kombiniere die Nomen und Verben und bilde Sätze damit.

Ich surfe im Internet, weil …
Ich lösche Dateien, wenn …

Programm
Drucker
Datei
Internet
Computer

herunterladen installieren ausdrucken benennen kopieren scannen speichern anmelden surfen löschen schließen ausschalten aufrufen

? d Was kann man noch alles am Computer machen? Was machst du?

3 Verbot

a Lies den Aushang der Schulleitung. Was ist verboten und wo?

An alle!
Aus gegebenem Anlass möchten wir nochmal darauf hinweisen, dass für alle Schülerinnen und Schüler auf dem ganzen Schulgelände ein komplettes Handynutzungsverbot gilt!

Jedes Gerät muss vor dem Betreten des Schulgeländes ganz ausgeschaltet werden. Zum Schulgelände gehören auch der Schulhof, die Sporthalle usw. Bei Nichtbeachtung wird das Handy bis zur Abholung durch die Erziehungsberechtigten einbehalten.

Die Schulleitung

b Und wie ist das bei euch? Gibt es auch so ein Verbot? Nennt Vor- und Nachteile.

c Welche Funktionen von deinem Handy benutzt du? Kreuze an.

☐ telefonieren	☐ Fotos ins Internet stellen	☐ fotografieren	☐ ________
☐ E-Mails checken	☐ Apps nutzen	☐ spielen	☐ ________
☐ Musik hören	☐ Nachrichten schreiben	☐ Videos aufnehmen	☐ ________

? d Erzähle von deinem Handy:

Bist du mit deinem Handy zufrieden? Seit wann hast du es? Konntest du es selbst wählen oder hast du es als Geschenk bekommen? Wozu und wie oft benutzt du es? Was ist deine Lieblingsfunktion? Wie viel kostet es monatlich / jährlich? Wer bezahlt das alles? Was fehlt? Wie sollte dein ideales Handy sein?

4 Medien nutzen

a Beschreibe, was du auf den Fotos siehst. Denke an die W-Wörter: Wer? Was? Wo? Wann? Wie oft? Wie …?

? b Was denkst du: Welche Medien nutzen deine Mitschüler? Wann? Wie oft? Wie lange? Wozu? Schreibe Sätze.

c Lest eure Sätze vor. Die Person sagt, ob das alles so stimmt oder nicht.

Sascha liest jeden Morgen die Zeitung beim Frühstück. Abends sieht sie eine Stunde fern, danach surft sie noch im Internet.

Das stimmt nicht ganz. Ich lese Zeitung, aber nach der Schule.

So geht's: Vorbereitung auf Leseverstehen Teil 3

1 Soziale Netzwerke

a In welchen sozialen Netzwerken seid ihr aktiv? Nennt Beispiele.

b Was macht ihr in den sozialen Netzwerken? Sammelt Aktivitäten.

c Was glaubt ihr?

Wer nutzt häufiger soziale Netzwerke: Männer? Frauen? Jugendliche? Erwachsene? In wie vielen verschiedenen Netzwerken sind die Nutzer aktiv?

d Lest den Text. Waren eure Vermutungen richtig?

46% aller Internetnutzer sind auch in sozialen Netzwerken aktiv. Mehr Männer als Frauen sind Mitglied in einem sozialen Netzwerk. Jugendliche zwischen 14 und 19 sind die größte Nutzergruppe. Die meisten nutzen nur ein soziales Netzwerk.

2 Mit der Familie auf Facebook

a Lies die Aussagen der Jugendlichen und die Sätze unten. Zu wem passt welcher Satz? Ordne zu.

Danika: Ich habe viele Freunde auf Facebook und natürlich bin ich dort auch mit meinen Cousinen, Cousins und sogar mit meinen Eltern befreundet. Man kann ja schlecht ihre Freundschaftsanfrage ablehen ... Aber sie können nicht alles von mir sehen, das habe ich extra so eingestellt. Manche Fotos sind nichts für Eltern, finde ich.

Kathi: Ich bin nicht nur mit meiner eigenen Familie, sondern auch mit meiner Gastfamilie in Australien befreundet. Das ist schön, denn so weiß ich auch, wie es ihnen geht – obwohl sie so weit weg sind. Das ist fast so, als ob ich da wäre. Meine Gastgeschwister und viele aus meiner Klasse dort haben eine Gruppe. Da treffen wir uns und chatten zusammen, natürlich auf Englisch.

Emre: Ein großer Teil meiner Familie wohnt in der Türkei, deshalb bleiben wir viel über soziale Netzwerke in Kontakt. Das sind so um die 30 Leute, nur Familie. Meine Großeltern sind aber nicht dabei, die interessiert das nicht. Mit ihnen telefoniere ich dann. Mit meiner Familie schreibe ich auf Türkisch im Netz. Das ist manchmal gar nicht so einfach für mich, denn Deutsch kann ich einfach besser. Aber ich übe dadurch ganz viel.

Silas: Mit meinem Vater chatte ich ein paar Mal in der Woche, obwohl wir im selben Haus leben. Er liest auch meine Einträge und kommentiert meine Fotos. Manchmal ist es aber auch echt peinlich ... Meine Freundin hat total über das Profilbild meines Vaters gelacht. Da sieht man ihn neben einem Porsche stehen, ganz stolz, dabei gehört der ihm gar nicht.

Lisa: Ich bin mit meinen Geschwistern befreundet – und das ist manchmal ein Problem. Die erzählen alles immer sofort meiner Mutter oder zeigen peinliche Partyfotos oder mit wem ich mich anfreunde. Ich habe schon überlegt, ob ich meine Geschwister aus meiner Freundschaftsliste entferne. Aber das geht ja auch irgendwie nicht – und das würden sie wieder sofort meinen Eltern erzählen.

1 Manchmal ist es peinlich.
2 Meine Geschwister sehen alles.
3 Ich fühle mich meiner Familie ganz nah.
4 Chatten hilft beim Sprachenlernen.
5 Mann muss nicht alles zeigen.

b Diskutiert:

Mit wem freundet ihr euch in sozialen Netzwerken an? Wann lehnt ihr eine Freundschaft ab? Wer darf was sehen? Welche Fotos gehören nicht in ein soziales Netzwerk?

3 Lieblingssendungen im Fernsehen

a Markiere, welche Sendungen die Jugendlichen gern sehen und was sie an ihrer Lieblinssendung mögen.

Ich mag die Simpsons total gern. Aber ich sehe auch viele andere Sendungen im Fernsehen. Nach der Schule mache ich den Fernseher kurz an und erhole mich ein bisschen. Abends sehe ich dann irgendwelche Filme – aber mich nerven die Werbepausen.

Ich mag gern Shows, in denen die Kandidaten singen oder tanzen, wie zum Beispiel Deutschland sucht den Superstar oder The Voice. Die finde ich super! Wer kommt weiter? Wer gewinnt am Ende? Und was die Jury sagt, ist auch immer interessant.

Sehr gern sehe ich Sendungen über Tiere. Vor ein paar Tagen habe ich eine Doku über Wölfe gesehen. Da lernt man ganz viel und spannend ist es auch. Meine Geschwister sehen lieber Serien und Filme für kleinere Kinder. Wir streiten uns dann immer, was wir sehen.

Ich mag Talkshows. Nicht die über Politik oder aktuelle Themen oder so, sondern die, in denen die Leute über ihre ganz persönlichen Probleme reden. Völlig offen erzählen die einfach alles und tausende Fernsehzuschauer sehen das. Das ist schon ziemlich peinlich!

Ich sehe gern Serien. Da läuft gerade eine über ein Mädchen und einen Jungen, die sich in Wölfe verwandeln können. Aber das darf natürlich keiner wissen und sie müssen immer so tun, als ob sie normal wären. Voll gut! Die Serie kommt täglich und ich freue mich schon den ganzen Tag auf die nächste Folge. Und die hört natürlich immer dann auf, wenn es gerade superspannend ist.

b Richtig oder falsch? Kreuze an.

		richtig	falsch
1	Keiner der Jugendlichen mag Serien.		
2	Nachrichten und Liebesfilme erwähnen zwei Jugendliche.		
3	Die Serie über junge Wölfe läuft jeden Tag.		

c Schreibt die Sendungen an die Tafel, ergänzt weitere und stimmt ab: Was sind eure Lieblingssendungen? Mögen die Jungen andere Sendungen als die Mädchen?

4 Eine neue Serie

a Seht euch das Foto der Hauptpersonen an. Überlegt und notiert: Worum geht es in der Serie? Wo spielt sie? Und wie heißt sie?

b Recherchiert mehr zu der Serie auf den Seiten der Deutschen Welle. Dort könnt ihr die Serie auch sehen.

c Welche Serie siehst du gern? Wann kommt sie und worum geht es?

5 Leseverstehen Teil 3 in der Prüfung

a So könnte die Aufgabe aussehen. Sieh dir den Lückentext und das Aufgabenblatt darunter an. Was musst du machen? Ergänze.

fünf | vergleichen | richtig | einen

Du bekommst ____________ Text und dazu ____________ Aufgaben. Du musst die Aussagen im Text mit den Aufgaben ____________ und ankreuzen, ob die Aufgaben ____________ oder falsch sind.

Kinder machen Fernsehen

Ein Offener Kanal ist ein Fernseh- oder Rundfunkkanal, bei dem ganz normale Leute Beiträge produzieren können. Dafür brauchen sie keine Ausbildung, sondern nur Interesse daran, wie Fernsehen funktioniert.

Bei den Offenen Kanälen gibt es alles, was man braucht, um einen Beitrag zu drehen. Und das können natürlich auch Kinder oder Jugendliche. Angeleitet von Experten lernt eine Gruppe von jugendlichen Journalisten, wie man z.B. die Kamera oder das Mikrofon richtig hält. Dann überlegen sich alle gemeinsam ein Thema und was sie zeigen wollen. Sehr beliebt sind Interviews.

Mit Mikrofon und Kamera ausgestattet gehen die Kinder dorthin, wo viele Leute sind. Einer hält das Mikrofon, ein anderer filmt, wieder ein anderer spricht die Leute an und stellt die Fragen. Die meisten Erwachsenen machen gerne mit, aber Kinder sind mutiger und geben ehrlichere Antworten.

Wenn das Filmteam genügend Material hat, geht die Arbeit im Schneideraum des Offenen Kanals weiter. Dort wird das Interview am Computer noch richtig geschnitten, sodass es spannend und lustig wird. Wenn alles fertig ist, wird der Beitrag gespeichert.

Zum Schluss macht das Filmteam mit dem Offenen Kanal einen Termin aus, an dem der Beitrag gesendet wird. Dafür müssen die Kinder auch eine Inhaltsangabe machen und angeben, wie lange der Film dauert. Das liest man dann auch in der Regionalzeitung im Fernsehprogramm.

		richtig	falsch
1	Bei einem Offenen Kanal arbeiten nur Experten.		
2	Den Inhalt der Sendung bestimmt das Team.		
3	Erwachsene haben zu einem Gespräch genug Mut.		
4	Nach dem Filmen ist der Beitrag fertig.		
5	Der Sendetermin für den Beitrag ist unbekannt.		

b Löse die Aufgaben 1–5 und notiere, wie lange du dafür brauchst.

c Vergleicht eure Lösungen und was euch beim Lösen geholfen hat.

Tipp

In der Prüfung folgen die Aufgaben auch immer der Reihenfolge der Textabschnitte. Eine Frage bezieht sich immer nur auf einen Abschnitt.

6 Euer Beitrag

a Für einen Offenen Kanal sollt ihr ein Interview auf Deutsch machen. Einigt euch …

auf ein Thema und Fragen zum Thema.

Wer stellt die Fragen? Wer filmt?

Wen interviewt ihr? Wo macht ihr das Interview?

b Führt euer Interview durch und filmt mit dem Handy. „Sendet" euren Beitrag in der nächsten Stunde.

So geht's: Vorbereitung auf Hörverstehen Teil 3

1 E-Book

a Was ist ein E-Book? Es ist …

- ☐ ein englisches Buch.
- ☐ ein Buch mit einfachem Inhalt.
- ☐ ein elektronisches Buch.

E-Book, das, -s ein elektronisches Buch (engl. electronic book), bezeichnet Bücher in digitaler Form, die man auf speziellen Geräten (E-Book-Readern) oder mit spezieller Software auf Computern, Tablets oder Smartphones liest. Weitere Bezeichnungen sind eBook, ebook, E-Buch oder Digitalbuch.

b Welche Vorteile haben E-Books? Was ist an gedruckten Büchern besser? Formuliert Stichwörter oder kurze Sätze.

	Vorteile	*Nachteile*
E-Bücher		
gedruckte Bücher		

c Vergleicht eure Tabellen. Haben die anderen noch andere Vor- oder Nachteile genannt? Stimmt ihr zu?

d Liest du lieber E-Books oder gedruckte Bücher? Welches Buch hast du zuletzt (als E-Book) gelesen? Worum ging es und was hat dir gefallen?

2 „E-Books können zum Lesen anregen."

a Was glaubt ihr? Stimmt das?

37

b Interview mit einer Expertin: Was sagt sie zu E-Books? Hör zu und notiere.

c Lies diese Sätze schnell durch. Kreuze dann an: richtig oder falsch?

		richtig	falsch
1	Jungen lesen schlechter als Mädchen.		
2	Leselustige Kinder sollten dünne Bücher lesen.		
3	Texte mit Bildern erleichtern Kindern das Lesen.		
4	Kinderzeitschriften sind auch für Erwachsene interessant.		
5	Viele Kinder lesen schon E-Books.		

37

d Hör das Interview noch einmal und kontrolliere deine Lösungen.

Tipp

In der Prüfung hörst du in diesem Teil ein längeres Interview oder eine ähnliche Art Radiosendung und bekommst fünf Richtig-falsch-Aufgaben dazu. Die Aufgaben folgen in der Reihenfolge dem Interview.

3 Ergänze die fehlenden Wörter im Text.

Buch | Eltern | steigern | gern | Fantasie | kurze | Jungen | E-Bücher

Das Lesen von Büchern stärkt die __________. Aber nicht alle Kinder lesen __________. Ihnen kann man __________ Geschichten vorlesen. Besonders Comics und Zeitschriften __________ die Motivation zu lesen, sagen Experten. Auch __________ werden immer beliebter und können durch die Verbindung zur Technik gerade bei __________ das Interesse am Lesen erhöhen. Am besten ist es, wenn die __________ ihren Kindern ein gutes Beispiel geben und selbst oft und gern ein __________ in die Hand nehmen.

4 Apps

a Lies den Text. Gibt es Apps nur in modernen Geräten?

Die Web-App ist eine mobile Version der Webseite. Apps, die sich unter Jugendlichen derzeit großer Beliebtheit erfreuen, sind Facebook-App, YouTube-App, WhatsApp, Skype sowie verschiedene Spiele-Apps. Von Apps spricht man nicht nur in Zusammenhang mit Smartphones und Tablet-PCs. Auch die etwas älteren Handymodelle integrieren Apps, um Erinnerungen in Notizen festzuhalten, den Wecker zu stellen, ein Adressbuch anzulegen oder eine Stoppuhr zu starten.

b Welche Apps erkennt ihr auf diesem Mobiltelefon?

c Was glaubt ihr: Gehört dieses Mobiltelefon einem Mann oder einer Frau, einem Erwachsenen oder einem Jugendlichen? Warum?

d Welche Apps habt ihr auf eurem Mobiltelefon? Welche benutzt ihr oft und wofür?

5 Hörverstehen Teil 3 in der Prüfung

a So könnte die Aufgabe aussehen. Markiere: Um welches Thema geht es? Wie oft hörst du das Interview?

Teil 3

Johann und Moritz sind zwei Schüler aus Kiel. Zusammen haben sie eine App erfunden. Du hörst gleich ein Interview mit Ihnen.
Lies zuerst die 5 Aufgaben. Du hast dafür eine Minute Zeit.
Höre dann das Interview. Löse die Aufgaben beim Hören. Kreuze bei jeder Aufgabe an: richtig oder falsch? Danach hörst du das Interview noch einmal.

b Lies die Aufgaben. Du hast dafür eine Minute Zeit.

		richtig	falsch
1	Johann und Moritz lernten das Programmieren in der Schule.		
2	Die Entwicklung der App dauerte nicht sehr lange.		
3	Die App eignet sich auch für Schüler auf dem Gymnasium.		
4	Die App hilft außer in Mathe auch in Fremdsprachen.		
5	Vorschläge von Mitschülern haben die App verbessert.		

38

c Hör das Interview und löse die Aufgaben. Vergleicht danach eure Lösungen und was euch beim Lösen geholfen hat. Hört das Interview noch einmal und kontrolliert eure Lösungen.

6 Deine Lieblingsapps

a Was ist deine Lieblingsapp? Wofür ist sie? Woher hast du sie? Warum ist sie deine Lieblingsapp?

b Welche App hättest du gern?

Ich hätte gerne eine App, die …

…, mit der …

Eine App zum … wäre toll.

So geht's: Vorbereitung auf Schriftliche Kommunikation

1 So könnte die Aufgabe aussehen.

a Markiere:

Wie heißt das Thema? Wo hast du das gelesen? Was sollst du schreiben?

In einem Internetforum gibt es eine Diskussion zum Thema „Computerspiele".

Dort findest du folgende Aussagen:

Jonas: Computerspiele sollte man verbieten. Mein Bruder hat für nichts mehr Zeit. Ich habe Angst, dass er davon krank wird. Schon jetzt verbringt er fast die ganze Nacht vor dem Computer. Morgens ist er müde und hat schlechte Laune.

Nick: Ich spiele regelmäßig Computerspiele, weil ich damit lerne, schnell zu reagieren und Probleme zu lösen. Davon profitiere ich auch in der Schule. Meine 5-jährige Schwester lernt am Computer Englisch.

Sophie: Ich bin prinzipiell gegen Computerspiele, vor allem für jüngere Schüler. Computerspiele machen einsam und jeder braucht Freunde. Wenn man schon älter ist, versteht man besser, dass Computerspiele süchtig machen können.

Emily: Ich mag keine Computerspiele aber wer es möchte, soll spielen. Ich habe Freunde, die damit glücklich sind und andere, die Probleme damit haben. Alles hat zwei Seiten. Man muss lernen, richtig mit Computerspielen umzugehen.

Schreibe einen Beitrag für das Internetforum.

Bearbeite dabei die folgenden Punkte **ausführlich**:

- Gib die Aussagen der vier Jugendlichen mit **eigenen Worten** wieder.
- Spielst du selbst Computerspiele? Warum?
- Wie denkst du über Computerspiele? Begründe deine Meinung.

b **Lies die Aussagen der Jugendlichen. Fülle die Tabelle aus: Wer ist gegen die Computerspiele und wer findet sie gut? Welche Gründe haben die Jugendlichen für ihre Meinung?**

	Dafür oder dagegen?	*Warum dafür/dagegen?*	*Beispiele*
Jonas			
Nick			
Emily			
Sophie			

c **So könnte eine Zusammenfassung der Meinungen aussehen. Ergänze die Namen.**

Nur ____________ ist für Computerspiele, die anderen mögen sie nicht. ____________ und Jonas haben sogar eine ganz schlechte Meinung über Computerspiele. Der Bruder von ____________ spielt zu viel und ____________ macht sich Sorgen um ihn. ____________ meint, dass es vor allem Jüngere sind, die zu viel spielen. ____________ spielt zwar selbst keine Computerspiele, aber sie denkt, jeder muss das selber entscheiden. Sophie und ____________ glauben, dass man den richtigen Umgang mit Computerspielen lernen muss. Ich denke ähnlich wie ____________.

Tipp

Du kannst selber entscheiden, ob du zuerst deine Meinung oder über deine Erfahrungen schreibst.

d **Was ist deine Meinung zu Computerspielen? Notiere Stichwörter in der Tabelle.**

Dafür oder dagegen?	*Argumente dafür*	*Argumente dagegen*	*Beispiele*

e **Formuliere einen Text aus den Stichwörtern in d. Schreibe auch eine Überleitung zum Teil *Meine Erfahrungen*.**

f **Deine Erfahrungen: Auf welche Fragen sollst du antworten?**

____

g **Notiere Stichwörter. Die Fragen helfen dir.**

Spielst du? Ja/Nein.
Wie oft, wie lange?
Welche Spiele?
Warum macht dir das (keinen) Spaß?
Hast du durch das Spielen schon mal Probleme bekommen?
(Eltern schimpfen, lieber gespielt als was anderes gemacht …)

h **Formuliere einen Text zu deinen Erfahrungen.**

i **Hast du zu allen Teilen etwas geschrieben? Kontrolliere:**

Stimmt die Textsorte? Formalia? Schlusssatz? Lies nochmal alles durch. Bist du zufrieden?

j **Tauscht eure Texte. Kontrolliert und bewertet folgende Punkte mit ☺, 😐 oder ☹:**

Könnt ihr den Text leicht lesen und gut verstehen?	
Sind alle Punkte bearbeitet?	
Sind die vier Meinungen richtig und in eigenen Worten wiedergegeben?	
Ist die eigene Meinung verständlich formuliert und begründet?	
Ist die eigene Erfahrung verständlich und mit persönlichen Beispielen formuliert?	
Sind Wortschatz und Satzbau abwechslungsreich?	

2 Ein Test: Welcher Medientyp bist du?

a Lies die Fragen und kreuze an, was für dich richtig ist.

1 Wie oft siehst du fern?
A Selten, ich sehe lieber Filme im Internet.
B Immer, sogar bei den Hausaufgaben.
C Fast nie, denn Fernsehen finde ich doof.

2 Was ist im Urlaub typisch für dich?
A Ich fotografiere und poste im Netz.
B Typisch gibt es nicht, ich mache immer etwas Neues.
C Ich lese einen Reiseführer und besuche Sehenswürdigkeiten.

3 Was wünschst du dir am meisten?
A Ein iPad oder ein Smartphone.
B Einen großen Fernseher oder einen Laptop.
C Eine Reise um die Welt.

4 Was machst du auf einer langen Fahrt?
A Ich spiele mit dem Handy und poste.
B Ich höre Musik, lese ein E-Book und rede.
C Ich lese Zeitungen, Zeitschriften oder ein Buch.

5 Wie bereitest du dich auf ein Referat vor?
A Ich suche Informationen im Internet.
B Ich arbeite mit einem Partner zusammen.
C Ich gehe immer in die Schulbibliothek.

6 Was postest du in deinem Netzwerk?
A „Hallo Leute, hier ist ein Link zu einem interessanten Blog."
B „Wer kommt morgen mit ins Kino? Hier ist der Filmtrailer!"
C Ich bin in keinem Netzwerk!

7 Du kommst nach Hause und …
A beantwortest erst deine E-Mails.
B siehst fern und liest eine Zeitschrift.
C legst dich mit einem Buch aufs Sofa.

b Zähle zusammen: Welchen Buchstaben hast du am häufigsten angekreuzt?

c Unterstreicht die drei Medientypen. Überlegt, was das jeweils bedeuten könnte.

Du hast A am häufigsten angekreuzt? Dann bist du ein Medienexperte. Wenn B dein häufigster Buchstabe ist, gehörst du zum Multi-Media-Typ. Und bei C darfst du dich einen Bücherwurm nennen.

d Lies die Auswertung und ergänze den Medien-Typ.

Du bist als sogenannter __________________ im World Wide Web zu Hause. Du weißt, wo du schnell Informationen findest. Das ist sehr nützlich für die Schule, aber auch für die Freizeit. Aber man darf nicht vergessen: Die Infos im Internet sind oft oberflächlich und manchmal sogar falsch. Wenn dich ein Thema wirklich interessiert, dann solltest du auch ein Buch darüber lesen.
Das Internet ist super, aber es kostet viel Zeit. Mach doch den Computer auch mal aus und triff dich offline mit deinen Freunden.

Ein __________________ hat viele Interessen und nutzt alle Medien. Du bist immer gut informiert. Du kennst die verschiedenen Meinungen zu aktuellen Themen und bist deshalb ein guter Gesprächspartner. Oft nutzt du verschiedene Medien gleichzeitig, machst zum Beispiel deine Hausaufgaben vor dem Fernseher. Oder du hörst Radio und surfst dabei im Internet. Manchmal bekommst du aber einfach viel zu viele Informationen auf einmal. Konzentriere dich dann lieber nur auf ein Thema.

Ein __________________ ist jemand, der sehr viel liest. Du magst es traditionell. Beim Frühstück hast du eine Tageszeitung in der Hand, dein Zimmer ist voller Bücher und du besuchst oft die Bibliothek. Fernsehen magst du nicht so gerne, und das Internet benutzt du wenig. Deine Freunde reden über ein neues Video bei YouTube, über eine coole Fernsehserie oder über Facebook. Dann kannst (und willst) du nicht mitreden. Du solltest aber nicht vergessen: In vielen Berufen sind die neuen Medien wichtig. Ein Computerkurs wäre vielleicht nützlich!

e Stimmt der Test für dich? Warum oder warum nicht?

Medien

1 Wortschatz

Kennst du diese Wörter?

das Internet   fernsehen   die Presse   drucken   die Redaktion   das Fernsehen
posten   herunterladen   der Rundfunk   abonnieren   die Zeitung   durchblättern
das Profil   die Zeitschrift   scannen   das Magazin   verfolgen   die Sendung
nutzen   die Nachricht   informieren   die Fernsehserie   erstellen   die Werbung
die E-Mail   erfahren   chatten   der Schauspieler   online sein   das Radio   der Link
der Blog   offline sein   digital   das Medium   die App   tippen   das Smartphone
kritisieren   das Tablet   diskutieren   die Kamera   ausschalten   das Interview
die Webseite   amüsieren   die DVD   berichten   der Chat   das Netzwerk
einloggen   der Datenschutz   herunterfahren   die Privatsphäre   der Akku
der Leser   der Bildschirm   der Leserbrief   recherchieren   die Show
der Zuschauer   die Talkshow   senden   das Mikrofon   löschen
der Sender   die Suchmaschine   speichern   die Datei   installieren

2 Auf Sendung

a Wo sind diese Personen? Und was machen sie? Welche Wörter von oben passen?

? **b** Wenn du eine Radio- oder Fernsehshow hättest, …

… was für eine Show wäre das?   … wen würdest du einladen? Warum?

3 Deine Erfahrungen mit sozialen Netzwerken

a Überlege und markiere mit + oder –: Vorteil oder Nachteil?

- ☐ Man kann auf meiner Seite viel über mich erfahren.
- ☐ Jeder kann meine Fotos oder Beiträge kommentieren.
- ☐ Man sieht, ob ich on- oder offline bin.
- ☐ Informationen und Fotos verbreiten sich ganz schnell.
- ☐ Ich kann eine andere Person im Netzwerk sein. Meine Angaben können falsch sein.
- ☐ Man kann viel machen und viel Zeit im sozialen Netzwerk verbringen.
- ☐ Man kann einstellen, wer was sehen darf.
- ☐ Man sieht, wie viele Leute meine Seite gut finden.
- ☐ Man ist nie allein.
- ☐ Man vergisst die Zeit.

b Diskutiert und begründet: Was ist daran gut oder auch nicht so gut?

c Was würdest du nie auf deiner Seite posten?

? **4** Computerspiele: Erzähle von deinem Lieblingsspiel

a Lies zuerst die Fragen und die Wörter im Kasten.

- Wo(rauf) spielst du das? (Spielkonsole, Computer, Online ...)
- Wie heißt das Spiel?
- Mit wem spielst du?
- Wie lange?
- Welche Figuren gibt es?
- Wie sehen sie aus?
- Was machen die Figuren?
- Was ist das Ziel des Spieles?
- Wer spielt das Spiel? (Jungen, Mädchen, Alter ...)

die Runde das Level springen sammeln laufen schießen die Taste drücken
der Richtungspfeil anklicken die Maustaste die Pfeiltaste die Schwierigkeitsstufe
auf Zeit spielen das Highscore verbessern vergleichen kostenlos die Karte
auffressen der Bonuspunkt die Spielfigur das Leben verlieren

b Fehlen dir noch Wörter, um dein Spiel zu beschreiben? Ergänze sie in der Wortliste.

c Erzähle von deinem Spiel.

? **5** Erzähle ...

a Suche das ? in diesem Kapitel: Welche Fragen findest du dort? Ergänze deine Fragenliste zum Thema Medien.

b Übt spontan erzählen. Erzählt mindestens 30 Sekunden zu jeder Frage.

Welche Medien nutzt du?	Wie lange siehst du jeden Tag fern? Was siehst du gern?	Welche Internetseite besuchst du mehrmals in der Woche?
Welchen Film hast du zuletzt gesehen?	Du suchst eine Information für eine Präsentation. Wo suchst du zuerst?	Welches Buch liest du zurzeit?
Was machst du gern am Computer?	Hörst du Radio? Welchen Sender? Was läuft da?	Bei welcher Fernsehsendung schaltest du sofort um?

6 Präsentiere ...

a Was hast du in diesem Kapitel präsentiert? Ergänze deine Liste.

b Was könntest du noch zum Thema präsentieren? Sammle Ideen.

7 Die Prüfung DSD I

Wie fit fühlst du dich für diese Prüfungsteile? Bewerte mit ☺, 😐 oder ☹.

Hörverstehen Teil 3	
Leseverstehen Teil 3	
Schriftliche Kommunikation	

9 Ich

1 Wer bin ich?

a Schreib zu jedem Buchstaben deines Namens ein Wort, das für dich wichtig ist.

b Tauscht die Zettel und stellt die Person vor. Die anderen raten, wer es ist.

> Die Person hat im November Geburtstag. Er oder sie mag Eis und Rockmusik.

c Korrigiert „falsche" Sätze.

> Ich habe nicht im November Geburtstag. Im November ist …

			N	O	V	E	M	B	E	R
		E	I	S						
R	O	C	K	M	U	S	I	K		
			O	M	A					
I	T	A	L	I	E	N				
	K	L	A	R	I	N	E	T	T	E
			S	A	B	I	N	E		

2 Ich bin …

a Was könnte Max alles sein? Überlegt zusammen.

- [ ] Sohn
- [ ] guter Schüler
- [ ] Klassenkamerad
- [ ] Onkel
- [ ] Bruder
- [ ] Nachbar
- [ ] Freund
- [ ] Enkel

39

b Was ist Max tatsächlich? Hör zu. Ergänze danach die Sätze.

1 Er ist … für seine Mutter.
2 Sein Nachbar … ihn, weil …
3 Der Mathelehrer denkt, dass Max …
4 Für Melanie ist Max nur …

c Welche Eigenschaften könnten zu Max passen?

> Er war Klassensprecher, also ist er wahrscheinlich …

> Ich glaube, er ist …, denn er spielt in einer Band.

d Und wer bist du alles? Wie bist du in jeder Rolle? Und was bist du am liebsten?

3 Über mich

a Emily soll einen Steckbrief ausfüllen. Welche Informationen sollte sie geben? Diskutiert.

Name, Geburtsdatum, Hobbys, Größe, Gewicht, Schuhgröße, Alter, Adresse, Lieblingsfarbe, Augen- und Haarfarbe, Kleidergröße, Freunde, Beruf der Mutter, Gehalt der Eltern, Geschwister, Beruf des Vaters, Religion, Spitzname, Lieblingsessen, Krankheiten, Geburtstagswünsche, Noten, Jobs, Sprachen, Lieblingsfach

b Welche Informationen sind in diesen Situationen wichtig? Warum?

A Du willst für ein Jahr ins Ausland gehen und schreibst deiner Gastfamilie.
B Du bewirbst dich für ein Praktikum, das du unbedingt machen möchtest.
C Du suchst auf einer Seite im Internet neue Freunde in deinem Alter.
D Du wechselst die Schule und sollst dich deiner neuen Klasse vorstellen.

4 Aussehen

Ich trage ... Ich habe ... an.

a Schreib in zwei Minuten auf, was du alles am Köper trägst.

b Findet Beispiele für ...

Kleidungsstücke	Marken
Farben	Accessoires
Muster	Frisuren

Muster
mit Punkten, einfarbig, gestreift, ...

c Mach dir Notizen und stelle dann dein Lieblingskleidungsstück vor.

- Farbe?
- Material?
- Marke?
- Wo gekauft?
- Wie alt?
- Bekommen von?
- Vorteile?
- Nachteile?

5 Deine Figur im Internet

a Wie willst du im Internet aussehen? Gestalte dein Profilbild oder deinen Avatar.

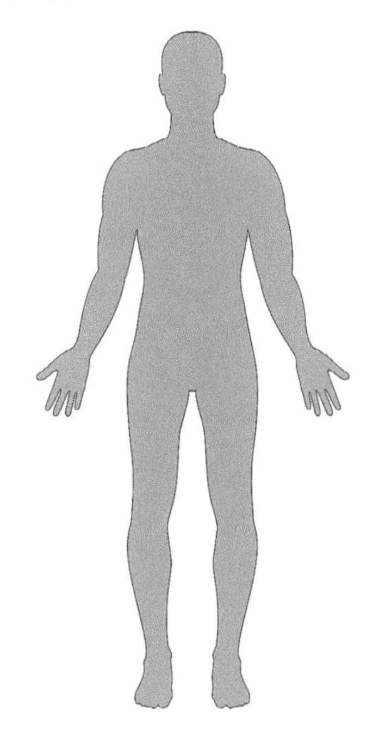

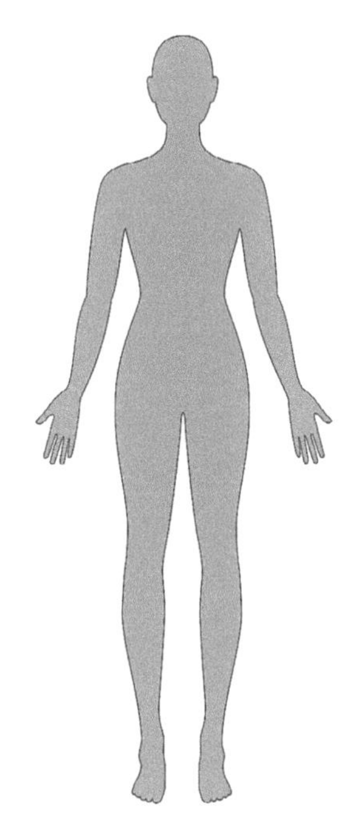

b Beschreibe dein Bild. Deine Partnerin oder dein Partner zeichnet ins Heft.

So geht's: Vorbereitung auf Leseverstehen Teil 4

1 Spiegelbild

a Lies den Text. Markiere Wörter, die Nina und ihre Freundinnen beschreiben.

Nina ist unzufrieden – mit der Schule, mit der Freundin, mit sich selbst. Bisher war doch alles immer in Ordnung, aber jetzt? „Am liebsten will ich nicht mehr in die Schule gehen. Keiner mag mich", glaubt Nina. Sie steht vor dem Spiegel und was sie darin sieht, gefällt ihr selbst nicht. „Nichts an mir ist schön! Meine dicken Beine sehen schrecklich aus. Meine Haare sind glatt wie Spaghetti und viel zu dünn. Und meine Nase …"
Nina streckt ihrem Spiegelbild die Zunge heraus, das Spiegelbild macht mit und schneidet eine Grimasse. Ganz große Augen macht Nina, zieht ihren Mund mit den Händen weit auseinander und macht wütende Geräusche. Ihr Spiegelbild wird immer verrückter und da muss Nina plötzlich lachen. „Mein Lachen klingt schön", findet sie jetzt, „und mein Gesicht sieht richtig lustig und nett aus. Welches ist jetzt mein richtiges Gesicht?"
Sie nimmt ein Blatt Papier und faltet es in drei Teile. Über den ersten Teil schreibt sie „Das mag ich an mir", über den zweiten „Das mag ich nicht" und über den dritten Teil „Das mag ich an anderen". Sie fängt mit der mittleren Spalte an. Es gibt einiges, was sie nicht an sich mag: ihre Beine und Haare natürlich, aber auch, dass sie manchmal neidisch auf ihre kleine Schwester ist und schnell sauer auf ihre Freundin. Oft will sie cool sein, aber die anderen haben schon gesagt, dass sie dann arrogant wirkt, das kommt also nicht gut an.
Ihre Freundin Sabine ist immer lustig und gut gelaunt, das schreibt Nina in die dritte Spalte. Und an Barbara gefällt ihr, dass sie nicht nur fleißig lernt, sondern auch sehr hilfsbereit ist. Nina schaut noch einmal in den Spiegel: Was ist positiv an ihrem Aussehen? Sie hat schöne, große Augen, ihre Figur ist sportlich und ganz besonders gefallen ihr die Klamotten, die sie trägt. Auch andere haben schon gesagt, dass sie einen guten Geschmack hat. Es gibt auch Sachen, die sie richtig gut kann, zum Beispiel zeichnen. Und sie singt gut. Und Timo hat neulich im Unterricht gesagt, er mag Mädchen, die einfach mal sagen, was sie denken. Das macht Nina oft – vielleicht mag Timo das ja auch an ihr.

b Zeichne die Tabelle ins Heft und ergänze Informationen aus dem Text.

Nina mag an sich …	*Nina mag an sich … nicht*	*Nina mag an anderen:*
ihre schönen, großen Augen …	*ihre Beine, sie sind zu dick* …	*Sabine: ist lustig und immer gut gelaunt* …

c Fülle eine Tabelle für dich aus.

2 So toll ist eure Klasse

Malt eure Umrisse auf ein großes Poster. Schreibt in jeden Umriss positive Eigenschaften und Merkmale.

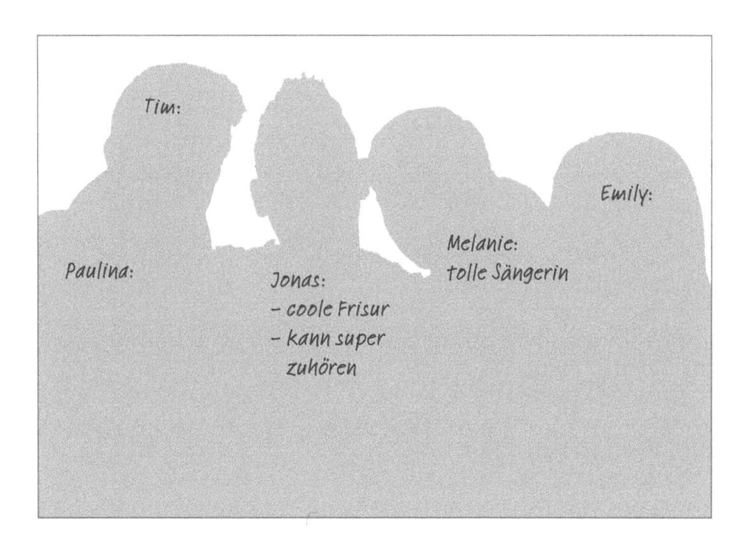

3 Ein Tag ohne …

a Lies im Tagebuch: Worauf hat diese Schülerin einen Tag lang verzichtet?

6.30: Ich weiß nicht, wie ich diesen Tag überleben soll. Beim Zähneputzen die Augen schließen, blind schminken ... geht gar nicht. Heute gehe ich ungeschminkt.
7.30: Habe meine Eltern alle 5 Minuten gefragt, wie ich aussehe: „So wie immer!" – kann gar nicht sein! Bestimmt sehe ich total daneben aus.
11.45: Fühle mich total unwohl, wenn ich nicht weiß, wie ich aussehe. Und jetzt haben wir auch noch Sport. Ob ich einfach mal in eine Fensterscheibe sehe, um mir einen Pferdeschwanz zu machen? Nein, betrügen gilt nicht.
13.30: Zum Glück ist die Schule für heute vorbei! Jetzt schnell nach Hause und keiner sieht mich mehr.
21.00: Geschafft! War das ein harter Tag. Ich hätte nicht gedacht, dass es so schwer für mich ist. Anscheinend ist mir mein Aussehen doch wichtiger, als ich gedacht habe.

b Worauf könntest du einen Tag oder eine Woche lang verzichten? Führe einen Selbstversuch durch und schreib in einem Tagebuch auf, wie es dir dabei geht.

Zucker Handy Fernsehen Fleisch Lächeln ?

4 Wenn der Spiegel lügt

Was denkt Jan und wie sehen das die anderen Personen? Lies und kreuze an.

Jan: Wenn ich in den Spiegel sehe, sehe ich einen Jungen, an dem nichts richtig ist. Nicht stark, nicht cool, nicht sportlich – nur schwach und fett. Ich habe angefangen, sehr viel Sport zu treiben, um Muskeln zu bekommen. Dann habe ich das Frühstück weggelassen, dann auch die anderen Mahlzeiten. Jetzt trinke ich den ganzen Tag nur Wasser, manchmal esse ich auch einen Joghurt – das muss reichen. Mit jedem Kilo weniger fühle ich mich besser und habe mehr Kontrolle über mich. Aber es ist immer noch nicht genug.

Anne: Ich mache mir sehr große Sorgen. Zuerst sah Jan ja wirklich besser aus, als er durch den Sport ein paar Kilo weniger hatte. Aber jetzt isst er gar nichts mehr und wird immer dünner und schwächer. Er denkt nur noch daran, was er nicht essen will, und macht überhaupt nichts mehr mit mir oder anderen Freunden. Auch im Unterricht kann er sich gar nicht mehr konzentrieren. Ich habe versucht, mit ihm darüber zu sprechen, aber er sieht nicht, dass er ein Problem hat. Er sagt, wenn ich ihn nicht verstehen will, soll ich gehen, dann bin ich nicht mehr seine Freundin.

Ein Psychologe: Magersucht ist schon lange keine Krankheit mehr, die nur Mädchen haben. Jeder zehnte Teenager mit Essstörung ist ein Junge und die Ursachen sind ähnlich: wenig Selbstwertgefühl, übertriebene Schönheitsideale der Gesellschaft und der Wunsch nach Anerkennung. Die Jugendlichen wollen einen perfekten Körper wie sie ihn in Filmen oder der Werbung, bei Models oder Spitzensportlern sehen – und hungern sich zu Tode. Magersucht ist eine schwere Krankheit und Jan braucht professionelle Hilfe. Zuerst muss er aber selbst erkennen, dass er ein Problem hat und Hilfe braucht.

Jan fühlt sich …
- [ ] hässlich und dick.
- [ ] ohne Frühstück besser.
- [ ] dünn genug.

Anne …
- [ ] versteht ihren Freund nicht.
- [ ] hat Angst um ihren Freund.
- [ ] ist nicht mehr Jans Freundin.

Der Psychologe erklärt, dass Magersucht …
- [ ] nur bei Mädchen vorkommt.
- [ ] eine Krankheit ist, die tödlich enden kann.
- [ ] ein Problem von Models und Spitzensportlern ist.

5 Kleidung

a Erzählt …

- Gehst du gern einkaufen?
- Mit wem kaufst du Kleidung?
- Wo kann man gute Kleidung kaufen?
- Worauf achtest du beim Kauf? (Preis? Qualität? Marke?)

Mir ist wichtig, dass meine Kleidung … ist.

Ich kaufe nicht gern ein. Das macht … für mich.

Ich gehe immer mit … einkaufen. Das macht immer viel Spaß und … hat einen sehr guten Geschmack.

Ich bekomme nicht so viel Taschengeld, deshalb achte ich auf …

b **Wo wurde deine Kleidung produziert? Sieh auf dem Etikett nach. Woher kommen die meisten Kleidungsstücke in eurer Klasse?**

6 Leseverstehen Teil 4 in der Prüfung

a **So kann die Aufgabe in der Prüfung aussehen. Was musst du machen? Markiere.**

Lies den Text und die Aufgaben 15–20.

Kreuze bei jeder Aufgabe die richtige Lösung an.

In manchen Kleidergeschäften kannst du ein T-Shirt für 4,95 € kaufen. Super, denkst du, denn du bekommst wenig Taschengeld. Hast du aber auch schon einmal darüber nachgedacht, warum Geschäfte ein T-Shirt so günstig verkaufen können?
Um dieses Geheimnis aufzuklären, muss man zuerst in die USA reisen. In einigen Südstaaten ernten dort riesige Maschinen 12 Stunden täglich Baumwollfelder ab und schaffen an einem Tag so viel wie 300 Arbeiter per Hand. Dadurch ist amerikanische Baumwolle so billig, dass die Menge für ein T-Shirt (einschließlich Transport) nur ca. 45 Cent kostet. Für kleine Baumwolle-Bauern z. B. in Afrika ist das schlecht, denn sie können nicht so billig produzieren und ihre Baumwolle deshalb nur schwer verkaufen.

Mit Schiffen wird die Baumwolle von den USA nach Bangladesch transportiert, einem der ärmsten Länder der Welt. In der Hauptstadt Dhaka gibt es 3000 Textilfabriken, in denen zahllose Fabrikarbeiter und Näherinnen Bekleidung produzieren. Aus der Baumwolle wird Garn, aus Garn wird Stoff, aus dem Stoff wird Kleidung, z. B. ein T-Shirt. 250 T-Shirts in der Stunde, an 7 Tagen in der Woche.

Täglich arbeitet jede Näherin 12 Stunden lang, oft auch mehr, manchmal auch in der Nacht. Dafür bekommt sie Geld, umgerechnet zwischen 30 und 40 Euro pro Monat. Das ist so wenig, dass die Näherinnen davon kaum ihre Familie ernähren können und viele Familienmitglieder arbeiten müssen, damit die Familie überlebt. Die Textilfabrik dagegen bekommt für ein T-Shirt 95 Cent.

Ein fertiges T-Shirt kostet bislang also 1,40 €. In riesigen Container-Schiffen werden die T-Shirts von Bangladesch nach Europa transportiert. 34000 T-Shirts passen in einen Container, sodass die Transportkosten gering sind, nur ca. 6 Cent pro T-Shirt. Wenn das T-Shirt in Europa ankommt, hat es also 1,46 € gekostet.

Die höchsten Kosten entstehen nun hier: Für den Transport in Deutschland, für die Miete der Geschäftsräume, die Löhne des Verkaufspersonals und für die Werbung muss die Firma noch einmal etwas über 2 Euro pro T-Shirt bezahlen. Außerdem bezahlt man in Deutschland für jedes Bekleidungsstück 19 % Steuer an den Staat.
Wenn man nun alle Kosten zusammenzählt, dann macht die Firma einen Gewinn von ungefähr 60 Cent pro T-Shirt. Das sieht nach wenig aus. Wenn man aber bedenkt, wie viele Millionen T-Shirts weltweit verkauft werden, dann wird klar: Mit billigen T-Shirts kann man viel Geld verdienen.

15 Die amerikanische Baumwolle ist so billig, weil …

A ☐ viele Arbeiter auf den Feldern arbeiten.
B ☐ 300 Maschinen die Arbeit machen.
C ☐ große Maschinen viele Stunden arbeiten.

16 Die Fabriken in Dhaka produzieren …

A ☐ jeden Tag 250 T-Shirts pro Stunde.
B ☐ 3000 T-Shirts an jedem Tag.
C ☐ in sieben Tagen 3000 T-Shirts.

17 Eine Arbeiterin in der Fabrik …

A ☐ verdient pro T-Shirt 95 Cent.
B ☐ arbeitet 30 bis 40 Stunden pro Monat.
C ☐ bekommt einen sehr geringen Lohn.

18 Die T-Shirts werden … transportiert.

A ☐ für 1,46 € pro Stück
B ☐ nach Bangladesch
C ☐ für wenige Cent

19 Die höchsten Kosten entstehen …

A ☐ in Deutschland.
B ☐ durch die Steuern.
C ☐ durch die Werbung.

20 Der Text erklärt, …

A ☐ wie ein T-Shirt gemacht wird.
B ☐ wie Menschen in anderen Ländern arbeiten.
C ☐ warum billig nicht immer gut ist.

b **Löse die Aufgaben. Wie lange brauchst du dafür?**

Tipp

In Leseverstehen Teil 4 bekommst du einen längeren Text. Wahrscheinlich brauchst du auch am längsten, um diesen Teil zu lösen. Achte darauf, dass du nicht schon zu viel Zeit für die anderen Teile brauchst.

c **Vergleicht die Lösungen und warum ihr so gelöst habt.**

7 Ein T-Shirt reist um die Welt

In welcher Reihenfolge „reist" das T-Shirt um die Welt? Nummeriere die Stationen.

1 In den USA wird Baumwolle angebaut und geerntet. Ein Schiff transportiert die Wolle nach …

☐ Deutschland, wo man dann günstig ein schönes T-Shirt kaufen kann. Das trägt man eine Zeit, bis man es nicht mehr schön oder zu alt findet. Dann wirft man das T-Shirt in die …

☐ Asien. In Kambodscha wird die Baumwolle zu Stoff verarbeitet. Danach bringt ein Schiff den Stoff nach …

☐ Altkleidersammlung. Manchmal bleibt solche Kleidung in Deutschland, manchmal wird sie in arme Länder geschickt, z. B. nach Afrika, und dort wieder verkauft.

☐ Europa. In Rumänien näht man aus dem Stoff T-Shirts oder andere Kleidungsstücke und transportiert sie weiter, z. B. nach …

So geht's: Vorbereitung auf Hörverstehen Teil 4

1 Anders sein

a Seht euch die Fotos an: Was seht ihr? Wer macht oder denkt was?

b Warum sind manche Schüler Außenseiter? Sammelt Ideen.

- sehen anders aus
- tragen die falsche Kleidung
- verhalten sich komisch (zu brav, zu wild ...)
- sind Streber
- haben einfach Pech
- ...

c Schreibt zusammen eine Geschichte über eines der Bilder.

2 Carina

40

a Hört zu und schreibt danach einen Satz zu Carina.

Carina ...

b In welcher Reihenfolge habt ihr das gehört? Nummeriert die Abschnitte.

	Wenn ich an Schule denke, habe ich ehrlich gesagt Angst. Alle sehen mich komisch an und keiner redet mit mir. Ich gehöre einfach nicht dazu und das ist jeden Tag so schlimm, dass ich am liebsten gar nicht mehr in die Schule gehen will.
	Das Beste an der Schule ist, dass ich nächstes Jahr Abitur mache und dann ist es zu Ende. Ich will studieren und Kinderärztin werden. Dann nimmt man mich ernst und ich werde gebraucht. Und meine Patienten sind auch nicht größer als ich.
	Viele halten mich für viel jünger, weil ich so klein bin. Dabei bin ich älter als die übrigen. Ich bin ziemlich schüchtern und kann nur schlecht zu anderen Kontakt aufnehmen. Deshalb warte ich lieber ab, bis mich jemand anspricht. Leider wollen die anderen aber lieber nichts mit mir zu tun haben.
	Ich weiß gar nicht, warum das so ist, weil ich eigentlich gar nicht so anders als die anderen Mädchen bin. Ich interessiere mich für dieselben Themen, höre dieselbe Musik. Ich habe sogar die gleichen Kleider an, nur kleiner.

c Zu welchem Abschnitt passt euer Satz aus a?

d Was ist richtig? Kreuze an.

1 Carina ist ... als die anderen in ihrer Klasse.

- ☐ kleiner und jünger
- ☐ gleich alt aber kleiner
- ☐ kleiner und älter

2 Sie hat Angst vor der Schule, weil ...

- ☐ sie nächstes Jahr Abitur macht.
- ☐ sie nicht mitreden kann.
- ☐ die anderen sie nicht akzeptieren.

3 Benjamin

41

a Sucht euch jeder eine Spalte aus. Hört, was Benjamin sagt, und notiert Stichwörter für eure Spalte.

Viele halten mich für …	Deshalb habe ich auch Zeit …
In der Klasse bin ich …	Warum das so ist …

b Vergleicht und ergänzt eure Stichwörter.

c Was ist richtig? Kreuzt an.

1 Benjamin …

- ☐ lernt viel für die Schule.
- ☐ ist ein richtiger Streber.
- ☐ ist ein sehr guter Schüler.

2 Er hat Zeit für …

- ☐ seine Freunde.
- ☐ verschiedene Aktivitaten.
- ☐ die Schülerzeitung.

3 Die anderen Schüler …

- ☐ machen viel mit Benjamin.
- ☐ wählen Benjamin zum Klassensprecher.
- ☐ organisieren die Klassenfahrt.

4 Benjamin hält … für uninteressant.

- ☐ Kino und Eiscafés
- ☐ viele seiner Mitschüler
- ☐ normale Sachen

41

d Hört noch einmal und überprüft eure Lösungen.

4 Ehrenamt

a Was bedeutet „ehrenamtlich arbeiten"?

Eh-ren-amt, das, Ehrenämter
eine Aufgabe oder Arbeit, die man ohne Bezahlung ausübt.

ehrenamtlich (nicht steigerbar), Adjektiv
Er arbeitet ehrenamtlich in einem Verein.

b Formuliert in eigenen Worten den Unterschied zwischen „normaler" und „ehrenamtlicher" Arbeit.

Normale Arbeit ist, wenn …

Wenn man ehrenamtlich arbeitet, …

c Wie können sich Jugendliche ehrenamtlich engagieren? Findet Beispiele und gestaltet ein Poster. Stellt eure Ideen dann der Klasse vor.

5 Hörverstehen Teil 4 in der Prüfung

a Lies die Aufgabenstellung und markiere: Wer spricht gleich worüber?

> **Teil 4**
>
> In der Radiosendung „Freizeit für den guten Zweck" berichten Jugendliche über ihr ehrenamtliches Engagement. Martin spricht heute über sein Engagement beim Sorgentelefon.

Nummer gegen Kummer e.V./Claus Langer

b Sammelt Ideen:

Was könnte ein Sorgentelefon sein?
Wer arbeitet dort?
Wer ruft warum an?
Von was erzählt jemand, der beim Sorgentelefon arbeitet?
Welche anderen Wörter für Sorgen kennt ihr?

c Wie oft hörst du den Bericht in der Prüfung?

> Lies zuerst die Aufgaben. Du hast dafür eine Minute Zeit.
>
> Höre dann Martins Bericht. Löse die Aufgaben beim Hören. Kreuze bei jeder Aufgabe die richtige Lösung (A, B oder C) an.
>
> Danach hörst du den Bericht noch einmal.

d Lies jetzt die Aufgaben und markiere Schlüsselwörter.

15 Seit einem Jahr …
- A ☐ arbeitet Martin jeden Tag mit Jugendlichen.
- B ☐ berät Martin jedes Wochenende am Telefon.
- C ☐ engagiert sich Martin beim Sorgentelefon.

16 Bevor die jugendlichen Berater arbeiten dürfen, …
- A ☐ werden sie in einem Kurs intensiv vorbereitet.
- B ☐ müssen sie über schwierige Themen sprechen.
- C ☐ müssen sie ernste Probleme verstehen.

17 Die jugendlichen Berater lernen …
- A ☐ verschiedene Rollen zu spielen.
- B ☐ professionelle Hilfsmöglichkeiten kennen.
- C ☐ Jugendliche mit Problemen kennen.

18 Martin hat sehr viel durch … gelernt.
- A ☐ die Beobachtung seiner Kollegen
- B ☐ 10 Stunden telefonieren
- C ☐ die Lösung der Probleme

19 Wichtig für die Anrufer ist, dass sie …
- A ☐ die Lösung des Beraters akzeptieren.
- B ☐ die richtigen Fragen beantworten.
- C ☐ selbst eine Lösung für ihr Problem finden.

20 Nach dem Gespräch …
- A ☐ bedanken sich manche Anrufer.
- B ☐ sind die Probleme gelöst.
- C ☐ fühlt sich Martin besser.

Tipp

Hier kannst du dir etwas Zeit für das Lesen und Markieren der Schlüsselwörter lassen – in der Prüfung hast du eine Minute Zeit, dann fängt der Bericht an.

42

e Hör den Bericht und kreuze während des Hörens eine Lösung an.

f Vergleicht eure Lösungen. Welche Schlüsselwörter haben euch beim Lösen geholfen? Hört dann noch einmal und kontrolliert eure Lösungen.

g Wie findet ihr so eine „Nummer gegen Kummer"?

Würdet ihr anrufen?

Würdet ihr lieber mit einem Jugendlichen oder einem Erwachsenen sprechen?

Würdet ihr ehrenamtlich dort mitarbeiten?

Das Kinder- und Jugendtelefon ist ein bundesweites Angebot von Nummer gegen Kummer e.V. – Mitglied im Deutschen Kinderschutzbund, www.nummergegenkummer.de

h Recherchiert mehr über das Kinder- und Jugendtelefon der „Nummer gegen Kummer".

So geht's: Vorbereitung auf Schriftliche Kommunikation

1 Kleider machen Leute

a Was heißt „Kleider machen Leute"? Stimmt das? Was denkt ihr?

b Die Schülerzeitung ***Bleistift*** hat eine Umfrage zum Thema Kleidung gemacht. Dort findest du folgende Aussagen. Welche sind deiner Meinung nach ähnlich?

Umfrage des Monats: **Machen Kleider Leute?**

Wir haben gefragt, ihr habt geantwortet.
Das denkt ihr zum Thema Kleidung:

Cora: Man wird schon irgendwie danach beurteilt, wie man sich anzieht. Für mich ist wichtig, dass alles zusammenpasst, farblich und auch vom Stil her. Ich gebe zwar nicht viel Geld für Kleidung aus, aber das muss ja nicht jeder sofort sehen. Aber wie manche Mädchen als Modepüppchen herumlaufen, finde ich schrecklich.

Ralf: Bei Mädchen achtet man sicher mehr auf die Kleidung, als bei Jungen. Ich mache mir keine großen Gedanken darüber, was ich anziehe. Hauptsache, meine Kleidung ist bequem und so, dass ich mich gut darin fühle. Natürlich laufe ich nicht in kaputten oder dreckigen Jeans herum, aber Modenschau ist bei mir nicht drin.

Michaela: Ich ziehe nie zweimal nacheinander dieselbe Kleidung an. Mir ist mein Aussehen sehr wichtig und ich achte auch bei anderen darauf, wie sie sich anziehen. Es macht einen sehr schlechten Eindruck, wenn man ungepflegt herumläuft. Gut angezogene Menschen werden gleich viel besser behandelt. Lieber etwas zu gut, als zu einfach angezogen, finde ich. Ich fühle mich sonst nicht gut.

Peter: Ich mag Leute überhaupt nicht, die andere nach dem Äußeren beurteilen. Für mich persönlich spielt es keine Rolle, wie man sich anzieht. Aber leider ist Kleidung in vielen Situationen sehr wichtig. Wenn ich mich z. B. für ein Praktikum bewerbe, ziehe ich andere Kleidung an, als wenn ich ins Kino gehe.

c So könnte die Aufgabe in der Prüfung aussehen. Markiere:

Was sollst du schreiben? Wie viel Zeit hast du dafür?

> Schreibe einen Leserbrief an die Redaktion von ***Bleistift***.
>
> Bearbeite in deinem Beitrag die folgenden drei Punkte ausführlich:
>
> - Gib alle vier Aussagen mit eigenen Worten wieder.
> - Was denkst du über das Thema? Begründe deine Meinung.
> - Was ziehst du an? Spielt es für dich eine Rolle „passend" gekleidet zu sein? Erzähle.
>
> Du hast insgesamt 75 Minuten Zeit.
> Du brauchst die Wörter nicht zu zählen!

d Schreib deinen Text. Achte auf die Zeit.

e Notiere nach dem Schreiben:

Wie lange hast du für deinen Text gebraucht? Was solltest du nochmal üben?

1 Wortschatz

a Kennst du diese Wörter?

die Möbel die Wohnung der Schrank putzen das Bett das Regal das Zimmer der Schreibtisch umziehen der Stuhl der Vorhang das Bild der Computer die Lampe das Esszimmer das Wohnzimmer das Schlafzimmer einrichten die Küche der Flur das Bad die Toilette der Keller in der Nähe von der Geschmack das Einfamilienhaus das Mehrfamilienhaus auf dem Land das Hochhaus die Garage der Bauernhof aufhängen der Stil die Einrichtung der Balkon der Garten in der Stadt das Dorf auf dem Land der Supermarkt der Park der Fluss an einem See der Wald im ersten / zweiten / … Stock weit entfernt zentral ruhig schön hell dunkel gemütlich praktisch groß links rechts das Zimmer teilen ausziehen einziehen sauber machen aufräumen der Teppich das Kissen die Farbe streichen

b Zu welchem Thema passen die meisten dieser Wörter?

Kleidung **Aussehen** **Interessen** **Wohnen** **Körper** **?**

c Welche Wörter braucht ihr noch, um über euch und eure Interessen oder die anderen Themen aus b zu sprechen? Stellt Wörterlisten zusammen.

d Tauscht eure Wörterlisten aus und ergänzt sie.

2 Mit dem Wortschatz arbeiten

a Schreibe zum Beispiel deine Meinung oder Erfahrungen zum Thema …

„Wie wichtig ist gutes Aussehen?" **„Langweilst du dich oft?"** **„Ich tue alles für meine Gesundheit"**

? b Bereite einen kurzen Vortrag (ca. 2 Minuten) über eine der folgenden Fragen vor:

Wie wohnst du und was gibt es bei dir in der Nähe?

Beschreibe, wie dein Zimmer aussieht.

Wo bist du am allerliebsten? Beschreibe deinen Lieblingsplatz in deinem Haus / deiner Wohnung / der Schule / deiner Stadt.

Wo möchtest du am liebsten leben? Warum gerade da?

3 Jens und sein Zimmer

a Beschreibt Jens und sein Zimmer. Was glaubt ihr:

Wie ist Jens? Was macht er gern? Was interessiert ihn (nicht)?

? b Wie sieht dein Zimmer aus und was sagt es über dich aus? Erzähle.

c Du darfst dein Zimmer neu gestalten. Geld spielt keine Rolle. Was machst du?

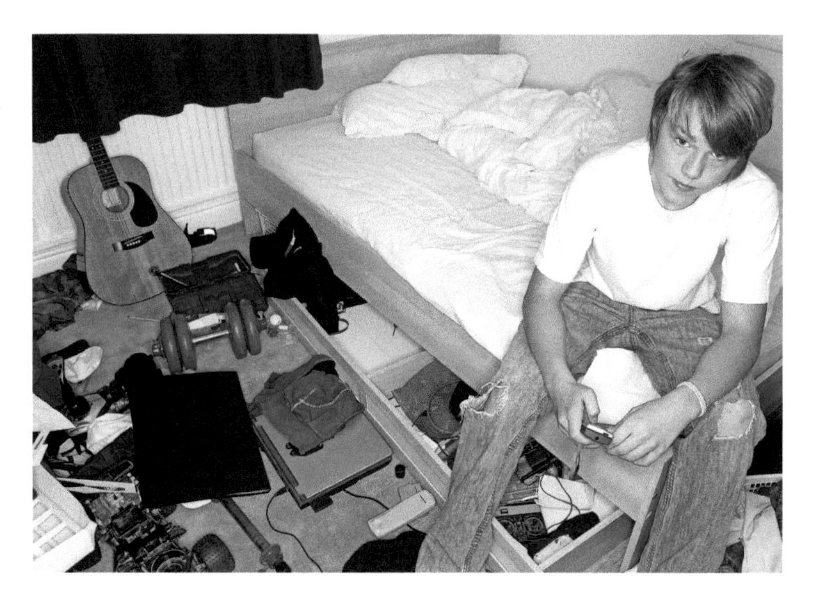

4 „Wie geht es dir?“

a Sammelt Antworten auf diese Frage.

b Wie fühlen sich diese Personen? Beschreibt den Gesichtsausdruck und das passende Gefühl.

    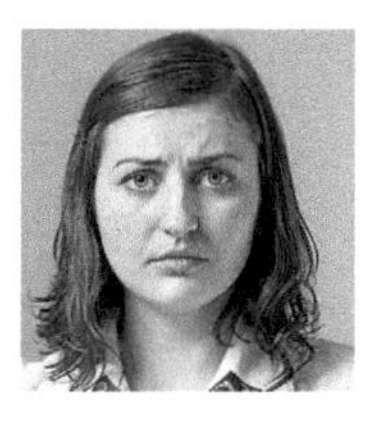 

c Wie siehst du aus, wenn du … bist? Mach ein Gesicht, die anderen raten das Gefühl.

glücklich | traurig | überrascht | neugierig | kritisch | verliebt | schlecht gelaunt | ? | erschrocken | ängstlich | gelangweilt | begeistert

d Gestaltet ein Poster mit Fotos von euren lustigsten Gesichtsausdrücken.

5 Fragen, Fragen, Fragen

a Formuliert Fragen zu folgenden Stichwörtern.

wohnen | beste Freundin / bester Freund | Aussehen / Hobbys | Kleidung nicht gefallen | Geburtstag wann | Geburtstagswünsche | Tiere | Geschwister

b Gestaltet ein Spiel mit den Fragen und ergänzt weitere.

Wo möchtest du am liebsten wohnen?	Wie sieht deine beste Freundin aus?	Was hast du am Wochenende gemacht?
Was gefällt dir an deinem Zimmer?	?	?

c Spielt und erzählt.

6 Präsentiere …

a Was hast du in diesem Kapitel präsentiert? Ergänze deine Liste.

b Was könntest du noch zum Thema präsentieren? Sammle Ideen.

c Hast du dich schon für ein Thema entschieden, das du in deiner mündlichen Prüfung präsentieren möchtest?

Mein Thema ist: ____________________

d Mit welchen Materialien führst du deine Präsentation durch?

☐ Bildschirmpräsentation ☐ Plakat ☐ Fotos ☐ ____________

e In wie vielen Tagen ist deine Prüfung?

In ________ Tagen, am ____. ________. ________

um ________ Uhr.

10 Vielfalt

1 Vielfalt

a Was heißt „Vielfalt"? Findet ihr andere Wörter dafür?

b Was ist das Gegenteil von „Vielfalt"? Ergänzt eure Wortsammlung.

c Welche „Vielfalt" seht ihr oben in den Bildern?

Unterschiede

Vielfalt

2 Vielfalt in Deutschland – ein Quiz

a Was glaubt ihr? Ratet und kreuzt an.

1 In Deutschland wohnen ☐ ca. 50 Mio. ☐ über 80 Mio. ☐ mehr als 90 Mio. Menschen.
2 In Deutschland leben viele Menschen aus ☐ der Türkei ☐ Russland ☐ Italien ☐ Polen.
3 Viele Menschen in Deutschland sprechen ☐ Türkisch ☐ Russisch ☐ Polnisch als Muttersprache.
4 Deutsch als Muttersprache sprechen ☐ ca. 50 Mio. ☐ ca. 80 Mio. ☐ ca. 100 Mio. Menschen.

b Lest den Text. Waren eure Vermutungen richtig?

In Deutschland leben über 81 Millionen Menschen. 7,6 Millionen davon sind Ausländer, also Menschen, die keinen deutschen, sondern einen Pass aus einem anderen Land haben. Man schätzt, dass ungefähr 20 % der Bevölkerung in Deutschland einen „Migrationshintergrund" haben. Das heißt, sie selbst, beide Eltern oder ein Elternteil kommen aus einem anderen Land. Sehr viele dieser Menschen kommen aus der Türkei, deshalb ist Türkisch eine der am meisten gesprochenen Muttersprachen in Deutschland. Neben Russisch, denn viele Menschen kommen auch aus der Russischen Föderation oder Kasachstan. Es gibt auch viele Menschen, die ihre Wurzeln in Polen oder Italien haben und jetzt in Deutschland wohnen. 2013 kamen viele Menschen aus Bulgarien und Rumänien nach Deutschland.
Sehr interessant ist, dass sich bei einigen Migrantengruppen, die schon lange in Deutschland wohnen, eigene Mischsprachen entwickelt haben. Wortschatz und grammatische Strukturen aus dem Deutschen und der jeweiligen Muttersprache vermischen sich. Vor allem in deutschrussischen und deutschtürkischen Gemeinschaften haben sich solche Umgangssprachen entwickelt.
Man schätzt, dass ungefähr 100 Millionen Menschen auf der Welt Deutsch als Muttersprache sprechen. Aber Deutsch ist nicht immer gleich Deutsch. Die Sprache kann sehr unterschiedlich sein. Sie klingt verschieden, je nachdem wer sie wo spricht.

c Welche Sprachen werden in eurem Land gesprochen?

3 Du sprichst aber gut Deutsch!

a Woher könnte Sophie aus der 10a kommen?

b Sophie erzählt. Hör zu und ergänze danach.

43

c Kommt ihr aus verschiedenen Ländern? Und welche Sprachen sprecht ihr zu Hause?

Ich komme aus ______________.
Fremde Leute sagen oft zu mir
„______________________!"
Das ärgert mich.

4 Deutsches Essen?

a Was kennt ihr? Sammelt Wörter, um die Gerichte zu beschreiben.

b Gibt es bei euch ähnliche Gerichte? Was ist gleich? Was ist anders?

c Was seht ihr auf diesem Foto? Schreibt alle „Zutaten“ auf einen Zettel.

d Überlegt zusammen und macht Notizen:

Wie schmeckt das Gericht? Ist das eine gesunde Mahlzeit? Würdet ihr das essen? Warum oder warum nicht? Wie könnte das Gericht heißen?

e Stellt euer Gericht so vor, dass es jeder sofort essen möchte.

44

f Was erzählt Paul? Kreuzt an. Die Buchstaben der angekreuzten Lösungen verraten euch den Namen des Gerichts.

1	D ... gibt es an jeder Ecke.	S ... ist nicht beliebt.
2	A ... isst man nur in der Türkei.	Ö ... isst man in der Türkei anders.
3	L ... wurde in der Türkei erfunden.	N ... wurde wahrscheinlich in Berlin erfunden.
4	E ... ist lecker.	A ... ist Paul egal.
5	T ... mag Paul mit Zwiebeln.	R ... mag Paul mit Tomaten.

Das Gericht heißt ___ ___ ___ ___ ___.

5 Welches ist dein Lieblingssprichwort? Warum?

Kurzes Abendessen, langes Leben. Die Soße ist für die Kochkunst, was die Grammatik für die Sprache. Lass mich in deinen Suppentopf gucken und ich sage dir, wer du bist. **Hunger ist der beste Koch.** Voller Bauch studiert nicht gern. **Was der Bauer nicht kennt, frisst er nicht.**

So geht's: Vorbereitung auf Leseverstehen Teil 5

1 Vielfalt in eurer Klasse?

a Was ist bei euch allen ganz unterschiedlich und was bei vielen gleich?

Augenfarbe Haarfarbe Musikgeschmack **Lieblingsfach** **Kleidung** ?

b Lies die Texte. Um welche „Vielfalt" geht es? Unterstreiche wichtige Wörter.

1 Eine 8. Klasse in einer Schule in Essen: Fast dreißig Schüler lernen zusammen, die meisten kommen aus der Türkei, zum Beispiel Erhan und Emre. „Unsere Klasse ist echt multi-kulti", sagt Emre und zählt auf: „Unsere Klassenkameraden kommen aus Angola, dem Kosovo, aus Vietnam, Syrien, Kroatien, dem Sudan, Pakistan, Polen, dem Irak, Libyen. Das ist ein Vorteil. Weil alle so verschieden sind und aussehen, wird keiner gemobbt. Natürlich gibt es auch mal Ärger, aber der hat nichts mit Rassismus zu tun. Streit ist in einer Klasse ganz normal. Man lernt viel über die anderen Kulturen und Religionen und wird dadurch toleranter."

2 Seit Jahren kommen immer mehr Familien aus dem Ausland nach Deutschland. Die Kinder müssen hier in die Schule gehen – aber oft sprechen sie noch kein Wort Deutsch. Um die schulpflichtigen Kinder ohne Deutschkenntnisse auf den normalen Unterricht vorzubereiten, gibt es in Schulen in ganz Deutschland sogenannte Vorbereitungsklassen. Hier sitzen die Kinder bunt gemischt zusammen: Sie kommen aus ganz verschiedenen Ländern, sind unterschiedlich alt und haben ganz unterschiedliche Schulerfahrungen. Zusammen lernen sie Deutsch. Nach spätestens einem Jahr sollen sie gut genug Deutsch sprechen, um am Unterricht in einer normalen Klasse ihrer Altersstufe teilnehmen zu können. Die Klasse verändert sich während des Schuljahrs immer wieder, weil neue Schüler hinzukommen und andere wieder gehen.

3 Jana Korczak ist Lehrerin an einer Grundschule. Sie hat 23 Schüler aus 12 Ländern in ihrer dritten Klasse. Für Schüler, die im Unterricht nicht so gut mitkommen, gibt es verschiedene Möglichkeiten zur Förderung. Die Lehrer überlegen, in welchen Stunden die Schüler nicht so viel verpassen. In diesen Stunden erhalten manche Schüler dann Sprachunterricht in Deutsch, andere üben lesen und wieder andere werden in Mathe gefördert. Förder-Angebote gibt es aber auch für Kinder, die schon besser als die anderen sind. Sie lösen andere Aufgaben oder machen zusammen Experimente.

4 Mia ist ein ganz normales Mädchen mit großen braunen Augen. Wenn man sie fragt, woher ihre Familie kommt, ist ihre Antwort etwas länger: „Meine Mutter kommt aus Frankreich, mein Vater ist aus Peru. Ich bin in England geboren und meine Schwester hier in Deutschland." Noch komplizierter wird es, wenn man Mia nach ihren Sprachen fragt: „Das kommt darauf an, mit wem ich spreche. Mit meiner Mama Französisch, aber wenn Papa dabei ist auch Spanisch, aber manchmal auch Deutsch oder gemischt, und mit meiner Schwester am liebsten Deutsch – aber Französisch, wenn andere nicht verstehen sollen, was wir reden. Das ist toll", erklärt sie dann noch, „denn ich habe für jede Situation die passende Sprache."

c Bringe die Wörter in den beiden Überschriften in die richtige Reihenfolge.

Schüler | passende | Für | jeden | das | Angebot

schlechte | Experimente | Schüler | für

d Welche Überschrift passt zu Text 3? Warum?

e Schreibt für jeden Text in a zwei Überschriften, eine davon soll nicht gut passen. Tauscht mit einem anderen Paar und ordnet zu.

2 Erfindungen

a Was seht ihr auf den Fotos? Schreibt zu jedem Foto einen Satz.

b Wisst ihr, wer diese Sachen erfunden hat? Oder in welchem Land sie erfunden wurden?

3 Leseverstehen Teil 5 in der Prüfung

a So könnte die Aufgabe aussehen. Wie viele Texte sind auf dem Aufgabenblatt?

0 In Deutschland kann man ab 18 den Führerschein machen, um danach alleine mit dem Auto zu fahren. Sehr viele Jugendliche freuen sich schon sehr darauf, endlich mobil und unabhängig von ihren Eltern zu sein. „Taxi Mama" finden viele irgendwann uncool. Übrigens waren es zwei deutsche Erfinder, die fast gleichzeitig im Jahr 1886 eine Art Auto erfanden: Karl Benz und Gottlieb Daimler. Diese Autos sahen aber eher aus wie eine Kutsche mit Motor und nicht wie ein Auto von heute.

1 Sicher warst du auch schon einmal krank, hattest Fieber oder Kopfschmerzen. Was hast du da gemacht? Hast du ein Schmerzmittel genommen? Vielleicht war es ja Aspirin, denn seit seiner Erfindung 1897 ist es das beliebteste Schmerzmittel. Erfunden und entwickelt wurde Aspirin von der Firma Bayer in Deutschland. Noch heute produziert diese Firma rund 12 000 der 50 000 Tonnen Aspirin, die jährlich hergestellt werden. In Deutschland kann man die kleinen, weißen Tabletten nur in der Apotheke kaufen.

2 Levi Strauss wurde in Deutschland geboren, wanderte aber 1847 mit seiner Familie nach Amerika aus. Er zog nach Kalifornien, so wie viele Männer zur Zeit des Goldrauschs. Dort verkaufte er Kleidung und Stoffe, außerdem Knöpfe, Zahnbürsten und andere Sachen an die Goldsucher. Diese fragten ihn auch immer wieder nach Hosen, die nicht so schnell kaputt gehen. Zusammen mit Jakob Davis, einem Schneider aus Lettland, erfand Levi Strauss die Jeans. Damals war sie eine robuste Arbeitshose, heute trägt sie fast jeder.

3 Heute gibt es sie in vielen verschiedenen Geschmacksrichtungen, in verschiedenen Farben und von verschiedenen Marken: die Zahnpasta. Schon lange bevor es Süßigkeiten oder das Wort *Karies* gab, machten die Menschen ihre Zähne mit den verschiedensten Mitteln sauber. 1907 experimentierte der Apotheker Ottomar von Mayenburg in Dresden mit Zahnpulver, Mundwasser und Pfefferminzöl. Er erfand die Zahnpasta „Chlorodont" und verkaufte sie in Metalltuben. Das war nicht die erste Zahnpasta, aber er verkaufte sie so gut, dass sie bald erfolgreicher als alle anderen wurde.

4 1922 erfand Hans Riegel aus Bonn eine der beliebtesten Süßigkeiten Deutschlands. Sie besteht aus Zucker, Farb- und Geschmacksstoffen und Gelatine. Damals nannte man sie „Tanzbär", seit 1967 heißt sie „Goldbär". Aber egal, wie man sie nennt, alle sind sich einig: Gummibärchen sind superlecker! Die einen mögen die roten am liebsten, die anderen die grünen und wieder andere essen einfach alle gern. Inzwischen gibt es sie auch vegetarisch ohne Gelatine und in vielen anderen Formen.

b Wie viele Überschriften sind auf dem Aufgabenblatt?

Z	Mobil und frei
A	Nur was für harte Männer
B	Eine gemeinsame Erfindung
C	Süß, aber sehr ungesund
D	Weltweit aus der Apotheke
E	Macht frisch in vielen Farben
F	Schmeckt gut und macht schön
G	Klein mit starker Wirkung
H	Farbenfroh und tierisch lecker

Nr.	Buchstabe
0	*Z*
1	
2	
3	
4	

Tipp

In der Prüfung siehst du fünf Texte und neun Überschriften auf dem Blatt. Text **0** und Überschrift **Z** sind aber Beispiele und gehören zusammen. Du musst den übrigen vier Texten jeweils eine der Überschriften A bis H zuordnen. Vier Überschriften passen zu keinem Text.

c Warum passt Z zu Text 0? Könnte auch Überschrift B passen?

d Lies die Texte 1 bis 4 und die Überschriften A bis H. Was passt zusammen?

e Vergleicht eure Lösungen. Was hat euch beim Lösen geholfen?

4 (Un)Bekannt?

Wählt ein Thema und präsentiert:

Erfindungen aus unserem Land oder von Menschen aus unserem Land

Fünf Dinge, die Touristen über unser Land wissen sollten.

5 Nicht nur schwarz und weiß

a Was seht ihr auf dem Bild? Warum will man feiern?

b Was schätzt ihr: Wie viele Brotsorten gibt es in Deutschland? Recherchiert.

So geht's: Vorbereitung auf Hörverstehen Teil 5

1 Was ist wichtig im Leben?

Lest die Aussagen. Was davon findet ihr am wichtigsten? Was ist nicht so wichtig? Erstellt eine Rangliste.

Ich möchte mal ein eigenes Haus haben. Gesundheit – nichts geht ohne! Eigene Kinder? Klar!

Ich wünsche mir Frieden auf der ganzen Welt. Liebe ist alles. Ich möchte einen guten Beruf.

Gutes Aussehen! Markenkleidung und immer das neueste Handy.

2 So könnte die Aufgabe in der Prüfung aussehen

a Markiere in verschiedenen Farben:

Wer spricht gleich über was? Was sollst du zuerst tun? Wie oft hörst du die Berichte? Was hörst du zuerst?

Das wünsche ich mir für die Zukunft

Du hörst gleich fünf kurze Berichte von Schülern. Sie erzählen von ihren Wünschen.
Lies zuerst die Liste mit den verschiedenen Aussagen (A – H). Du hast dafür 30 Sekunden Zeit.
Notiere beim Hören zu jedem Bericht den passenden Buchstaben. Einige Buchstaben bleiben übrig.
Du hörst die Berichte nur einmal. Zuerst hörst du ein Beispiel. Dieser Bericht hat die Nummer **0**. Die Lösung ist die Aussage **Z**.

b Lies jetzt die Aussagen A – H. Wie lange brauchst du dafür?

Z	Wunschlos glücklich
A	Kleidung und Computerspiele
B	Mehr Erfolg in der Schule
C	Alles für einen guten Abschluss
D	Am liebsten Geld
E	Ruhe und Frieden
F	Nur ein einziger Wunsch
G	Zeit und weniger Hausaufgaben
H	Gute Noten ohne Arbeit

Nr.	Buchstabe
0	*Z*
1	
2	
3	
4	

c Hör das Beispiel.
Warum ist Z die richtige Lösung?

d Hör die Berichte 1 – 4 und notiere den Buchstaben der passenden Aussage.

e Vergleicht eure Lösungen. Was hat euch beim Lösen geholfen?

3 Du hast drei Wünsche frei …

Notiere, was du dir wünschst und erzähle.

So geht's: Vorbereitung auf Schriftliche Kommunikation

1 Für die Pause

a Was habt (oder hattet) ihr heute zum Essen und Trinken dabei? Sammelt an der Tafel.

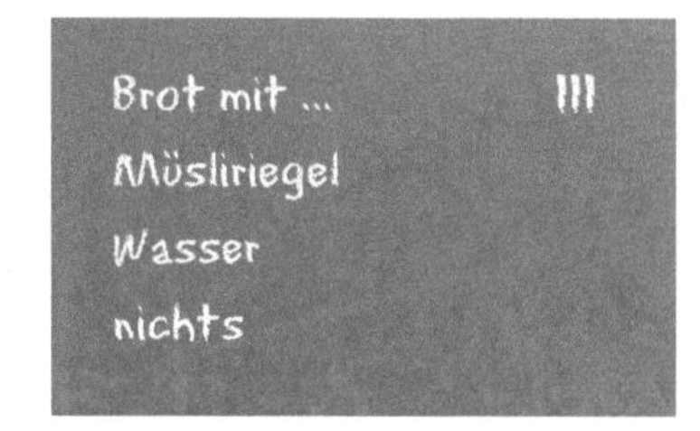

b Welches ist das beliebteste Pausenessen in eurer Klasse?

c Diskutiert:

Was ist so gut an diesem Pausenessen? Was ist nicht so gut?
Was würdet ihr nie zum Essen mit in die Schule nehmen? Warum nicht?

2 „Du bist, was du isst!"

a Was isst die Frau auf dem Foto? Warum macht sie das?

b Was isst und trinkst du? Wann? Wie oft? Gern oder nicht gern? Mach dir Notizen.

Fleisch Kartoffeln Limo Süßigkeiten täglich nie Obst Nudeln Kuchen selten immer gekocht frisch Brot gebraten Kaffee Gemüse Wasser roh oft ...

c Erzählt, was ihr esst. Eure Partnerin oder euer Partner rät, was ihr seid.

Vegetarier „Allesfresser" „Zuckermäulchen"
schwieriger Esser normaler Esser ...

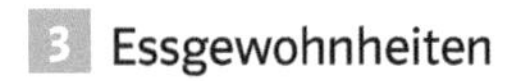

3 Essgewohnheiten

a Deine Familie nimmt für drei Wochen einen Austauschschüler aus Deutschland auf. Er hat euch diese Mail geschrieben. Notiere in der Tabelle: Was isst Daniel? Was isst er nicht? Warum?

Liebe Gastfamilie,

ich freue mich schon sehr, dass ich zu euch komme. Leider bin ich etwas schwierig, was das Essen betrifft. Ich habe eine Laktoseintoleranz und esse deshalb nur wenig oder gar keine Milchprodukte. Außerdem reagiere ich allergisch auf Nüsse und Karotten. Davon bekomme ich sofort einen Asthmaanfall und muss ins Krankenhaus. Anderes Gemüse und Obst sind aber kein Problem, nur Zwiebeln und Tomaten mag ich gar nicht. Fleisch liebe ich, außer Schweinefleisch. Abends esse ich nie etwas, denn mit vollem Bauch kann ich nicht schlafen.
Viele Grüße und bis bald

Daniel

Was isst Daniel?	*Was isst Daniel nicht?*	*Warum?*

b Und wie esst ihr, du und deine Familie? Ähnlich wie Daniel oder ganz anders? Schreib Sätze.

c Schreib einer Gastfamilie, die du besuchst, von deinen Essgewohnheiten.

Daniel isst kein .... Wir essen auch kein ... Wir mögen ... gern, aber Daniel mag ... nicht.

4 So könnte das Aufgabenblatt in der Prüfung aussehen. Markiere:

Was ist das Thema? Wo hast du die Meinungen gelesen? Was sollst du schreiben?

In einer Jugendzeitschrift haben Jugendliche über Essen geschrieben. Dort findest du folgende Aussagen:

Milo: Ich esse einfach, was da ist. Meine Eltern kochen gut und es schmeckt eigentlich immer. Ich bin da nicht schwierig. Hauptsache, im Essen ist kein Knoblauch. Das mag ich gar nicht!

Nina: Meine Eltern achten sehr auf eine gesunde Ernährung, deshalb ist mir das auch wichtig. Wir essen sehr viel Gemüse und Obst und achten auf gute Qualität. Fleisch essen wir wenig und wenn, dann nur vom Bio-Bauern.

Tom: Hauptsache viel – das ist mir wichtig! Im Moment habe ich immer Hunger und esse am liebsten Fleisch, Pizza und Nudeln. Gemüse mag ich auch – und Ananas. Das ist mein Lieblingsobst, besonders mit Vanilleeis.

Maja: Ich esse einfach, worauf ich gerade Lust habe. Im Moment mag ich kein Fleisch und esse lieber Fisch. Ich denke, der Körper weiß schon, was er braucht – und dann will man das essen.

Schreibe einen Beitrag für die Schülerzeitung. Bearbeite dabei folgende Punkte ausführlich:

- Gib die Aussagen der Jugendlichen mit eigenen Worten wieder.
- Was isst du gern und was nicht? Berichte.
- Was denkst du über (un)gesundes Essen?

5 Bereite deinen Text vor

a Notiere Stichwörter zu den Aussagen der Schüler in einer Tabelle:

Was isst sie/er gern?	*Was isst sie/er nicht gern?*	*Welche Aussagen sind ähnlich?*

b Wie würdest du diese Sätze beenden? Ergänze weitere Sätze zu deiner Meinung.

Meine Meinung ist so ähnlich wie die von … | Ich habe eine andere Meinung zum Thema: Mir ist Essen (nicht) wichtig, weil … | Ich esse (nicht) alles, weil … | Ungesundes Essen finde ich …, denn …

c Notiere Stichwörter zu deinen Erfahrungen:

Ich esse gern ..., weil ... *Zum Frühstück mag ich gern ...* *Abends esse ich ...*	*Ich esse ... jeden Tag / sehr oft / ab und zu / nie, weil ...* *... habe ich noch nie probiert.*	*... mag ich überhaupt nicht, denn davon ...* *Immer wenn ich ... esse, dann ...*

d Schreib deinen Text. Achte auf die Zeit.

e Tauscht eure Texte. Kontrolliert und bewertet mit ☺, 😐 oder ☹.

Kannst du den Text leicht lesen und gut verstehen?
Sind alle drei Punkte bearbeitet?
Sind die vier Meinungen richtig und in eigenen Worten wiedergegeben?
Ist die eigene Meinung verständlich formuliert und begründet?
Ist die eigene Erfahrung verständlich und mit persönlichen Beispielen formuliert?
Sind Wortschatz und Satzbau abwechslungsreich?

1 Alles essbar?

a Kennst du diese Wörter?

verschieden unterschiedlich gemischt scharf Abwechslung gleich anders
das Fast Food bestellen essen gehen das Obst frisch das Gemüse die Sorte
die Mahlzeit das Abendessen erfinden das Frühstück frühstücken kochen
Bauchweh haben schneiden das Getränk süß die Wurst schlucken der Käse
das Stück lecker gewürzt die Trauben das Gewürz fettig geschmacklos
der Knoblauch die Beilage salzig der Hunger durstig das Lebensmittel würzen
backen der Joghurt fett kauen Guten Appetit! die Kantine das Pausenbrot
sauer der Reis die Auswahl Prost! austrinken aufessen das Café
bitter der Zucker die Diät die Ernährung ungesund die Scheibe
abwechslungsreich fleischlos abschneiden die Portion die Serviette
der Fisch zuckerfrei satt

b Was ist das?

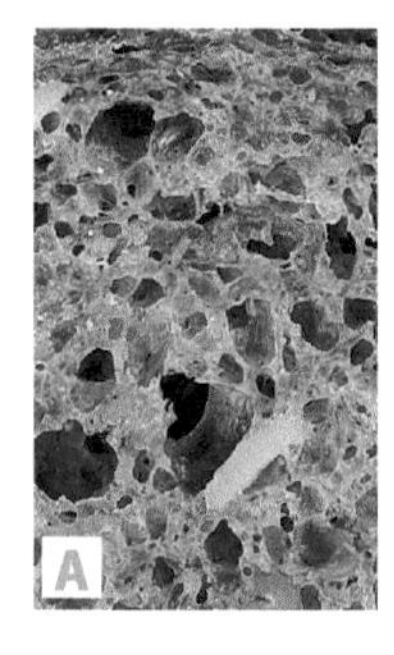
A

B

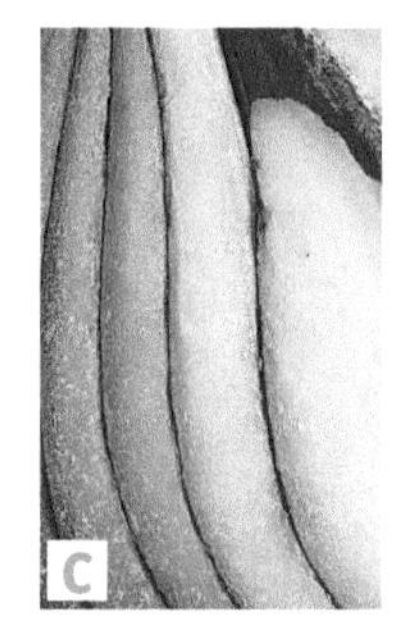
C

D

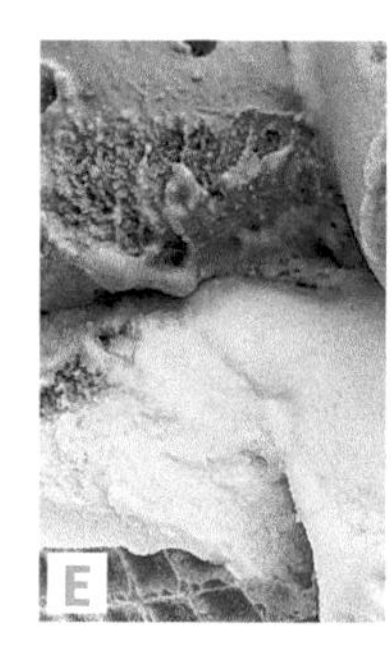
E

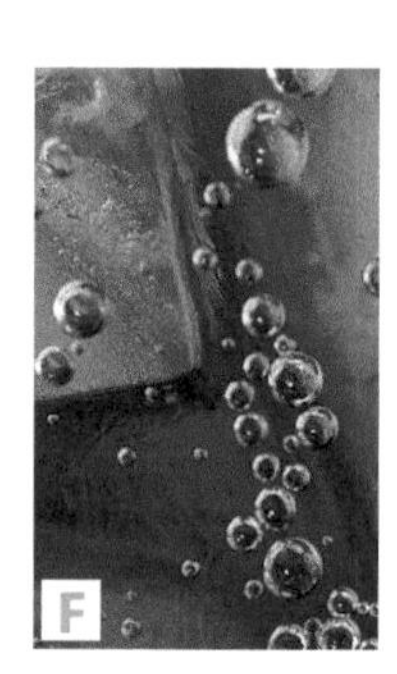
F

c Welche Oberbegriffe findest du in der Wortschlange? Unterstreiche sie.

TOLEBENSMITTELMAOBSTENGEMÜSENEMILCHPRODUKTEBGETRÄNKEIAIEBGETREIDEPRODUKTEAÖHDL

d Welcher Oberbegriff passt zu welchem Foto? Ergänzt noch weitere Beispiele.

Auf Foto A ist ein … Dazu passt …

Das ist eine … wie z. B. auch …

e Was ist das Gegenteil? Ergänzt die passenden Wörter. Manchmal gibt es mehrere Möglichkeiten.

1 hungrig – ____________ 4 zuckerhaltig – ____________
2 lecker – ____________ 5 mit Fleisch – ____________
3 gesund – ____________ 6 gekocht – ____________

2 Abendessen für zwei

a Gratuliere! Du hast ein Abendessen für zwei Personen gewonnen.
Alles ist möglich! Erzähle:

- Wer darf mitkommen?
- Wohin geht ihr?
- Wie kommt ihr dorthin?
- Was gibt es zu essen und zu trinken?
- Was ziehst du an?

b Gib deine Bestellung auf.

Ich hätte gern …

3 Jugendkultur

a Seht euch die Bilder an und beschreibt die Jugendlichen.

Was haben sie an? Was machen sie vielleicht gern? Was ist wichtig für sie?

b Zu welchem Foto gehört der Text? Und wie heißt das, was die Person macht?

Ich mache seit ungefähr einem Jahr mit. Mein älterer Bruder ist schon länger dabei. Am Anfang hat es noch nicht so gut geklappt, aber ich übe viel und werde immer besser. Eigentlich ist das eine Sportart, bei der man sich schnell und nur mit dem eigenen Körper durch die Stadt bewegt. Dabei springt oder klettert man über alles, was im Weg steht, ob das eine Mauer oder eine Brücke oder sonst was ist. Wir setzen Elemente aus vielen Sportarten ein, z. B. aus dem Turnen, der Akrobatik oder dem Skateboarding. Das sieht alles manchmal gefährlich aus, aber wir gehen kein Risiko ein. Sich zu verletzen ist total uncool und um das Risiko geht es auch nicht. Das Spannende am Parkour ist, das man seinen Körper richtig einsetzen kann und immer überlegen muss, wie man am besten über das Hindernis kommt.

c Zu welcher „Jugendszene" könnten die anderen Fotos passen? Recherchiert.

4 Die Prüfung DSD I

Wie fit fühlst du dich? Bewerte mit ☺, 😐 oder ☹.

Hörverstehen	
Leseverstehen	
Schriftliche Kommunikation	
Mündliche Kommunikation	

5 Warum machst du das DSD I?

a Mögliche Gründe: Bilde Sätze aus den Stichwörtern.

Lehrer sagt | Diplom an der Wand sieht gut aus | Eltern belohnen gute Prüfung | liebe Prüfungen

Ich mache das DSD I, weil …

b Welche Gründe hast du?

c Was heißt das? Gib den Text in eigenen Worten wieder.

Das Deutsche Sprachdiplom der Stufe I gilt als Nachweis der für die Aufnahme an ein Studienkolleg in der Bundesrepublik Deutschland erforderlichen deutschen Sprachkenntnisse.
(Beschluss der Kultusministerkonferenz vom 26.04.1985)

d Recherchiert: Was ist ein Studienkolleg?

Übersicht über die Prüfung

Rund ums DSD I

1 Was ist das DSD I?

a Überlegt zusammen und kreuzt an.

DSD I ist eine Abkürzung und bedeutet:

A ☐ **D**u **S**prichst **D**eutsch
B ☐ **D**as **S**chwere **D**iplom
C ☐ **D**eutsches **S**prach**D**iplom

Das DSD I können … ablegen.

A ☐ alle Schülerinnen und Schüler über 14 Jahren
B ☐ Schülerinnen und Schüler an einer DSD-Schule
C ☐ alle Deutschlerner unter 18 Jahren

b Lest den Text und vergleicht mit euren Antworten.

> Das Deutsche Sprachdiplom der Kultusministerkonferenz Stufe 1 (kurz auch DSD I oder Deutsches Sprachdiplom I genannt) ist eine Sprachprüfung für Schülerinnen und Schüler im Alter von ca. 14 bis 16 Jahren. Du kannst die Prüfung ablegen, wenn du Schülerin oder Schüler einer anerkannten DSD-Schule bist und schon ca. 600 bis 800 Stunden Deutschunterricht hattest.

2 Prüfungsteile

a Suche im Buch und ergänze in der Tabelle: Wie viele Teile hat die schriftliche Prüfung und wie heißen die verschiedenen Teile?

Schriftliche Prüfung	*Mündliche Prüfung*

b Wie viele Teile hat die Mündliche Prüfung? (siehe z. B. S. 150 – 164) Ergänze die Tabelle.

3 Bewertung

a Wie viele Punkte kannst du maximal für jeden Prüfungsteil bekommen? Lies den Text und ergänze die Punktzahl.

> Alle Prüfungsteile sind gleich wichtig und gleich viele Punkte wert. Die drei Teile der schriftlichen Prüfung werden einzeln gewertet, die beiden Teile der mündlichen Prüfung werden zusammengezählt. Insgesamt kannst du in der Prüfung maximal 96 Punkte bekommen – das sind also maximal ________ Punkte für jeden der vier Teile. Je nachdem wie viele Punkte du in den einzelnen Teilen bekommst, bestehst du den Teil auf dem Niveau A2 oder B1. Für B1 musst du alle Prüfungsteile auf B1-Niveau bestehen, für A2 brauchst du in allen Prüfungsteilen mindestens A2-Niveau. Wenn du die Prüfung nicht bestehst, kannst du sie am nächstmöglichen Termin wiederholen. Dann musst du aber alle Prüfungsteile noch einmal ablegen. Du kannst die Prüfung maximal zweimal wiederholen.

b Richtig oder falsch? Kreuze an.

		richtig	falsch
1	Für den Prüfungsteil Hören gibt es mehr Punkte als für den Teil Lesen.		
2	Du kannst die Prüfungsteile mit A2 oder B1 bestehen.		
3	Die Prüfung darf man nur einmal machen.		

c Korrigiere die falschen Sätze.

Die schriftlichen Prüfungsteile

1 Was dürft ihr in die Prüfung mitbringen?

a Überlegt zusammen und kreuzt an.

☐ einen Kugelschreiber oder Füller
☐ ein zweisprachiges Wörterbuch
☐ ein Handy mit Internetanschluss
☐ einen Bleistift
☐ etwas zu trinken
☐ etwas zu essen
☐ eine Uhr
☐ Papier
☐ ein Handy
☐ ein einsprachiges Wörterbuch

b Fragt eure Lehrerin oder euren Lehrer, was ihr mitbringen dürft und notiert Stichwörter.

Wir dürfen ... mitbringen.	*... sind in der Prüfung nicht erlaubt.*

2 Wie läuft die Prüfung ab?

a Ergänze den Lückentext mit den Wörtern aus der Liste.

(A) sechzig | (B) Pause | (C) zum Schluss | (D) Leseverstehen | (E) schriftliche | (F) Prüfung | (G) Termin | (H) danach | (Z) nicht

Die schriftliche und die mündliche Prüfung finden (0) ___Z___ am selben Tag statt. Zuerst legt ihr alle zusammen die (1) ____________ Prüfung ab. Sie beginnt mit dem Teil (2) ____________, der insgesamt (3) ____________ Minuten dauert. Der Teil Hörverstehen kommt (4) ____________ und dauert ungefähr dreißig Minuten). (5) ____________ schreibt ihr den Teil Schriftliche Kommunikation. Meistens gibt es zwischen den Prüfungsteilen eine (6) ____________. Die mündliche (7) ____________ machst du alleine. Dafür gibt dir deine Lehrerin oder dein Lehrer einen (8) ____________.

b Übertrage deine Lösungen auf den Antwortbogen, indem du beim richtigen Buchstaben ein Kreuz machst.

	A	B	C	D	E	F	G	H
1								
2								
3								
4								
5								
6								
7								
8								

c Formuliert Fragen zum DSD I. Fragt eure Lehrerin oder euren Lehrer und notiert die Antworten.

Wann schriftlich? Wann mündlich? Wo? Was mitbringen? Wörterbuch?

Fragen	*Antworten*

Übersicht über die Prüfung

Leseverstehen

1 Wie viele Teile hat der Prüfungsteil Leseverstehen?

Das Leseverstehen hat ☐ 3 ☐ 5 ☐ 7 Teile.

2 Aufgabenstellung

a Was musst du in welchem Teil machen? Ordne zu.

Teil _5_: Lies die Texte (21 - 24) und die Überschriften (A - H). Was passt zusammen? Schreibe den richtigen Buchstaben in die rechte Spalte. Du kannst jeden Buchstaben nur einmal wählen. Vier Buchstaben bleiben übrig.

Teil ____: Du findest einen kurzen Lesetext und eine Wortliste. Der Text hat vier Lücken. Setze aus der Wortliste das richtige Wort in jede Lücke ein. Einige Wörter bleiben übrig. Dann musst du noch eine passende Überschrift auswählen.

Teil ____: Lies den Text und die Aufgaben (10 - 14). Kreuze bei jeder Aufgabe an: richtig oder falsch?

Teil ____: Lies den Text und die Aufgabe (15 - 20). Kreuze bei jeder Aufgabe die richtige Lösung an.

Teil ____: Du siehst kurze Texte (A - H). Dazu liest du die Aufgaben (6 - 9). Welcher Text passt zu welcher Aufgabe? Schreibe den richtigen Buchstaben in die rechte Spalte. Du kannst jeden Buchstaben nur einmal wählen. Vier Buchstaben bleiben übrig.

Kurze Texte (z. B. E-Mails oder Anzeigen) verschiedenen Personen oder Situationen zuordnen.

Überschriften (oder Aussagen) zuordnen.

Richtig-falsch-Aufgaben lösen.

Aus einer Liste das richtige Wort für jede Lücke und eine Überschrift für den ganzen Text aussuchen

Aus drei Möglichkeiten die richtige aussuchen, um einen Satz zu ergänzen.

b Welcher Prüfungsteil ist es? Ergänze die Zahlen von 1 bis 5.

c Wo bekommst du Informationen zu den verschiedenen Teilen? Suche im Buch und ergänze die Seitenzahlen.

Teil 1	Teil 2	Teil 3	Teil 4	Teil 5

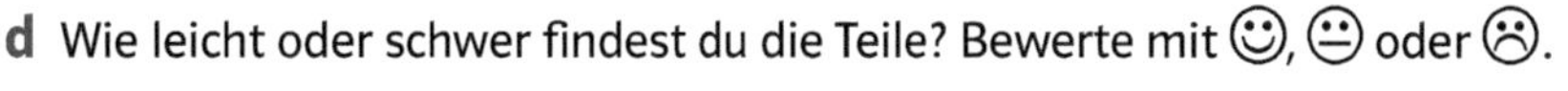
d Wie leicht oder schwer findest du die Teile? Bewerte mit ☺, 😐 oder ☹.

e Lest den Text und die Tipps von Schülern, die das DSD I schon gemacht haben. Wie findet ihr die Tipps? Habt ihr noch andere?

Die Teile sind unterschiedlich schwer und lang. Für manche Teile braucht man mehr Zeit als für andere. Außerdem bekommt man unterschiedlich viele Punkte für die Teile. Für Teil 4 kann man maximal sechs Punkte bekommen, für Teil 1 und 3 fünf Punkte und für Teil 2 und 5 vier Punkte.

Abril: Ich fange mit Lesen 1 an und löse der Reihe nach. Dann vergesse ich nichts.

Augustin: Ich markiere Aufgaben, bei denen ich mir nicht ganz sicher bin. Wenn ich zum Schluss noch Zeit habe, dann überprüfe ich die Lösung noch mal.

Jon: Ich mache zuerst die Aufgaben, für die man viele Punkte bekommt.

Pawel: Einfach immer weitermachen und nicht bei jeder Aufgabe lange nachdenken - das ist mein Tipp.

Maria: Ich mache zuerst den Teil 5, weil ich dafür immer viel Zeit brauche. Dann mache ich Teil 3, dann 1, dann …

3 Noch Fragen?

a Formuliert Fragen zu diesen Stichwörtern.

Dauer? **Antwortblatt?** Zeit zum Übertragen? Was abgeben? **?**

b Kennt ihr die Antworten? Wenn nicht, fragt eure Lehrerin oder euren Lehrer und notiert die Antworten.

4 Das Antwortblatt

a Was ist richtig? Kreuze an.

1 Du hast am Ende des Prüfungsteils Leseverstehen noch zehn Minuten Zeit, um …

A ☐ die fehlenden Aufgaben zu lösen.
B ☐ deine Lösungen auf das Antwortblatt zu übertragen.
C ☐ deine Lösungen mit den anderen zu vergleichen.

2 Es ist wichtig, dass du …

A ☐ die Lösungen mit Bleistift ankreuzt.
B ☐ die Lösungen mit eigenen Worten erklärst.
C ☐ für jede Aufgabe eine Lösung ankreuzt.

3 Bewertet werden nur die Lösungen, die du … angekreuzt hast.

A ☐ auf dem Antwortblatt.
B ☐ auf den Prüfungsblättern
C ☐ auf dem Konzeptpapier

4 Auf dem Antwortblatt …

A ☐ darfst du nur die richtigen Lösungen ankreuzen.
B ☐ kannst du deine Lösungen korrigieren.
C ☐ kannst du deine Lösungen nicht korrigieren.

b Übertrage deine Lösungen auf das Antwortblatt.

	A	B	C
1			
2			
3			
4			

c Seht euch dieses Antwortblatt an. Welche Lösungen würdet ihr bewerten?

	A	B	C
1	X	(geschwärzt)	
2	X	X	XX
3	X		
4	(durchgestrichenes X)	(eingekreist, geschwärzt)	X

d Besprecht mit eurer Lehrerin oder eurem Lehrer, wie ihr eure Lösungen auf dem Lösungsblatt korrigieren sollt und notiert Beispiele.

Übersicht über die Prüfung

Hörverstehen

1 Informationen zum Prüfungsteil Hörverstehen

a Was weißt du schon? Lies und kreuze an.

1 Der Prüfungsteil Hörverstehen hat ☐ 3 ☐ 5 ☐ 7 Teile.
2 Dieser Teil dauert ungefähr ☐ 30 Minuten ☐ 50 ☐ 60 Minuten.
3 Du liest und hörst ☐ was du machen musst. ☐ nur Texte. ☐ nur Beispiele.
4 Auf der CD sind auch ☐ die Lösungen. ☐ die Pausen. ☐ die Antworten.
5 In den Pausen ☐ löst du die Aufgaben. ☐ fragst du deine Nachbarn. ☐ ruhst du dich aus.
6 Die Lösungen kreuzt du zuerst ☐ auf den Aufgabenblättern ☐ auf dem Antwortblatt ☐ nicht an.
7 Am Ende hast du extra Zeit, um deine Lösungen ☐ mit den anderen zu besprechen.
☐ auf das Antwortblatt zu übertragen. ☐ von deinem Lehrer zu bekommen.

b Vergleicht und korrigiert eure Lösungen.

2 Was musst du in welchem Teil machen?

a Welche Aufgabe gehört zu welchem Teil? Suche im Buch und notiere den passenden Prüfungsteil. Ergänze, auf welchen Seiten im Buch du mehr Informationen dazu findest.

A

		richtig	falsch
10	Leon wollte immer nur Fußball spielen.		
11	Leon trainiert auch während der Unterrichtszeit.		

B **Szene 1**

Sieh dir zuerst die Bilder an. Du hast dafür 6 Sekunden Zeit.

A ☐ B ☐ C ☐

C **Buchtitel A–H**

Z Der Prinz des Waldes
A Das Schloss der Königin
B Verrückt verliebt
C Reise zu mir

Aufgaben 21–24

Nr.	Buchstabe
0	
21	
22	

D 7 Die Schülerzeitung Bleistift hat …

A ☐ einen Wettbewerb gewonnen.
B ☐ 3000 Euro gewonnen.
C ☐ das Schulfest bezahlt.

E 15 Ein richtiges Musikfestival …

A ☐ sollte mehr als drei Tage dauern.
B ☐ ist nur für wilde Fans.
C ☐ muss bekannte Bands vorstellen.

A ist Hören Teil ____, siehe S. ____
B ist Hören Teil ____, siehe S. ____
C ist Hören Teil ____, siehe S. ____
D ist Hören Teil ____, siehe S. ____
E ist Hören Teil ____, siehe S. ____

b Welche Teile haben die gleiche Art Aufgabe?

c Welche Aufgabenstellung passt zu welchem Teil?

Hörverstehen Teil ____

Du hörst eine Reportage / einen Bericht im Radio. Lies zuerst die Aufgaben. Du hast dafür eine Minute Zeit. Höre nun die Reportage / den Bericht. Löse die Aufgaben beim Hören. Danach hörst du die Reportage / den Bericht noch einmal.

Hörverstehen Teil ____

Du hörst gleich vier Durchsagen / Nachrichten. Lies zuerst die Aufgaben. Du hast dafür eine Minute Zeit. Höre nun die Durchsagen / Nachrichten. Löse die Aufgaben beim Lösen. Danach hörst du die Durchsagen / Nachrichten noch einmal.

Schriftliche Kommunikation

1 Interview mit einem Prüfer

a Paulina hat für die Schülerzeitung ***Bleistift*** ein Interview geführt. Ordne Paulinas Fragen den passenden Antworten des Prüfers zu.

1 Wie bewerten die Prüfer den Text?

2 Darf man ein Wörterbuch benutzen?

3 Wie viel soll man schreiben?

4 Welche Themen gibt es?

5 Was muss man schreiben?

6 Wie lange dauert der Prüfungsteil Schriftliche Kommunikation?

A
In den meisten Ländern dürft ihr ein Wörterbuch benutzen. Das bekommt ihr in der Prüfung von der Schule – manchmal dürft ihr auch euer eigenes Buch benutzen. Fragt am besten noch einmal nach, ob ihr ein Wörterbuch bekommt und ob es einsprachig oder zweisprachig ist. Aber wenn ich euch einen Tipp geben darf: Sucht nicht zu viel im Wörterbuch herum, das kostet oft mehr Zeit und nutzt dann doch nicht so viel. Aber sicher, wenn ihr ein wichtiges Wort gar nicht versteht, dann hilft ein Wörterbuch schon weiter. ☐

B
In den meisten Ländern dauert dieser Teil 75 Minuten. In dieser Zeit müssen die Schüler die Aufgabe lesen und verstehen und ihren Text auf das Schreibblatt schreiben. Am besten fragt ihr euren Lehrer oder eure Lehrerin, wie viel Zeit ihr für diesen Teil habt. ☐

C
Das ist unterschiedlich. Einige Schüler schreiben viel, andere schreiben weniger, da gibt es keine vorgeschriebene Anzahl von Wörtern oder Seiten. Schreibt so viel, wie ihr für eine passende Bearbeitung der drei Punkte braucht. Darauf achten die Prüfer. Sie wollen sehen, dass ihr einen zusammenhängenden Text schreiben könnt. Ihr sollt zeigen, dass ihr Aussagen von anderen Personen verstehen und wiedergeben könnt. Außerdem müsst ihr eure Meinung und Erfahrungen zum Thema ausdrücken und begründen und auch Beispiele dafür nennen. ☐

D
Das seht ihr auch auf dem Aufgabenblatt, ganz oben über den Aussagen der vier Personen. Da lest ihr dann zum Beispiel *Haustiere* oder *Lesen*. Unten in den Leitpunkten steht dann aber manchmal auch eine Frage zum Thema, zum Beispiel *Möchtest du gern ein Haustier haben?* Lest also die Leitpunkte wirklich genau und schreibt dann dazu. ☐

E
Das steht auf dem Aufgabenblatt. Es kann ein Leserbrief sein oder ein Beitrag für eine Schülerzeitung, das ist unterschiedlich. Unten auf dem Aufgabenblatt stehen drei Aufgaben, die so genannten Leitpunkte. Es ist wichtig, dass ihr alle drei Punkte bearbeitet. ☐

F
Zuerst einmal: Der Prüfer bewertet auch hier nur den Text, der auf dem Schreibblatt steht. Ihr bekommt auch Konzeptpapier in der Prüfung, auf dem ihr Notizen machen könnt. Aber das zählt dann nicht für die Bewertung. Passt also auf die Zeit auf und schreibt euren Text auf das Schreibblatt! Es gibt ganz klare Punkte, nach denen die Prüfer eure Texte bewerten. Dazu kann euch eure Lehrerin oder euer Lehrer bestimmt mehr sagen. Es ist nicht wichtig, welche Meinungen oder Erfahrungen ihr habt und ob der Prüfer dieselbe Meinung hat oder etwas anderes denkt. Man sollte nur gut verstehen können, was ihr schreibt. ☐

b Was sagt der Prüfer: Welche Fragen solltet ihr eurer Lehrerin oder eurem Lehrer stellen? Schreibt die Fragen auf und notiert die Antworten.

2 Bewertung

a Seht euch die Informationen zur Bewertung an. Ergänzt dann die Lücke.

Der Teil Schriftliche Kommunikation wird nach folgenden Kriterien bewertet:

Gesamteindruck	
maximal 3 Punkte	
Inhalt	
Wiedergabe	maximal 3 Punkte
Eigene Erfahrung	maximal 3 Punkte
Eigene Meinung	maximal 3 Punkte

Sprachliche Mittel	
Wortschatz	maximal 3 Punkte
Strukturen	maximal 3 Punkte
Korrektheit	
grammatische Korrektheit	maximal 3 Punkte
orthografische Korrektheit	maximal 3 Punkte

Für euren Text könnt ihr maximal ____________ Punkte bekommen.

b Was bedeuten die Kriterien? Ordne zu.

1 Gesamteindruck
2 Inhalt
3 Wortschatz
4 Strukturen
5 Korrektheit

A Benutzt du immer dieselben und ganz einfache Wörter und schreibst vom Aufgabenblatt ab? Oder benutzt du eigenes, unterschiedliches Vokabular, das gut zum Thema passt?

B Das ist, was der Prüfer nach dem ersten Lesen über deinen Text denkt. Er hat schon eine erste Meinung, wie gut dein Text ist. Jetzt liest er genauer und beachtet die anderen Kriterien.

C Hast du alle drei Leitpunkte auf dem Aufgabenblatt bearbeitet? Sind alle drei angemessen, also in einer passenden Länge und mit eigenen Beispielen bearbeitet?

D Du darfst Fehler machen, aber man muss verstehen, was du sagen möchtest.

E Schreibst du ganz einfache und kurze Sätze? Oder auch Satzverbindungen mit Nebensätzen und komplexere Sätze wie indirekte Fragen, Passivformen, Konstruktionen mit „... zu ..."?

3 Du darfst Fehler machen – aber man muss verstehen, was du meinst!

a Seht euch diese Sätze an. Wo ist der Unterschied und welcher Satz passt zum Bild?

A

1 ☐ Der Löwe frisst den Mann.
2 ☐ Den Löwen frisst der Mann.

B

1 ☐ Wir grillen jetzt Opa!
2 ☐ Wir grillen jetzt, Opa.

b Lies diese Einladung. Warum solltest du besser nicht kommen?

Liebe/r ...,

am 3. April habe ich Geburtstag und lade dich herzlich ein.
Es wird Tote geben. Kommst du?
Wir feiern in der Friedrichstraße 15. Bitte gib mir Bescheid, ob du kommst. Ich freue mich auf dich!

Liebe Grüße
Valentina

Modelltest

Leseverstehen

Gesamtdauer: 60 Minuten

Der Prüfungsteil Leseverstehen besteht aus **fünf Teilen**. Notiere deine Lösungen zuerst auf den Aufgabenblättern. Du hast insgesamt 60 Minuten Zeit, um die fünf Teile zu bearbeiten. Danach hast du 10 Minuten Zeit, um deine Lösungen auf das Antwortblatt zu übertragen.

Teil 1

Du findest unten einen kurzen Lesetext. Der Text hat vier Lücken (Aufgabe 1–4).
Setze aus der Wortliste (A–H) das richtige Wort in jede Lücke ein.
Einige Wörter bleiben übrig.

Wenn du den ganzen Text gelesen hast, wähle noch eine Überschrift aus (Aufgabe 5)!

Wortliste

A regelmäßig	B Wettkampf	C kommt	D besteht	E Schläger
F Meisterschaft	G Sport	H umfassend	Z treiben	

Es gibt viele Sportarten, die Jugendliche ___Z___ (0) können. Eine von ihnen ist das aus den 80er Jahren stammende Racketlon. Es kommt aus Nordeuropa, besonders aus Finnland und Schweden. Der erste offizielle __________ (1) hat 2001 stattgefunden und seitdem hat sich Racketlon in vielen Ländern verbreitet.

Der Name Racketlon kommt von dem englischen Wort „racket", das Schläger bedeutet. Es ist also nicht schwer herauszufinden, dass es ein __________ (2) ist, der mit Schlägern gespielt wird. Racketlon __________ (3) aus den vier populärsten Schlägersportarten: Tischtennis, Federball, Squash und Tennis. Alle vier Spiele spielt man nacheinander und nach den aktuellen Vorschriften der Disziplin. Wer nach allen vier Spielen die meisten Punkte gesammelt hat, der hat gewonnen. Um in diesem Sport erfolgreich zu sein, muss man __________ (4) trainieren und das in jeder der vier Disziplinen. Man hofft, dass diese fantastische Sportart immer beliebter wird.

Achtung! Wähle jetzt noch eine passende Überschrift zum Text aus!

Aufgabe 5
Welche Überschrift passt am besten zum Text? Kreuze an.

A ☐ Racketlon – der Sport der Zukunft
B ☐ Racketlon – der Sport in Nordeuropa
C ☐ Racketlon – der Sport aus vier Sportarten

Teil 2

Du liest acht kurze Texte über Projekte an Schulen und Informationen über fünf Schüler.
Lies die Aufgaben (6 - 9) und dann die Texte (A - H). Welcher Text passt zu welchem Schüler?

Schreibe den richtigen Buchstaben (A - H) in die rechte Spalte.

Du kannst jeden Buchstaben nur einmal wählen. Vier Buchstaben bleiben übrig.

Aufgaben 6 - 9

0	Eva räumt gern auf und kann gut malen.	Z
6	Paul möchte den Abfall getrennt sammeln und wiederverwerten.	
7	Stefan raucht nicht und meint, Zigaretten gehören nicht zu einem gesunden Lebensstil.	
8	Ute isst schon seit ihrer Kindheit viel Obst und Gemüse. Man ist, was man isst, sagt sie.	
9	Alina arbeitet gern im Freien und kennt sich gut mit Pflanzen aus.	

Texte A - H

Z	Bunte Wände, Toilette mit Musik und alles ordentlich und sauber! Mit diesem Projekt haben wir den 1. Platz beim Wettbewerb „Wir machen unsere Schule schöner!" belegt. Jetzt kümmern wir uns darum, dass alles so schön bleibt. Helft uns!
A	Mit Hilfe des Direktors haben wir drei Ideen zur Verschönerung unserer Schule umgesetzt: ein Studio für Aufnahmen und Radiobeiträge, getrennte Papierkörbe in den Klassen für unterschiedlichen Müll und einen Kunstrasen für den Schulhof, um die Zahl der Verletzungen zu reduzieren.
B	Wir machen Religion lebendig: In unserem *Garten zur Verständigung der Religionen* pflanzen wir Bäume, Blumen und Kräuter, die in der Bibel, im Koran und in der Thora genannt werden. Wir machen aus den Pflanzen Mischungen für duftenden Rauch, und aus den Blättern und Früchten gesunde Salate.
C	Wir engagieren uns beim Projekt „Große Schwester". Dabei übernehmen ältere Schülerinnen Patenschaften für jüngere Schülerinnen und Schüler und bieten Aktivitäten für sie an. Wir helfen ihnen bei den Hausaufgaben, sprechen über gesunde Ernährung und machen Ausflüge.
D	Wir organisieren eine internationale Sprachenmesse, auf der wir die Wahrzeichen und Symbole verschiedener Länder präsentieren - gebastelt aus recycelten Materialien! Je mehr Länder und Sprachen, desto besser! Macht mit!
E	Gesunde Ernährung ist ein wichtiges Thema: Wir möchten nicht länger nur Süßigkeiten und Chips essen! Deshalb suchen wir Sponsoren für eine Mensa, die gesundes, vielfältiges und vitaminreiches Essen anbietet. Das ist gut für alle!
F	Wir sind von der Idee des Recyclings begeistert, deshalb sammeln wir Geld für neue Mülltonnen an der Schule. Wir möchten mit der Firma BA-sura zusammenarbeiten und lernen, wie wir Müll besser trennen und recyceln können.
G	Wir möchten, dass unsere Schule gesund und sauber ist. Dazu soll unser Projekt beitragen: Wir pflanzen Bäume, wollen Wasserspender in der Schule aufstellen und verlangen, dass unsere Schule zu einer „rauchfreien Zone" wird. Helft uns und sammelt mit uns Unterschriften.
H	Die Natur ist wichtig, deshalb engagieren wir uns für den Umweltschutz. Wir laden Experten ein, die uns Tipps für ein umweltfreundliches Verhalten geben und erzählen, wie man Tiere und Natur schützen kann, wie man Müll richtig trennt und Energie spart.

Teil 3

Lies den Text und die Aufgaben (10 – 14).

Kreuze bei jeder Aufgabe (10 – 14) an: richtig oder falsch?

Ein Jahr in Deutschland? Ja, bitte!

Mario ist 18 Jahre alt und kommt aus Argentinien. Er wohnt in San Juan, einer schönen Stadt mit 115 000 Einwohnern ganz in der Nähe von Chile. Mario interessiert sich fürs Fotografieren, er lernt gern neue Sprachen und liebt es, fremde Kulturen und Menschen zu entdecken.

Seit zwei Jahren lernt er Deutsch an seiner Schule. Eine Freundin erzählte ihm von einem Wettbewerb, bei dem man ein Stipendium für ein Austauschjahr gewinnen konnte. Die Aufgabe war einfach: Eine Fotopräsentation darüber, wie man in Argentinien an Schulen lernt.

Leider waren es nur noch zehn Tage bis zum Einsendeschluss! Mario wollte etwas Besonderes und Originelles machen und dachte lange nach. Erst drei Tage vor dem Abgabetermin hatte er eine gute Idee: eine Stop-Motion-Präsentation! Stop-Motion ist eine Animationstechnik, bei der man viele Fotos in schneller Abfolge wiedergibt, so dass der Eindruck von Bewegung entsteht. Nach einem Tag hatte Mario seinen Beitrag fertig.

Aber es gab ein neues Problem: Er musste sich noch für den Wettbewerb im Internet registrieren und etwas über seinen Beitrag schreiben – auf Deutsch. Aber zum Glück half ihm seine Deutschlehrerin und Mario konnte seinen Beitrag gerade noch rechtzeitig vor Einsendeschluss abschicken.

Dann musste Mario warten. Er hatte wenig Hoffnung zu gewinnen. Aber dann, nach zwei Monaten, bekam er einen Anruf: Er hatte tatsächlich gewonnen. Mario konnte es zuerst nicht glauben und hatte tausend Fragen zum Stipendium. Aber jetzt freut er sich sehr und bald geht es los. Mario ist sicher, dass er eine sehr gute Zeit in Deutschland haben wird.

Aufgaben 10 – 14

		richtig	falsch
10	Mario lebt an der Grenze zu Chile.		
11	Mario erzählte seiner Freundin über sein Austauschjahr in Deutschland.		
12	Mario hatte nicht viel Zeit für seinen Beitrag.		
13	Mario hat alles ohne Hilfe geschafft.		
14	Mario war überzeugt, das Stipendium zu gewinnen.		

Teil 4

Lies den Text und die Aufgaben (15 – 20).

Kreuze bei jeder Aufgabe (15 – 20) die richtige Lösung an.

„Girls' Day" – ein Tag für Mädchen

Johanna Kuppler ist eine Schülerin aus Bielefeld. Sie hat zum ersten Mal am „Girls' Day" teilgenommen. Hier berichtet sie von dieser Erfahrung.

Der „Girls' Day" findet einmal im Jahr statt. Es ist ein Aktionstag, an dem Mädchen typische Männer-Berufe kennenlernen können. Also solche Berufe, die fast nur Männer ausüben. Für Jungen gibt es am selben Tag den „Boys' Day", an dem sie etwas über typische Frauenberufe erfahren. Wir haben in der Schule darüber gesprochen. Erst hatte ich gar keine Lust, an diesem „Girls' Day" teilzunehmen, weil ich mich nicht besonders für Technik oder Naturwissenschaften interessiere. Aus meiner Klasse wollten aber viele mitmachen, also habe ich mich auch angemeldet. Hauptsache keine Schule, dachte ich.

Viele Mitschüler haben über ihre Eltern einen Platz bekommen. Meine Eltern sind beide Lehrer und das ist ja eher ein Frauenberuf. Mein Vater hat mir aber trotzdem geholfen und mit ein paar Freunden aus seinem Sportverein gesprochen. Ein Freund fand die Idee so gut, dass er mir angeboten hat, für einen Tag in seiner Autowerkstatt zu arbeiten. Dort konnte ich einen Tag lang einen Mechaniker bei der Arbeit begleiten.

Ich war total überrascht, aber es hat mir großen Spaß gemacht! Ich habe bei zwei Autos das Öl gewechselt und die Lichter überprüft, Reifen gewechselt, Motoren gesäubert und noch viele andere Sachen gemacht, von denen ich vorher keine Ahnung hatte. Ich war sehr stolz auf mich.

Für die Männer in der Werkstatt war das auch eine interessante Erfahrung. Die Werkstatt ist klein und dort arbeiten keine Frauen. Wie ich hat auch die Werkstatt zum ersten Mal am „Girls' Day" teilgenommen. Am Anfang war es für die Mechaniker komisch, dass auf einmal ein Mädchen da war. Aber der Chef war sehr zufrieden mit mir und er meinte, er könnte sich vorstellen, dass in Zukunft auch mal junge Frauen eine Ausbildung in seinem Betrieb machen.

Das werde aber wahrscheinlich nicht ich sein. Ich fand den Tag zwar sehr interessant und ich habe auch viel gelernt und weiß jetzt mehr über Autos, aber mein Traumberuf ist Mechanikerin nicht. Auf jeden Fall habe ich jetzt besser verstanden, warum es so einen Aktionstag gibt. Nächstes Jahr möchte ich gern wieder beim „Girls' Day" dabei sein. Vielleicht bei der Polizei.

Aufgaben 15 – 20

15 **Johanna entschied sich für den „Girls' Day", weil …**

A ☐ sie unbedingt teilnehmen musste.
B ☐ sie sich für Männerberufe interessiert.
C ☐ viele Mitschüler teilnehmen wollten.

16 **Johanna begleitete beim „Girls' Day" einen …**

A ☐ bekannten Sportler im Verein.
B ☐ Angestellten in einer Autowerkstatt.
C ☐ erfahrenen Lehrer an der Schule.

17 **Johanna hat in der Werkstatt …**

A ☐ die Mechaniker überrascht.
B ☐ nur wenig mitgearbeitet.
C ☐ neue Tätigkeiten ausgeführt.

18 **In der Werkstatt arbeiteten …**

A ☐ junge Frauen.
B ☐ nur Männer.
C ☐ Männer und Frauen.

19 **Johanna macht nächstes Jahr …**

A ☐ eine Ausbildung zur Mechanikerin.
B ☐ wieder beim „Girls' Day" mit.
C ☐ ein Praktikum bei der Polizei.

---

20 **Johanna fand, dass der „Girls' Day" eine … Erfahrung war.**

A ☐ sehr schlechte
B ☐ wenig interessante
C ☐ überraschend gute

Teil 5

Lies die Texte (21 – 24) und die Überschriften (A – H). Was passt zusammen?

Schreibe den richtigen Buchstaben (A – H) in die rechte Spalte.
Einige Buchstaben bleiben übrig.

Aufgaben 21 – 24

0	Auch mit einfachen Digitalkameras kann man bessere Fotos schießen, wenn man die Einstellungen optimal nutzt. Ein erfahrener Fotograf erklärt, welche Einstellungen möglich und sinnvoll sind. Ihr lernt, wie man in verschiedenen Situationen und unter schlechten Bedingungen super Bilder macht. Bitte bringt eure eigene Digitalkamera mit. Vorkenntnisse sind nicht nötig.	Z
21	Das ist etwas für Anfänger und für Profis! Hier findest du lustige Figuren, schöne Kulissen und Hintergründe. Du brauchst nur noch eine Digital-Kamera und schon kann es losgehen. Mit den Tipps und Tricks aus dem Buch lernst du, deinen ersten Film zu machen - und ihn mit dem kostenlosen Programm aus dem Internet zu schneiden. Alleine oder mit deinen Freunden, nur für dich oder für das Internet. Spaß macht es garantiert.	
22	Pepe aus Uruguay reitet viele Kilometer mit seinem Pferd, um in die Schule zu kommen. Nurin läuft über zwei Stunden lang zur Schule, dabei muss er Elefanten und anderen Tieren aus dem Weg gehen - dennoch kommt er fast nie zu spät zur Schule. Sadaf ist vier Stunden unterwegs und freut sich trotzdem, dass sie jeden Tag am Unterricht teilnehmen darf. Denn sie ist ein Mädchen. Dieser Film begleitet diese drei Kinder, zeigt wunderschöne Bilder und gibt viel zum Nachdenken.	
23	Im Internet siehst du zahlreiche Videos: Von coolen Jungen und Mädchen, die wild die Skipiste herunterfahren, ohne Angst die tollsten Sachen mit dem Skateboard oder Mountainbike machen oder scheinbar ohne jede Schwierigkeit über hohe Mauern klettern und springen. Das sieht leicht aus, ist aber harte Arbeit. Dahinter steckt oft jahrelanges Training, sehr viel Vorsicht und eine gute Vorbereitung. Alex Dorf hat verschiedene Extremsportler begleitet und zeigt in seinem Dokumentarfilm, was man in den fertigen Videos nicht sieht.	
24	Schule ist nicht so einfach! Lange Stunden, viele Fächer, laute Mitschüler … und dann noch die Hausaufgaben. Wenn du lernen möchtest, wie Lernen dir wirklich Spaß macht, dann ist dieses Programm etwas für dich. Du kannst in kurzen Filmen und Übungen mit lustigen Figuren den Lernstoff der wichtigsten Fächer bis zur 9. Klasse wiederholen und gut verstehen. Für deine Eltern gibt es einen Überblick über deinen Lernfortschritt - denn du spielst ja nicht nur am Computer herum. Probiere es aus und lerne unsere spannende Lernwelt kennen.	

Überschriften A – H

Z	Schöne Bilder auch von Anfängern!
A	Gefahren und Risiken beim Radfahren
B	Kostenloses Programm aus dem Internet
C	Nichts für Anfänger
D	Für junge Filmemacher
E	Gefährliche Filme im Internet
F	Lernen spannend gemacht
G	Trotz schlechten Wetters unterwegs
H	Lange Wege fürs Lernen

Hörverstehen

Gesamtdauer: ca. 30 Minuten

Modelltest_HV1.mp3, www.klett-sprachen.de/dsd-1

Der Prüfungsteil Hörverstehen besteht aus fünf Teilen. Alle Arbeitsanweisungen und Pausen sind in den Hördateien enthalten. In den Pausen solltest du die Aufgaben lösen. Notiere deine Lösungen zuerst auf den Aufgabenblättern. Nach dem Abspielen der CD hast du 10 Minuten Zeit, um deine Lösungen auf das Antwortblatt zu übertragen.

Teil 1

Freizeitaktivitäten

Du hörst gleich fünf Szenen, von Leuten in der Freizeit. Zu jeder Szene gibt es drei Bilder.

Welches Bild passt? Kreuze beim Hören zu jeder Szene das richtige Bild (A oder B oder C) an.

Danach hörst du die Szenen noch einmal.

Szene 1

Sieh dir zuerst die Bilder an. Du hast dafür 6 Sekunden Zeit.

A ☐

B ☐

C ☐

Szene 2

Sieh dir zuerst die Bilder an. Du hast dafür 6 Sekunden Zeit.

A ☐

B ☐

C ☐

Szene 3

Sieh dir zuerst die Bilder an. Du hast dafür 6 Sekunden Zeit.

A ☐

B ☐

C ☐

Szene 4

Sieh dir zuerst die Bilder an. Du hast dafür 6 Sekunden Zeit.

A ☐

B ☐

C ☐

Szene 5

Sieh dir zuerst die Bilder an. Du hast dafür 6 Sekunden Zeit.

A ☐

B ☐

C ☐

 Modelltest_HV2.mp3, www.klett-sprachen.de/dsd-1

Teil 2

Durchsagen in der Schule

Du hörst gleich vier Durchsagen in der Schule.

Lies zuerst die Aufgaben (6–9). Du hast dafür 60 Sekunden Zeit.

Höre nun die Durchsagen. Löse die Aufgaben beim Hören.
Kreuze bei jeder Aufgabe die richtige Lösung (A oder B oder C) an.

Danach hörst du die Durchsagen noch einmal.

Aufgaben 6–9

6 Die Zeitung sucht ...

A ☐ professionelle Journalisten.
B ☐ interessierte Mitschüler.
C ☐ junge Lehrer.

7 Die Schülerzeitung Bleistift hat ...

A ☐ einen Wettbewerb gewonnen.
B ☐ 3000 Euro gewonnen.
C ☐ das Schulfest bezahlt.

8 Die Theater-AG ...

A ☐ führt ein neues Stück auf.
B ☐ verkauft in den Pausen Eintrittskarten.
C ☐ probt am Donnerstag.

9 Die Schüler der 10a ...

A ☐ haben immer Sport bei Frau Kolb.
B ☐ gehen heute ins Schwimmbad.
C ☐ treffen sich um 10 Uhr vor dem Schwimmbad.

Modelltest_HV3.mp3, www.klett-sprachen.de/dsd-1

Teil 3

Ein zukünftiger Fußballstar?

Leon Enders besucht die 11 Klasse einer Schule und spielt in der Jugendmannschaft eines bekannten Fußballvereins. Eine Schülerredakteurin hat ihn interviewt.

Lies zuerst die Sätze (10–14). Du hast dafür eine Minute Zeit.

Höre nun das Interview. Löse die Aufgaben beim Hören.
Kreuze bei jeder Aufgabe (10–14) an: richtig oder falsch?

Danach hörst du das Interview noch einmal.

Aufgaben 10–14

		richtig	falsch
10	Leon wollte immer nur Fußball spielen.		
11	Leon trainiert auch während der Unterrichtszeit.		
12	Leon versteht sich nur mit seinen Mitspielern gut.		
13	Leons Eltern machen sich Sorgen um ihren Sohn.		
14	Ein Leben ohne Fußball kann sich Leon nicht vorstellen.		

 Modelltest_HV4.mp3, www.klett-sprachen.de/dsd-1

Teil 4

Musikfestivals in Deutschland

Du hörst einen Bericht über Musikfestivals im Radio.

Lies zuerst die Aufgaben (15 - 20). Du hast dafür eine Minute Zeit.

Höre nun den Bericht über die deutschen Musikfestivals. Löse die Aufgaben beim Hören. Kreuze bei jeder Aufgabe die richtige Lösung (A oder B oder C) an.

Danach hörst du den Bericht noch einmal.

Aufgaben 15 - 20

15 Ein richtiges Musikfestival ...

A ☐ sollte mehr als drei Tage dauern.
B ☐ ist nur für wilde Fans.
C ☐ muss bekannte Bands vorstellen.

16 Die Festivalbesucher ...

A ☐ beschweren sich über die Hygiene.
B ☐ suchen sich eine Band aus.
C ☐ brauchen bequeme Sitzplätze.

17 Da das Essen teuer ist, sollte man ...

A ☐ in billigen Restaurants essen.
B ☐ eigenes Essen mitbringen.
C ☐ vor allem Obst und Säfte kaufen.

18 Die wilden Tänzer ...

A ☐ können sich manchmal verletzen.
B ☐ müssen weit weg von der Bühne tanzen.
C ☐ brauchen besonders häufig Sanitäter.

19 Die meisten Festivals finden ... statt.

A ☐ im Monat August
B ☐ mit unterschiedlicher Musik
C ☐ umsonst und im Freien

20 Zum Festival Rock am Ring kommen jährlich ...

A ☐ wenig Besucher.
B ☐ 17 Bands.
C ☐ über 80 000 Fans.

 Modelltest_HV5.mp3, www.klett-sprachen.de/dsd-1

Teil 5

Lieblingsbücher

Du hörst gleich Berichte von fünf Jugendlichen über ihre Lieblingsbücher.

Lies zuerst die Liste mit den Buchtiteln (A – H). Du hast dafür 30 Sekunden Zeit.

Notiere beim Hören zu jedem Bericht den richtigen Buchstaben (A – H).

Einige Buchstaben bleiben übrig.

Du hörst die Berichte **nur einmal**. Zuerst hörst du ein Beispiel.
Das Beispiel hat die Nummer 0.
Die Lösung ist Z.

Buchtitel A – H

Z Der Prinz des Waldes

A Das Schloss der Königin

B Verrückt verliebt

C Reise zu mir

D Leben einer Prinzessin

E Reise rund um die Welt

F Doch nicht perfekt

G Angst in der Nacht

H Der Prinz und ich

Aufgaben 21 – 24

Nr.	Buchstabe
0	*Z*
21	
22	
23	
24	

Ende des Prüfungsteils Hörverstehen.
Übertrage jetzt deine Lösungen auf das Antwortblatt. Du hast dafür 10 Minuten Zeit.

Schriftliche Kommunikation

Gesamtdauer: 75 Minuten

Aufgabe

Sport in der Schule

In einem Internetforum gibt es eine Diskussion zum Thema Sport in der Schule. Du findest dort folgende Aussagen:

Markus: Sport ist mein absolutes Lieblingsfach, am liebsten spiele ich Fußball. Ich finde Sport in der Schule total wichtig, weil wir den ganzen Tag nur sitzen und uns nicht bewegen. Sport fördert außerdem den Teamgeist und das hilft auch in der Schule.

Alexandra: Ich hasse Sportunterricht. Da muss man immer alles mitmachen, auch wenn man die Sportart nicht mag. Es ist auch ungerecht, dass man im Sport Noten bekommt. Die sportlichen Schüler sind immer im Vorteil. Ich bin unsportlich und bekomme immer eine schlechte Note.

Benjamin: Ich trainiere jeden Tag im Sportverein und brauche deshalb keinen Sport in der Schule. Aber für die Schüler, die sich sonst nicht bewegen, ist Schulsport sehr wichtig. Da müssen sie sich bewegen und lernen so, dass Sport gut für sie ist.

Nina: Ich mache gerne Sport und finde auch den Sportunterricht super. Das ist eine gute Abwechslung zu den anderen Fächern. Klar, dass wir auch Sportarten machen, die ich nicht so toll finde, z. B. Fußball. Aber das machen dann andere Schüler gerne und so hat jeder mal Spaß am Sportunterricht.

Schreibe **einen Beitrag für das Internetforum.**
Bearbeite in deinem Beitrag die folgenden drei Punkte **ausführlich.**

- Gib die Aussagen der vier Jugendlichen mit eigenen Worten wieder.
- Welchen Sport machst du gern / nicht gern? Warum?
- Wie denkst du über Schulsport? Begründe deine Meinung.

Du brauchst die Wörter in deinem Text <u>nicht</u> zu zählen.

Antwortblatt zum Prüfungsteil Leseverstehen

Name

Vorname

Übertrage deine Lösung und markiere das Feld so [X]
Wenn du deine Lösung korrigieren möchtest, färbe das Feld ganz. ■
Markiere dann die richtige Lösung [X]

Teil 1

	A	B	C	D	E	F	G	H
1								
2								
3								
4								
5								

Teil 2: Projekte an Schulen

	A	B	C	D	E	F	G	H
6								
7								
8								
9								

Teil 3: Ein Jahr in Deutschland? Ja bitte!

	richtig	falsch
10		
11		
12		
13		
14		

Teil 4: „Girls' Day" – ein Tag für Mädchen

	A	B	C
15			
16			
17			
18			
19			
20			

Teil 5

	A	B	C	D	E	F	G	H
21								
22								
23								
24								

Antwortblatt zum Prüfungsteil Hörverstehen

Name ______________________ Vorname ______________________

Übertrage deine Lösung und markiere das Feld so [X]
Wenn du deine Lösung korrigieren möchtest, färbe das Feld ganz. ■
Markiere dann die richtige Lösung [X]

Teil 1: Freizeitaktivitäten

	A	B	C
1			
2			
3			
4			
5			

Teil 2: Durchsagen in der Schule

	A	B	C
6			
7			
8			
9			

Teil 3: Ein zukünftiger Fußballstar?

	richtig	falsch
10		
11		
12		
13		
14		

Teil 4: Musikfestivals in Deutschland

	A	B	C
15			
16			
17			
18			
19			
20			

Teil 5: Lieblingsbücher

	A	B	C	D	E	F	G	H
21								
22								
23								
24								

1 Rund um die mündliche Prüfung

a Die neue Deutschlehrerin Anita Berger kennt die mündliche DSD I Prüfung noch nicht so gut. Sie schreibt ihrer erfahrenen Kollegin. Lies die E-Mail und markiere Anitas Fragen in verschiedenen Farben.

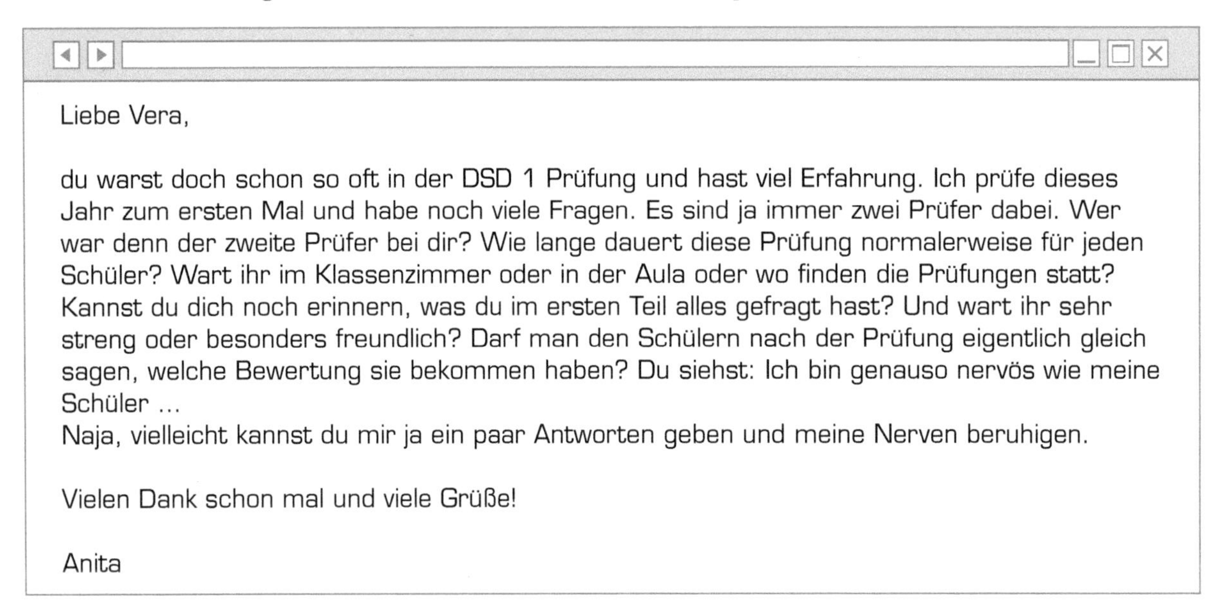

Liebe Vera,

du warst doch schon so oft in der DSD 1 Prüfung und hast viel Erfahrung. Ich prüfe dieses Jahr zum ersten Mal und habe noch viele Fragen. Es sind ja immer zwei Prüfer dabei. Wer war denn der zweite Prüfer bei dir? Wie lange dauert diese Prüfung normalerweise für jeden Schüler? Wart ihr im Klassenzimmer oder in der Aula oder wo finden die Prüfungen statt? Kannst du dich noch erinnern, was du im ersten Teil alles gefragt hast? Und wart ihr sehr streng oder besonders freundlich? Darf man den Schülern nach der Prüfung eigentlich gleich sagen, welche Bewertung sie bekommen haben? Du siehst: Ich bin genauso nervös wie meine Schüler ...
Naja, vielleicht kannst du mir ja ein paar Antworten geben und meine Nerven beruhigen.

Vielen Dank schon mal und viele Grüße!

Anita

b Auf welche Fragen habt ihr schon eine Antwort?

c Welche Antworten gibt Vera auf Anitas Fragen? Unterstreiche in denselben Farben.

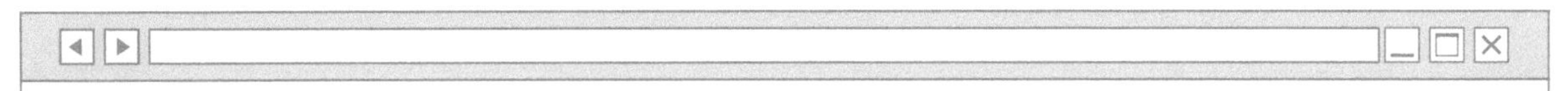

Liebe Anita,

mir ging es vor meiner ersten Prüfung auch so, aber keine Panik!
Letztes Jahr hat der deutsche Lektor mit mir zusammen geprüft und das war sehr angenehm. Manchmal ist es aber auch ein anderer Deutschlehrer.
Wir versuchen immer, sehr nett zu den Prüflingen zu sein, um sie zu beruhigen. Es hilft auch, dass die Prüfungen in unserem Raum stattfinden. Im ersten Teil, der dauert ungefähr 5 Minuten, stelle ich vier oder fünf Fragen zu verschiedenen Themen. Da ich meine Schüler besser kenne als z. B. der Lektor, stelle ich auch die meisten Fragen. Dabei achte ich auf die Interessen der Schüler. Wenn ich weiß, ein Schüler hat ein interessantes Hobby, dann frage ich danach. Manche Schüler sprechen nicht gern über ihre Familie, dann frage ich lieber nach ihrem Lieblingsbuch oder einem Beruf, den sie später mal ergreifen wollen. Eigentlich sind die Schüler aber auf alle Fragen gut vorbereitet, denn wir haben im Unterricht schon über alle gesprochen.
Im zweiten Teil geht es dann um die vorbereitete Präsentation. Viele Schüler machen eine Power-Point-Präsentation, andere stellen ihr Thema mit einem Poster, Fotos oder passenden Gegenständen vor. Es gibt viele Möglichkeiten und oft sind wirklich gute Präsentationen dabei. Es kommt natürlich immer darauf an, was die Schüler zu ihrem Material sagen. Zu viel Technik ist manchmal auch ein Problem, wenn der Computer nicht funktioniert oder so.
Die Themen habt ihr ja vor ein paar Monaten festgelegt, damit genug Zeit zur Vorbereitung ist. Während der Präsentation mache ich mir immer Notizen, man muss danach ja noch ein paar Fragen dazu stellen. Außerdem hilft mir das bei der Bewertung. Ich sage das meinen Schülern vorher, damit sie das Schreiben nicht nervös macht.
Jede Prüfung dauert insgesamt ungefähr 15 Minuten. Das geht ganz schnell vorbei und oft gehen die Schüler raus und sagen: „Das war gar nicht schlimm!" Die Bewertung erfahren sie aber immer erst später.
Wenn du noch Fragen hast, dann melde dich einfach nochmal bei mir, ok?

Liebe Grüße
Vera

d Was ist richtig? Kreuz an.

1 Der Teil Mündliche Kommunikation hat ...

A ☐ einen Teil
B ☐ zwei Teile
C ☐ drei Teile

2 ... und dauert ...

A ☐ ungefähr 4 bis 5 Minuten.
B ☐ ungefähr eine Viertelstunde.
C ☐ weniger als 15 Minuten.

3 Es prüft ...

A ☐ deine Deutschlehrerin oder dein Deutschlehrer.
B ☐ zwei fremde Deutschlehrerinnen oder dein Deutschlehrer.
C ☐ deine Deutschlehrerin oder dein Deutschlehrer und noch eine andere Person.

e Frag deine Lehrerin oder deinen Lehrer und notiere:

Wann findet deine mündliche Prüfung statt? ______________________

Wo findet deine mündliche Prüfung statt? ______________________

Wer wird dich prüfen? ______________________

2 Bewertung

a Seht euch die Tabelle an: Wie viele Punkte kann man bekommen?

Teil 1:		**Teil 2:**	
Wortschatz	max. 3 Punkte	Wortschatz	max. 3 Punkte
Strukturen	max. 3 Punkte	Strukturen	max. 3 Punkte
		Inhalt	max. 3 Punkte
		Präsentation	max. 3 Punkte
Teil 1 und 2: Aussprache und Intonation		max. 3 Punkte	
Grammatik		max. 3 Punkte	

Insgesamt maximal ______ Punkte

b Was wird bewertet? Ordne zu.

1 Die Prüfer können gut verstehen, was du präsentierst.
2 Du kannst über allgemeine Themen sprechen.
3 Die Materialien in deiner Präsentation helfen, deinen Vortrag zu verstehen.
4 Wenn du ein Wort nicht weißt, kannst du mit anderen Worten sagen, was du meinst.
5 Dein Vortrag hat eine klare Reihenfolge (Struktur).
6 Du kannst Sätze unterschiedlich formulieren.
7 Du hast dein Thema gut verstanden.
8 Du kennst die richtigen Wörter, um über dein Thema zu sprechen.
9 Du kannst Sätze verbinden.
10 Du kannst Fragen zum Thema gut beantworten.
11 Du betonst die Wörter meistens richtig.
12 Du machst Fehler, trotzdem verstehen dich die Prüfer.
13 Man hört, dass Deutsch nicht deine Muttersprache ist, aber man versteht dich.
14 Du erklärst und begründest, was du sagst.
15 Du weist auf deine Materialien hin und sprichst auch über sie.

Wortschatz	Strukturen	Grammatik	Inhalt	Präsentation	Aussprache / Intonation
			1		

Teil 1: Das Gespräch

1 Fragen, Fragen, Fragen …

Such im Buch nach Fragen mit dem **?** und schreibe sie zum passenden Thema.

Reisen	Wichtige Menschen
?	?
Schule	**Freizeit**
?	?
Arbeit und Berufe	**Feste und Feiern**
?	?
Natur und Umwelt	**Medien**
?	?
Ich	**Vielfalt**
?	?

? **2** Erzähle …

a Schreib diese vier Fragen richtig. Entscheide dann, auf welche Frage des Prüfers Tom geantwortet hat.

deine Wie alt Geschwister sind?

Ferienjob von deinem Erzähle letzten.

Mein Lieblingsfach ist Sport – das macht mir immer Spaß.

Fach in der Welches am Schule meisten interessiert dich?

läuft ab Wie der ein Tag ganz an normaler Schule bei dir?

b Antwortet Tom gut oder nicht? Warum?

Tipp

Antworte auf die Fragen nicht nur mit einem Wort. Erzähle oder berichte etwas mehr und zeige, was du kannst. Du kannst z. B. begründen, warum du ein Hobby so gerne machst, wo, wie oder mit wem du das machst …

3 Ausführlich erzählen üben

a Was könnte man alles zu dieser Frage erzählen? Sammelt Ideen an der Tafel.

Welches Fach in der Schule interessiert dich am meisten?

Sport
- welche Sportarten
- Sportlehrer nett
- nicht so gut: schwitzen und duschen nach dem Sport

b Sammelt Ideen, um diese Frage zu beantworten. Denkt an weitere W-Fragen.

Erzähle von deinem besten Freund oder deiner besten Freundin.

Wie heißt die Person? **Wie ist die Person?** **Wie lange kennst du die Person schon?**
Was macht die Person? **Was macht ihr zusammen?** **Woher kennst du sie?** …

c Antwortet auf die beiden Fragen in a und b. Versucht mindestens 30 Sekunden zu sprechen.

Tipp

Antworte so ausführlich wie möglich. Es ist besser, wenn dich der Prüfer während deiner Antwort unterbricht, als wenn du zu kurz antwortest.

4 Üben, üben, üben

Bildet Gruppen mit je drei Personen und übt:

- spontan erzählen
- ruhig bleiben
- auf Folgefragen reagieren

A der Prüfling: Antwortet auf eine Frage mindestens 30 Sekunden lang.

B der Prüfer: Stellt eine Frage aus der Tabelle S. 152, hört zu und macht Notizen.

C Hört zu, achtet auf die Zeit, stellt weitere Fragen (denkt an die W-Wörter!) und macht Notizen.

Tauscht nach jeder Frage die Rollen.

Teil 2 – Die Präsentation: Ein Thema wählen

1 Marisol sucht ein Thema für ihre Präsentation

a Was rät ihre Deutschlehrerin? Lies und markiere.

Wir müssen ein halbes Jahr vor der Prüfung ein Thema festlegen. Geeignet sind Themen, zu denen du einen persönlichen Bezug hast. Das heißt, am besten präsentierst du etwas, das du selbst erlebt hast oder etwas, das wir zusammen im Unterricht gemacht haben. Es sollte etwas sein, das dich interessiert, und zu dem du viel weißt, denn darüber kannst du gut und zu verschiedenen Aspekten erzählen – und musst auch bei Nachfragen nicht lange überlegen, was du sagen könntest. Nimm lieber kein Thema, das auch für dich neu oder kompliziert ist, und das du nicht einfach und kurz erklären kannst. Das ist schwer für dich und macht auch dem Zuhörer keinen Spaß. Wichtig ist, dass du auch Material, z. B. Fotos, Bilder oder Gegenstände für deinen Vortrag hast, denn die Prüfer wollen auch etwas sehen.

b Ein Punkt fehlt noch. Suche auf S. 55 und ergänze den Satz.

Besonders gut ist ein Thema, das auch etwas mit ______________________ zu tun hat.

c Marisols Klasse hat Themen gesammelt. Welche findet ihr geeignet und warum?

Fußball: Hobby Nr. 1 in Deutschland und auch bei mir
Schulsysteme im internationalen Vergleich
Mein Leben in der Großstadt
Ich stelle meine Lieblingsstadt vor.
Mein Lieblingsbuch
Mein Traumberuf
Soziale Netzwerke – meine Erfahrungen mit Facebook
Friedrich Schiller: Leben und Werk
Mein Beitrag zum Umweltschutz
Medien im Alltag
Deutsche Spuren in unserer Stadt
Mein Austauschjahr in Deutschland
Ich mag deutsche Musik
Online-Shopping: Ein attraktives Angebot?
Mode
Unser Schüleraustausch mit Russland
Erneuerbare Energien – Die Lösung für Umweltprobleme!

d Sind Themen dabei, die dich interessieren? Welche und warum?

e Sammelt mögliche Themen. Denkt dabei an …

- eure Hobbys
- Projekte, die ihr in der Schule durchgeführt habt
- Präsentationen, die ihr für den Deutschunterricht gemacht habt
- Themen, die ihr in (anderen) Fächern besprochen habt
- Deutschland oder Deutsch
- die Themen in diesem Buch

2 Welches Thema wählst du?

Ich mache eine Präsentation über: ______________________

Teil 2 – Die Präsentation: Aspekte sammeln und das Thema gliedern

1 Thema: Mein deutsches Lieblingsbuch

a Was könnte man zu diesem Thema präsentieren? Formuliert W-Fragen in einer Mindmap.

b Tauscht eure Mindmaps mit einer anderen Gruppe, vergleicht und ergänzt sie.

c Sammelt und vergleicht Ideen, was man zu den W-Fragen sagen könnte.

2 Ein Thema gliedern

a Welche Punkte gehören zu welchem Thema? Verbinde mit zwei verschiedenen Farben.

Warum will ich über den Austausch berichten?
Die Bands Rammstein und Silbermond
Texte und Themen
Welche Unterschiede habe ich beobachtet?
Die Fans
Meine Gastfamilie
Unsere Reiseroute
Ängste und Erwartungen
Konzerte in Deutschland
Die Stadt und die Schule
Konzerte international
Schulalltag
Bekannte Musikbands aus Deutschland
Warum habe ich dieses Thema gewählt?
Konzerte
Mein Lieblingslied

Ich mag deutsche Musik

Unser Schüleraustausch mit Nürnberg

b Wählt ein Thema. Ergänzt weitere Punkte, über die ihr sprechen würdet.

c Gliedert eure Punkte: Welche sind Überschriften, welche Punkte darunter?

d Vergleicht eure Gliederungen. Diskutiert die Fragen und einigt euch auf eine Gliederung.

- Welche Punkte findet ihr wichtig?
- Fehlen noch Punkte?
- Welche sind nicht so gut für eine Präsentation?
- In welcher Reihenfolge würdet ihr über die Punkte sprechen?

e Schreibt eure Gliederung auf ein großes Blatt. Hängt alle Gliederungen auf und vergleicht sie.

Tipp

Sammelt zuerst einmal viele Ideen, wählt dann aber die wichtigsten aus – ihr habt in der Prüfung ja nur ca. 5 Minuten Zeit für eure Präsentation. Wichtig: Gliedert eure Ideen und Inhalte! Wenn der Aufbau des Vortrags klar ist, dann kann der Zuhörer besser folgen.

3 Ideen zu deinem Thema

a Schreib dein Thema und deine Ideen oder W-Fragen dazu auf ein Blatt.

b Hängt alle Blätter auf und besprecht: Was würden die anderen noch gern zum Thema hören oder sehen?

c Ergänze die neuen Ideen auf deinem Blatt.

4 Dein Thema gliedern

a Markiere in deiner Ideensammlung (siehe Aufgabe 3): Welche Fragen / Ideen sind Überschriften, welche sind Punkte darunter?

b In welcher Abfolge willst du über die Punkte sprechen? Schreib eine erste Gliederung auf ein Blatt und stell sie vor. Die anderen achten auf:

- Ist die Gliederung logisch?
- Fehlen interessante Punkte?
- Ist etwas nicht so wichtig?

c Überarbeite deine Gliederung und schreib sie in eine Tabelle. Lass Platz, um zu jedem Punkt später Ideen zu Material und Text zu notieren.

Thema: ...

Überschriften	Unterpunkte	

Tipp

Beachte auch den Bezug zum deutschsprachigen Raum und / oder den Vergleich zwischen deinem Land und Deutschland.

Teil 2 – Materialien für die Präsentation auswählen

1 Ansprechend

Marisol präsentiert das Thema „Mein deutsches Lieblingsbuch". Dazu hat sie dieses Material gesammelt. Ordne zu: Was ist zum Sehen / Anfassen / Schmecken / Riechen?

Tipp

Dein Material muss zu deinem Thema passen und das, was du sagst, verdeutlichen. Es kann sehr unterschiedlich sein, je nachdem, welche Präsentationsform du wählst.

2 Dein Thema – dein Material

a Welches Material hast du schon? Was brauchst du noch? Schreib eine Liste.

b Welches Material ist auf Deutsch?

Thema: Mein deutsches Lieblingsbuch

Material:

Habe ich schon	Weitere Ideen
das Buch eine Tafel Schokolade das Hörbuch	Foto der Autorin

Tipp

Wenn du gleich mit deutschsprachigem Material arbeitest, sparst du dir Zeit zum Übersetzen. Außerdem findest du dort auch wichtigen Wortschatz für deine Präsentation.

c Materialbasar: Hängt eure Listen auf. Jeder darf weitere Ideen ergänzen.

d Sammelt Ideen, woher ihr weiteres Material bekommen könnt.

Natürlich im Internet! Oder hier in der Schulbibliothek.

Es gibt doch auch dieses deutsche Restaurant in der Stadt. Oder man könnte bei der deutschen Botschaft fragen.

Teil 2 – Die Präsentationsform wählen

1 Präsentationsformen

a Kennt ihr diese Präsentationsformen? Welche haltet ihr für das DSD I für geeignet? Warum?

Folien über einen Overhead-Projektor zeigen

aus einem Buch vorlesen

ein Lied singen

eine Ausstellung mit Fotos und Gegenständen machen

ein Interview führen

einen Videofilm zeigen

nur sprechen

ein Hörspiel vorspielen

etwas an die Tafel schreiben

eine Bildschirmpräsentation über Computer und Projektor machen

ein Plakat gestalten

eine Collage gestalten

ein Experiment vorführen

etwas an einem Modell erklären

b Welche Materialien oder Medien nutzen diese Schüler für ihre Präsentation? Welches Thema haben sie vielleicht?

A

B

C

D

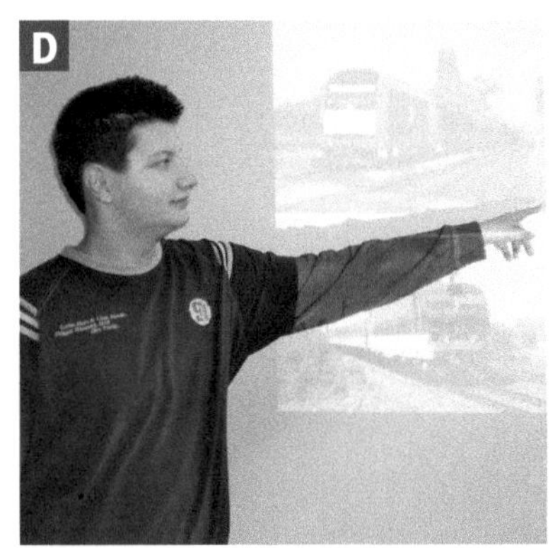

E

Tipp

Wie und mit welchen Materialien du präsentierst, muss immer zu deinem Thema und dem, was du erzählst, passen. Und auch zu dir. Wenn du nicht gern mit dem Computer arbeitest, dann ist vielleicht ein Plakat oder eine Flip-Chart zum Umblättern besser als eine Bildschirmpräsentation.

c Welche Vor- und Nachteile haben die verschiedenen Präsentationsformen und Medien? Diskutiert und notiert eure Ergebnisse.

Die Idee mit der Banane ist lustig, aber nichts für mich.

Immer nur PowerPoint ist auch langweilig.

	+	–
Plakat		
PowerPoint-Präsentation		

2 Die passende Präsentationsform finden

a Seht euch an, was Pawel bis jetzt geplant hat. Welche Präsentationsform würdet ihr ihm empfehlen? Warum?

Thema: Unser Schüleraustausch mit Nürnberg.

Überschriften	Unterpunkte	Präsentationsmaterial
Die Hinreise	Vorbereitung Panne Stimmung Ankunft	Landkarte, Reiseführer Fotos Musik
Die Stadt und die Schule	Lage Einwohner Warum die Schule so heißt Die Geschichte der Schule	Landkarte Jahrbuch der Schule: Foto des Namengebers alte Fotos
Das Programm für die Austauschschüler	Das war sehr lustig Das war schwierig / langweilig.	
Das Gebäude und das Schulgelände	Die Räume – anders als bei uns: das Lehrerzimmer die Bibliothek der Schulhof die Schulküche der Kiosk	Fotos Speiseplan
Die Personen	Schüler Lehrer der Direktor der Hausmeister	Klassenfoto Fotos Videos von unseren Interviews
Der Unterricht		Stundenplan Heft, Geschichtsbuch
Meine Gastfamilie		Fotos Abschiedsgeschenk
Das Programm nach der Schule	Ausflüge Abendprogramm Sonntag mit der Familie	Prospekte Postkarten Eintrittskarten Fernsehzeitung
Die Rückreise	Abschied: Tränen	Mein Foto-Tagebuch Souvenirs Foto: Mitbringsel für meine Eltern

Präsentationsform:

b Wie findet ihr Pawels Planung? Was würdet ihr ergänzen, was weglassen?

c Vergleicht, was ihr bis jetzt für euer Thema geplant habt (siehe auch S. 156, Aufgabe 4 und 2). Welche Präsentationsform würde passen?

d Entscheide dich für eine Präsentationsform und ergänze:

Präsentationsform: ____________________

Was brauche ich?	Gibt es an der Schule	Muss ich besorgen
CD-Player	x	
Karton für Plakat		x

Teil 2 – Visuelle Materialien auswählen und richtig einsetzen

1 Wozu?

a Was haben Marisol und Pawel mitgebracht? Was wollen sie damit machen?

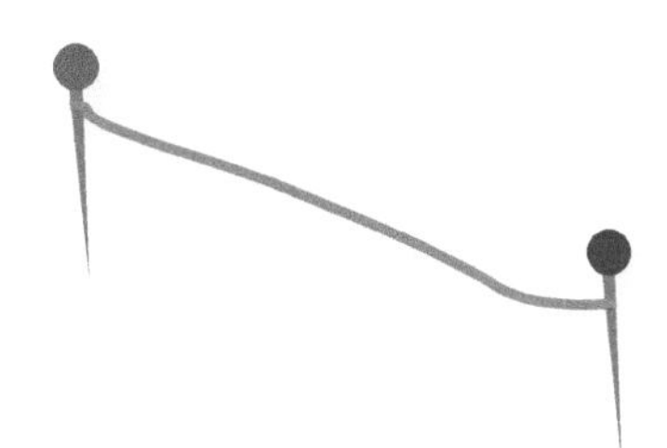

47

b Hör zu: Was machen die Schüler tatsächlich mit dem Material?

Tipp

Egal was du als Material in deine Präsentation mitbringst, sprich darüber. Zeige, was du hast, und erkläre, warum du es dabeihast. Deine Fotos oder andere Materialien sollten das anschaulich machen, was du in deiner Präsentation sagst.

2 Sprechende Bilder

a Was sagen diese Bilder? Macht Notizen.

A

B

C

b Welcher Schüler spricht über welches Foto? Passen die Fotos zum Text? Muss man noch mehr erklären? Oder andere Fotos wählen? Warum? Diskutiert.

Milo: Das Foto habe ich auf dem Hinflug gemacht. Leider sieht man das nicht so gut, aber unter den Wolken war schon Frankfurt. Kurze Zeit später sind wir gelandet.

Kim: Die Trommel ist ganz schön schwer, wenn man die bei einem Konzert lange tragen muss. Ich spiele trotzdem gern im Schulorchester, besonders bei großen Sportveranstaltungen.

Tipp

Manche Fotos sprechen für sich, bei anderen musst du mehr erklären. Überlege dir auch, ob das Foto das richtige für das ist, was du sagen willst.

Alina: Das ist meine Gastmutter Claudia. Sie hat früher als Deutschlehrerin gearbeitet – jetzt macht sie aber etwas ganz anderes und das ist sehr spannend: Sie trainiert Hunde für die Polizei.

3 Deine Materialien

a Bringt eure Materialien mit und was ihr bis jetzt geplant habt. Diskutiert:

- Wo passt welches Material?
- Was soll das Material erklären?
- Ist das Material gut dafür?
- Was muss man noch dazu sagen?
- Fehlt noch Material?

b Überarbeite deine Gliederung und ergänze, welches Material du wo verwenden willst.

Teil 2 – Visuelle Materialien gestalten

1 Seht euch das Plakat und die Folie an. Was findet ihr gut, was nicht?

ANDERS SEIN

Das ist ein total wichtiges Thema, weil das jede Person betrifft. Manchmal diskriminiert man und manchmal wird man diskriminiert. Und das ist immer nicht schön!

Das hier ist zum Beispiel ein dickes Kind. Er hat keine Freunde, weil er so dick ist. Niemand spielt mit ihm und deshalb sitzt er den ganzen Tag vor dem Fernseher und isst Chips und andere Sachen. Ungesunde Ernährung ist ein Grund dafür, dass man dick wird. Aber manchmal sind dicke Leute auch krank und können gar nichts dafür.

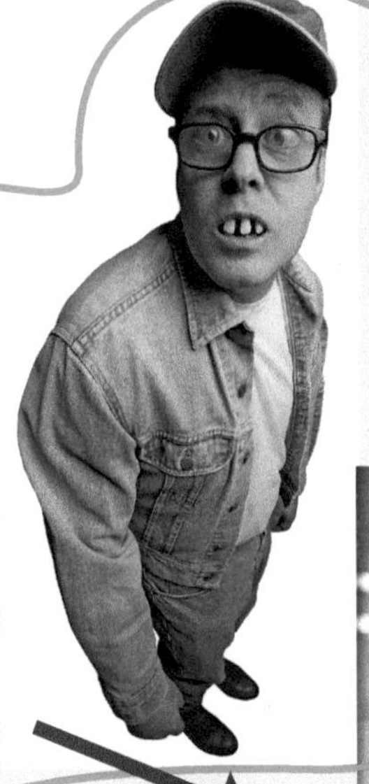

Der Mann ist hässlich. Vielleicht wurde er so geboren oder vielleicht ist er krank. Hässliche Leute werden auch diskriminiert, weil keiner etwas mit ihnen machen will. Das ist unfair, weil manche Leute sehen so aus und auch schöne Kleidung hilft nicht. Und auch eine Schönheitsoperation kann man nicht immer bezahlen.

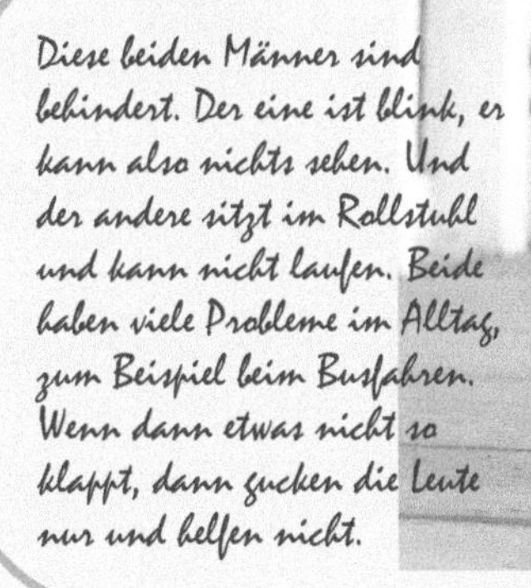

Diese beiden Männer sind behindert. Der eine ist blink, er kann also nichts sehen. Und der andere sitzt im Rollstuhl und kann nicht laufen. Beide haben viele Probleme im Alltag, zum Beispiel beim Busfahren. Wenn dann etwas nicht so klappt, dann gucken die Leute nur und helfen nicht.

2 Alex weiß mehr über die Gestaltung von Plakaten und Folien.

a Markiere die wichtigsten Tipps.

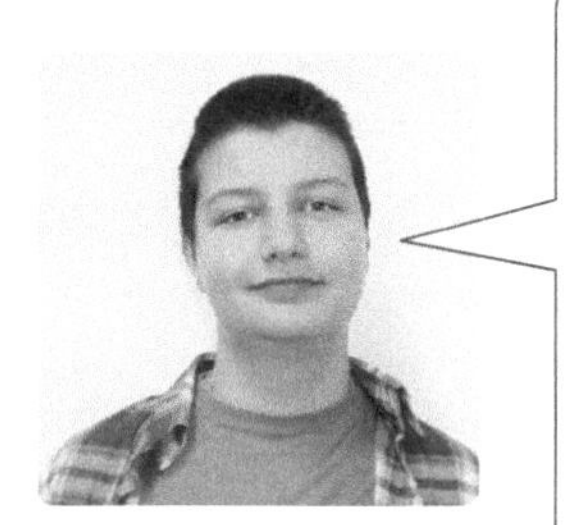

Wenige Fotos sind besser als zu viele. Am besten macht man sie so groß wie möglich, sonst erkennt man nicht, was auf den Fotos zu sehen ist. Zu den Fotos kann man eine Überschrift oder ein paar Stichwörter schreiben, aber nicht mehr, also keine langen Texte. Mehr Informationen gibt man besser mündlich. Die Schriftgröße muss groß genug sein, um auch aus ein paar Meter Entfernung etwas lesen zu können. Man muss die Schriftart auch gut lesen können und am besten nimmt man nur eine Schriftart. Zu viele verschiedene Schriftarten oder -farben lenken das Auge ab und machen alles unübersichtlich. Man sollte gut erkennen, welche Stichwörter zu welchem Foto gehören oder welche Fotos zusammenpassen. Eine Reihenfolge kann man durch Nummern oder Pfeile angeben. Bei PowerPoint-Präsentationen sollte auf der ersten Folie das Thema stehen und auf der letzten kann man „Danke für Ihre Aufmerksamkeit!" oder so schreiben, auch den Namen, die Klasse und das Schuljahr. Zehn bis zwölf Folien reichen aus, man soll ja dazu sprechen können.

b Fasst die Tipps zusammen.

Anzahl der Fotos:
Schriftgröße:
Schriftart:
Farben:
...

3 Stellt euch gegenseitig eure Plakate oder Folien vor und gebt euch Tipps für eine gute Gestaltung.

Teil 2 – Die Präsentation aufbauen

1 Eine Präsentation hat verschiedene Teile

a Bringe die Teile in die richtige Reihenfolge.

☐ Hauptteil ☐ Schluss ☐ Überleitungen ☐ Einleitung

b Was passt zu welchem Teil? Verbinde mit drei verschiedenen Farben.

1	Ich sage, welche Präsentationsform ich gewählt habe.
2	Ich nenne meine Materialien.
3	Ich fasse das Wichtigste noch einmal zusammen.
4	Ich sage, warum ich das Thema gewählt habe.
5	Ich präsentiere meine Materialien.
6	Ich gebe einen Überblick über meinen Vortrag.
7	Ich stelle verschiedene Aspekte meines Themas vor.
8	Ich zeige während des Sprechens auf meine Materialien.
9	Ich kläre wichtige Fragen.
10	Ich danke den Zuhörern.

Einleitung

Hauptteil

Schluss

2 Die Einleitung

a Lest die Redemittel in den Sprechblasen und ergänzt sie zu jeweils einem Text.

Mein Thema ist … Dafür habe ich zwei Plakate vorbereitet. Dort sehen Sie auch die zwei wichtigsten Punkte / Fragen / Aspekte, um die es geht, nämlich …

Ich habe Ihnen etwas mitgebracht, einen / eine … Das ist ein wichtiger Teil von meinem Hobby – und darüber spreche ich heute: Mein Hobby „ …"

Wir haben uns im Unterricht mit dem Thema … beschäftigt. Mich hat … besonders interessiert, und deshalb habe ich dazu eine Präsentation vorbereitet. Auf … Folien möchte ich Ihnen mit Fotos und Überschriften mehr zum Thema erzählen.

Meine Präsentation über das Thema … hat … Teile. Zuerst spreche ich über …, dann über … und zum Schluss noch über …

Fünf Minuten sind nicht viel Zeit, um Ihnen mein Thema … vorzustellen. Ich habe deshalb … Punkte ausgewählt, zu denen ich mehr erzählen möchte. Diese Punkte sind …

Zu Beginn habe ich Ihnen etwas zum Hören / Probieren / Anfassen … mitgebracht. Wissen Sie, was das ist? Genau, das ist …

b Wie fängst du mit deiner Präsentation an? Sammle Ideen und formuliere deine Einleitung.

c Sprecht euch eure Einleitungen vor. Was ist schon gut? Was könnte noch besser sein?

Tipp

Eine gute Einleitung weckt das Interesse der Zuhörer. Fasse dich aber kurz, denn die meiste Zeit brauchst du für den Hauptteil!

3 Der Hauptteil

a Sprechen und zeigen – wann sagst du was? Ordne die Sätze den Zetteln unten zu.

1 Ich habe Ihnen hier einen / ein / eine … mitgebracht. Das ist ganz wichtig, weil …
2 Hier sehen Sie … Fotos / eine Grafik / …
3 Sehen Sie sich bitte … genauer an. Dann erkennen Sie, dass …
4 Die zweite Folie hat die Überschrift … Damit will ich sagen, …
5 Diese Fotos habe ich gemacht, als …
6 Hier oben steht eine wichtige Frage zum Thema.
7 Das ist meine letzte Folie.
8 Mit diesen Fotos kann man gut erklären, …
9 Dazu möchte ich Folgendes erklären: …
10 Das kann ich Ihnen mit der dritten Folie noch besser erklären.
11 Diese Überschrift passt zu …
12 Auf diese Frage gehe ich jetzt genauer ein.
13 Sie können … auch in die Hand nehmen, um es sich besser anzusehen.
14 Auf dieser Folie sieht man …
15 Damit komme ich zum nächsten Aspekt / Punkt / zur nächsten Frage.
16 Diese vier Fotos zeigen Ihnen, was wir … gemacht haben.
17 Um das näher zu erklären, habe ich … vorbereitet.
18 Nachdem ich Ihnen … gezeigt habe, erkläre ich Ihnen mehr zu …
19 Hier oben / unten / links / rechts sehen Sie ein Beispiel für …
20 Die Fotos zeigen verschiedene Aspekte meines Themas.
21 Diese beiden Fotos habe ich ausgesucht, weil man hier gut den Unterschied zwischen … und … / die Entwicklung von … zu … sehen kann.

A	B	C	D
auf einer Folie / auf dem Plakat zeigen	*über einen Gegenstand sprechen*	*Fotos oder Bilder erklären*	*überleiten*
	1,		

Tipp

Die richtigen Worte und Formulierungen für deine Präsentation musst du selbst finden. Sie müssen zu deinem Thema und dir passen. Für den Hauptteil hast du ca. 3 bis 4 Minuten Zeit.

b Nimm deine Gliederung und notiere zu jedem Punkt Stichwörter, was du dazu sagen möchtest.

c Formuliere Sätze zu den Stichwörtern und sprich sie deinem Partner vor. Was könnte noch verbessert werden?

4 Ende gut, alles gut – der Schluss

a Welche Wörter fehlen?

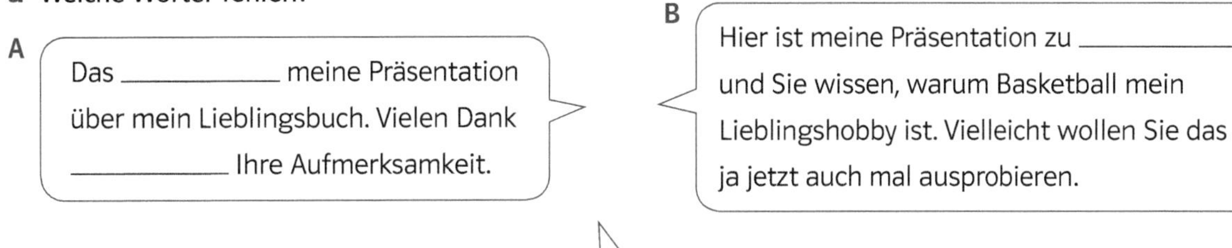

C
__________ das Thema könnte ich noch viel mehr erzählen, aber das waren die wichtigsten Punkte. Die Vorbereitungen zu dieser __________ haben mir viel Spaß gemacht. __________ hoffe, Sie hatten Spaß beim Zuhören.

b Schreib einen guten Schluss für deine Präsentation.

Teil 2 – Präsentieren üben

1 Präsentieren üben

a Bildet Gruppen mit vier Personen. Jeder hat eine andere Aufgabe:

A präsentiert mit dem Präsentations-Material und den Stichwörtern.

B achtet auf die drei Teile: Einleitung, Hauptteil und Schluss. Wie lange spricht A in jedem Teil?

C und D achten hauptsächlich darauf: Passen die Materialien zu dem, was A sagt? Versteht man, was A sagen will? Was könnte noch besser sein?

Tauscht nach jeder Präsentation die Aufgaben.

b Stellt weitere Fragen zum Thema. Denkt dabei an:

Was habt ihr nicht so gut verstanden? Worüber wollt ihr noch mehr wissen?

Tipp

Präge dir deinen Text gut ein und übe, frei zu deinen Materialien zu sprechen. Lerne deinen Text aber nicht auswendig. Das bewerten die Prüfer negativ. Möglicherweise unterbrechen sie dich dann und fragen, damit du freier über dein Thema erzählst.

2 Fragen zu deiner Präsentation

a Die Prüfer stellen dir nach deiner Präsentation noch ein paar Fragen zum Thema. Was kannst du sagen, wenn du sie nicht verstehst? Formuliere die Fragen richtig.

1 bitte noch einmal die Frage Können Sie wiederholen? verstanden Ich habe das richtig nicht.
2 damit, Sie Meinen was interessant ich fand am Thema besonders?
3 das Entschuldigung, verstanden Wort „…" ich nicht habe.

3 In der Prüfung

a Wer gibt Tipps zu welchem Thema? Ordne zu.

A Körpersprache B Sprechen C Lampenfieber

Ewa: Sieh die Prüfer beim Sprechen an. Das macht sympathisch – außerdem versteht man dich besser. Lächeln ist gut, aber zu viel lächeln passt auch nicht. Stecke deine Hände nicht in die Taschen oder spiele mit ihnen herum. Benutze deine Hände, um auf deine Präsentation zu zeigen. Du solltest nie direkt vor dem Plakat oder den Folien stehen, dann sieht man nichts. Etwas seitlich ist besser.

Rob: Übe die Präsentation zu Hause: allein vor dem Spiegel, vor Freunden, vor deiner Familie. Nimm dich selbst auf, z. B. mit dem Handy. Je mehr du das Sprechen übst, desto sicherer wirst du und desto kleiner wird die Angst in der echten Prüfungssituation. Wenn du doch total nervös bis, dann sag das einfach „Ich bin gerade total aufgeregt!" oder „Moment bitte, ich muss mal tief durchatmen." Die Prüfer sind auch Menschen und wollen dir helfen.

Lin: Auch wenn du total nervös bist, sprich langsam und deutlich und auch laut genug. Mach kleine Pausen, damit die Zuhörer sich auch die Bilder ansehen können. Wenn du merkst, dass die Prüfer dich nicht verstanden haben, dann wiederhole deinen Satz mit anderen Worten.

b Unterstreiche positives Verhalten grün und negatives Verhalten rot.

c Habt ihr noch andere Tipps für die Prüfung?

- Lieblingskleidung anziehen
- Glücksbringer mitnehmen
- ?

1 Keine Angst!

Was schreiben die drei Schüler über sich und die Prüfungen auf der DVD? Lest die Mail und die Sätze unten und kreuzt an.

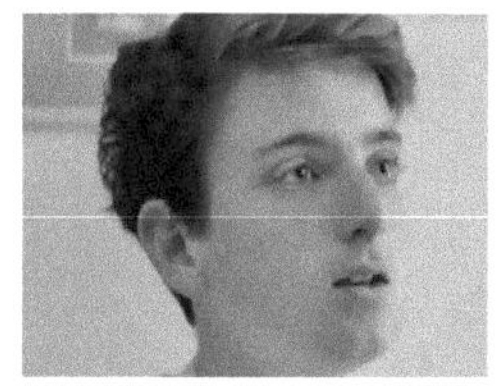

Liebe Mitschülerinnen und Mitschüler in aller Welt,

wir heißen Maria, Augustin und Abril und gehen in Argentinien zur Schule. Vor kurzem haben wir das DSD Stufe 1 gemacht. Wir können euch jetzt schon sagen: Das geht gut, wenn man sich richtig darauf vorbereitet. Und dabei wollen wir euch helfen!
Als unsere Lehrerin uns gefragt hat, ob wir unsere Prüfung für ein Buch filmen lassen wollen, haben wir zuerst einen Schreck bekommen. Wir sind doch keine Schauspieler und auch unsere beiden Lehrerinnen haben noch nie vor der Kamera gestanden. Was ihr auf der DVD seht, sind also nicht drei supergute Prüfungen, die ihr genau so nachmachen sollt. Wir haben mehr Fehler gemacht als normalerweise und genau das soll euch helfen! Seht euch einfach an, was wir in den Prüfungen gemacht haben. Sprecht darüber und überlegt zusammen, wie man es anders oder besser machen kann.

Wir wünschen euch viel Erfolg bei der Prüfung!

Maria, Abril und Augustin

1 Die drei Schüler sind	☐ Schauspieler.	☐ ganz normale Schüler.
2 Sie machen	☐ alles super gut.	☐ auch Fehler.
3 Ihr sollt es in eurer Prüfung	☐ genau so machen.	☐ anders machen.

2 Zur Erinnerung: Die mündliche Prüfung

a Bring den Text in die richtige Reihenfolge. Die Buchstaben ergeben eine Lösung.

1 **G** Die mündliche Prüfung hat	☐ **N** Fragen von den Prüfern zum Thema.
☐ **T** Zuerst kommt ein Gespräch,	☐ **R** Anschließend kommt deine Präsentation
☐ **E** Und am Ende gibt es noch ein paar	☐ **N** lang auf verschiedene Fragen
☐ **U** zwei Teile.	☐ **V** über das Thema deiner Wahl.
☐ **E** in dem du ca. 5 Minuten	☐ **E** (ähnlich den ?-Fragen im Buch) antwortest.

b Was wünschen dir die Schüler aus Argentinien? Ergänze die Sprechblase mit den Buchstaben aus a.

_ _ _ _ _ _ _ _ _ _ _ _!
Wir drücken dir die Daumen!

Tipp

Oft fängt die Prüfung an, indem sich alle kurz vorstellen. Übe das am besten auch kurz, denn in der Aufregung ist das gar nicht so einfach – aber peinlich, wenn es nicht gleich klappt.

3 Begrüßung und Vorstellung

a Bildet Gruppen von drei Personen, begrüßt euch und stellt euch kurz vor.

Name Klasse Alter

b Wenn du magst, schreib deine Vorstellung hier auf, dann vergisst du sie nicht.

____
____
____
____

Aufgaben zur DVD

Teil 1: Gespräch mit Maria

1 Die fünf Fragen für Maria

a Ergänze die fehlenden Fragewörter.

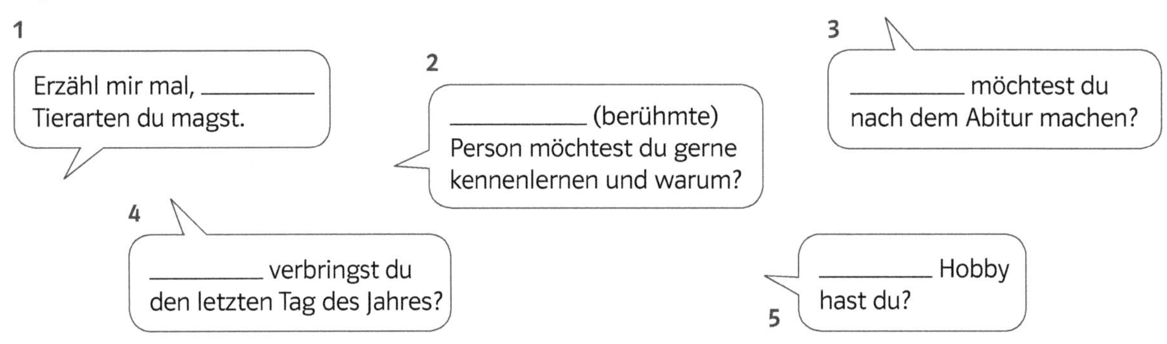

b Welcher Zettel passt zu welcher Frage?

A *Warum magst du diese Tiere? Wo leben sie? Sind es Haustiere? Wie sehen sie aus? Was machst du mit ihnen?*

B *Willst du weiter lernen? Wo? Und warum? Welchen Beruf möchtest du später ausüben? Was brauchst du dafür? Möchtest du ins Ausland gehen?*

C *Feierst du? Wo und mit wem? Machst du jedes Jahr dasselbe? Was gefällt dir daran (nicht)? Was esst und trinkt ihr? Was macht ihr?*

D *Was machst du? Seit wann? Wie oft und wo? Warum gefällt dir das? Warum hast du damit angefangen? Was brauchst du dafür? Machst du noch etwas anderes?*

E *Wie heißt die Person? Woher kommt sie? Was macht sie? Wie sieht sie aus? Wie alt ist sie? Woher kennst du sie? Was ist an ihr so interessant? Worüber würdet ihr sprechen?*

c Was antwortest du auf die Fragen? Notiere in deinem Heft Stichwörter zu jeder Frage.

d Antwortet nacheinander auf die Fragen in 1a. Die Zuhörer bewerten mit ☺ oder 😐.

Hat sie / er die Frage richtig verstanden?	
Hat sie / er ausführlich (also: nicht nur ein / zwei Sätze) geantwortet?	
Hat sie / er flüssig gesprochen oder viele Pausen zum Denken gemacht?	
Ist die Antwort verständlich? Wenn nein, warum nicht? War es zu schnell oder die Aussprache undeutlich?	

e Vergleicht eure Bewertungen: Was war schon gut, was könnte besser sein?

2 Marias Antworten

a Sieh dir den ersten Teil von Marias Prüfung an und notiere:

1 Über welche Tiere spricht Maria?
2 Wo feiert Maria Silvester? Kauft ihre Familie Feuerwerkskörper?
3 Maria will Luciana Aymar treffen. Woher kommt sie und welchen Sport treibt sie?
4 Welche Sportarten sind Marias Hobby?
5 Welchen Beruf möchte Maria ergreifen?

b Wie findet ihr den ersten Teil von Marias Prüfung? Was war gut und was hätte sie besser machen können? Bewertet wie in 1d.

Teil 1: Gespräch mit Augustin

1 Auf wie viele Fragen muss Augustin antworten?

a Schreib die Fragen richtig in dein Heft.

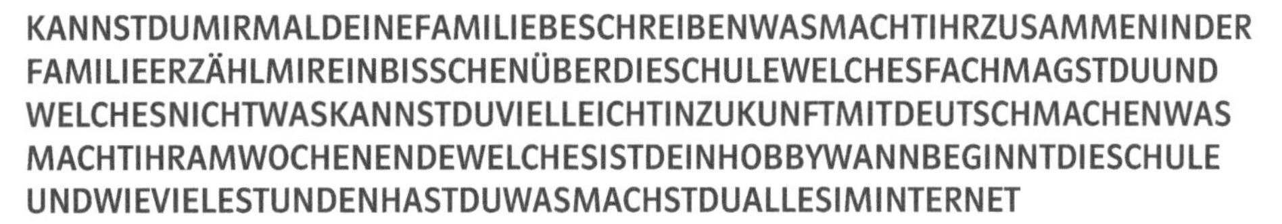

KANNSTDUMIRMALDEINEFAMILIEBESCHREIBENWASMACHTIHRZUSAMMENINDER
FAMILIEERZÄHLMIREINBISSCHENÜBERDIESCHULEWELCHESFACHMAGSTDUUND
WELCHESNICHTWASKANNSTDUVIELLEICHTINZUKUNFTMITDEUTSCHMACHENWAS
MACHTIHRAMWOCHENENDEWELCHESISTDEINHOBBYWANNBEGINNTDIESCHULE
UNDWIEVIELESTUNDENHASTDUWASMACHSTDUALLESIMINTERNET

Tipp

Es kann passieren, dass du gleich mehrere Fragen auf einmal gestellt bekommst. Dann kannst du natürlich auch richtig schön lange darauf antworten. Wenn dir solche Mehrfachfragen zu kompliziert sind, dann kannst du zurückfragen: „Entschuldigung, was wollten Sie noch wissen?" oder „Können Sie die Frage bitte wiederholen?"

b Was glaubt ihr: Warum bekommt Augustin so viele Fragen?

c Seht euch Augustins ersten Prüfungsteil an: Wie antwortet er auf die Fragen?

Seine Antworten sind ☐ ausführlich mit Beispielen. ☐ nur sehr kurz.

Tipp

Antworte lieber gleich ausführlich. Sonst fragen die Prüfer vielleicht immer weiter zum Thema.

d Seht euch die Prüfung noch einmal an. Diskutiert, bewertet und kreuzt an:

Wie ist Augustins Aussprache?	☺	☹
Versteht Augustin die Fragen der Prüferin?	☺	☹
Kann er gut auf die Fragen antworten?	☺	☹
Wie ist sein Wortschatz?	einfach	kompliziert
Wie ist seine Körpersprache?	ruhig	nervös

e Vergleicht eure Bewertungen aus d. Was hat Augustin gut gemacht? Was nicht?

Teil 1: Gespräch mit Abril

1 Fragen an Abril

a Seht den ersten Teil von Abrils Prüfung an und notiert an der Tafel:
Wie viele Fragen stellt die Prüferin?

b Welche Aussagen passen zu Abrils Antworten? Diskutiert und begründet.

Abril hat ausführlich geantwortet. Sie hatte Spaß bei der Prüfung. Sie war sehr nervös.
Man konnte sie gut verstehen. Sie wusste nicht, was sie sagen sollte. Sie hat ihre Antworten begründet.
Sie hat einige Fragen nicht verstanden. Sie hat von sich aus viel erzählt.

c Wie würdet ihr auf Abrils Fragen antworten?

2 Stellt euch vor, ihr seid die Prüfer:

Wen findet ihr bis jetzt am besten? Warum?

Ich finde bis jetzt … am besten, weil …

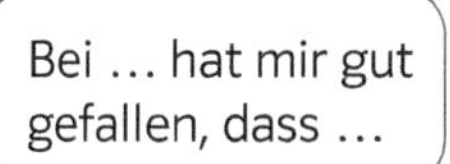

Teil 2: Die Präsentation von Maria

1 Thema „Ballett“

a Über welche Punkte würdet ihr sprechen?
Warum oder warum nicht?

berühmte Ballerinas — bekannte Ballettaufführungen — Ballett-Musik — die Geschichte des Balletts — Ballett: Ein typischer Mädchensport — Ich mag Ballett, weil ... — Gründe, warum Ballett gut für die Gesundheit ist — Mein Lieblingsballett — Ballettkleidung

b Welche Präsentationsform oder welches Material würdet ihr für das Thema wählen? Warum?

☐ eine Collage ☐ ein Poster ☐ eine Powerpoint-Präsentation ☐ ________________

c Welches Material hat Maria gewählt?

2 Marias Präsentation

a Seht den Anfang von Marias Präsentation an. Leitet sie ihr Thema ein? Wie? ▶ DVD 0–0:15

☐ Sie hat keine Einleitung.
☐ Sie sagt, worüber sie sprechen wird.
☐ Sie erklärt, warum sie das Thema gewählt hat.

b Seht weiter: Über welche Punkte spricht Maria? Unterstreicht in 1a. ▶ DVD 0:15–3:25

c Vergleicht eure Antworten und diskutiert:

Maria spricht frei / ausführlich / verständlich / zu schnell / zu langsam über die Punkte.
Sie bezieht ihr Material gut / nicht gut ein.
Sie findet die richtigen Wörter. / hat Probleme beim Sprechen.

d Was glaubt ihr: Warum unterbricht die Prüferin Marias Präsentation nach 3 Minuten?

e Hier findet ihr die Antwort:

> So ähnlich steht es in der Prüfungsordnung:
> Wenn die Schülerin oder der Schüler einen auswendig gelernten Text vorträgt, soll die Prüferin oder der Prüfer die Präsentation schon früh unterbrechen und mit den Fragen anfangen. Denn dann muss die Schülerin oder der Schüler frei und selbstständig antworten. Bei auswendig gelernten Texten kann man nicht erkennen, wie gut die Schülerin oder der Schüler wirklich ist.

f Die Prüferinnen stellen im anschließenden Gespräch folgende Fragen. Schreib sie richtig ins Heft.

Warum hast du — Ist das die Kleidung, die — Mit welchem Alter — Kennst du eine — mit Ballett angefangen? — deutsche Ballettänzerin? — hast du angefangen? — du trägst, wenn du Ballett machst?

g Welche Frage stellt die zweite Prüferin? Ergänze die Sprechblase. ▶ DVD 5:45–5:57

Kannst du uns etwas über
_______ _______ sagen?

h Sind diese Fragen der Prüferin persönlich oder allgemein? Haben sie einen Bezug zu Deutschland?

i Wie findet ihr Marias Antworten? Was könnte sie besser machen? Formuliert Tipps.

Teil 2: Die Präsentation von Augustin

1 Thema „Tennis"

a Was erwartet ihr: Worüber wird Augustin sprechen? Sammelt Ideen an der Tafel.

b Hier ist eine Zusammenfassung von Augustins Präsentation. Verbindet die passenden Satzteile. Lest die Sätze dann vor.

1	Augustin spielt mit	A	an Tennis-Turnieren teilzunehmen.
2	Seine Eltern haben ihn mit 4 Jahren	B	jeweils zwei Spieler gegeneinander.
3	Augustin hat nach fünf Jahren begonnen,	C	heute sind sie zum Beispiel aus Aluminium.
4	Er hat schon drei Turniere	D	einem Schläger der Marke Wilson.
5	Tennis ist in Frankreich seit dem	E	ist eines der wichtigsten Turniere der Welt.
6	Wenn ein Spieler gegen einen anderen	F	in einem Tennis-Club angemeldet.
7	Bei einem „Doppel" spielen	G	Australian Open, Wimbledon und US-Open.
8	Früher waren die Schläger aus Holz –	H	gewonnen.
9	Der Argentinier Juan Martin del Potro	I	ist Philipp Kohlschreiber.
10	Ein bekannter deutscher Tennisspieler	J	spielt, nennt man das „Einzel".
11	Das Grand Slam Turnier in Paris	K	14. Jahrhundert bekannt.
12	Die anderen wichtigen Turniere sind:	L	war auf Platz vier der Weltrangliste.

2 Augustins Präsentation

a Welches Material hat Augustin gewählt? Was seht ihr darauf?

b Seht Augustins Präsentation an. Was macht Augustin mit seinem Material? ▶ DVD 0 – 5:45

c Was fragt die Prüferin? Ergänze die Sprechblase. ▶ DVD 5:47

> Das Plakat hat so eine komische Form. ________ kannst du uns darüber ________? ________ hast du das so gemacht?

d Kann Augustin sein Plakat gut erklären? Was antwortet er auf diese Fragen? ▶ DVD 6 – 6:43

> Was ist in der Mitte?

> Warum diese Farbe?

Tipp

Du hast besonderes Material für deine Präsentation vorbereitet? Super! Dann solltest du auch gut erklären können, was und warum du das so gemacht hast.

e Was antwortet Augustin auf diese Fragen? ▶ DVD 6:44 – 9:04

- An wie vielen Tagen und wie viele Stunden trainiert Augustin?
- Wozu trainiert Augustin so viel?
- Was will Augustin in der Zukunft machen? Was als Beruf und was als Hobby?

f Was hat euch an Augustins Präsentation und dem Gespräch gefallen, was nicht?

Teil 2: Die Präsentation von Abril

1 Abrils Thema: „______________________________"

a Kennt ihr diese Wörter?

Held Gottheit Halbgott Geschöpfe Phänomene
Bestien Olymp Zeus

b Welches Thema könnte Abril gewählt haben?

c Seht die ersten 40 Sekunden der Prüfung. Wie lautet das Thema? Ergänze die Überschrift oben. ▶ DVD 0 – 0:40

d Wie leitet die Prüferin Abrils Präsentation ein? Was sagt Abril? Ergänze die Sprechblasen.

Prüferin: Du hast ein sehr ______________ und ______________ Thema ausgesucht.

Abril: Also, ich habe dieses Thema gewählt, weil, als ich ein Kind war, mochte ich griechische Mythologie ______________. Es war sehr ______________. Und ich habe gedacht, ich möchte ein ______________ Ding machen. Und ich habe dieses Thema gewählt.

e Was denkt ihr: Warum ist das Thema schwierig?

2 Abrils Material

a Welches Material hat Abril vorbereitet und wie setzt sie es ein? Seht euch die Präsentation weiter an. Achtet auf Folgendes und kreuzt an: ▶ DVD 0:40 – 6:25

- Was sieht man auf den Folien? ☐ Texte ☐ Stichwörter ☐ Fotos ☐ Zeichnungen
- (Wie) Bezieht Abril ihr Material ein?
  ☐ Gar nicht. ☐ Sie zeigt auf das Material. ☐ Sie liest Texte ab. ☐ Sie erklärt das Material.
- Welche Funktion haben die Zeichnungen?
  ☐ Sie sind schön. ☐ Sie sind nicht gut geeignet.
  ☐ Mit den Zeichnungen kann man besser verstehen, was Abril erzählt.
  ☐ Sie zeigen, dass Abril sehr gut zeichnen kann.

b Seht euch die Situation an. Was sagt Abril? Ergänzt die Sprechblase. ▶ DVD 8:42 – 8:52

W___ ___ b ___ ___ ___ ___?

c Wie kann man noch nachfragen, wenn man etwas nicht versteht? Sammelt an der Tafel.

d Abril fällt ein Wort nicht ein. Welches Wort sucht sie? Was macht sie? ▶ DVD 9:10 – 9:33

Tipp

Wenn du etwas nicht verstehst, dann frage einfach nach. Es ist auch nicht schlimm, wenn dir mal ein Wort nicht einfällt. Versuche dann mit anderen Wörtern auszudrücken, was du sagen willst.

e Was gefällt euch an Abrils Präsentation? Was nicht? Warum?

f Über welches Thema hätte Abril auch sehr gut eine Präsentation machen können?

3 Vergleicht die drei Prüfungen

- Welche Prüfung hat euch am besten gefallen? Warum?
- Wem hättet ihr die beste Bewertung gegeben? Warum?
- Denkt an folgende Punkte: Inhalt? Art der Präsentation? Wortschatz und Grammatik? Aussprache?

1 Reisen

2

Ich war mit meiner Freundin Annette in England. Das war ganz toll. Wir haben meine Tante in Brighton besucht. Die Reise war ganz schön spannend. Wir sind ja auch erst 15 und verreisen zum ersten Mal alleine. Ganz alleine würde ich nicht verreisen, da hätte ich schon irgendwie Angst.

3

In Frankfurt hat es mir wirklich gut gefallen. Als wir am Hauptbahnhof ankamen, hat die 10a schon auf uns gewartet. Wir sind dann alle in unsere Gastfamilien gefahren und am Abend gab es eine Willkommensparty mit viel Musik und alle haben getanzt. Die Eltern hatten auch viel Essen und Getränke vorbereitet: ein tolles Buffet! Jeden Tag haben wir in der Schule am Unterricht teilgenommen und am Nachmittag gab es ein abwechslungsreiches Programm: Museen, der Fernsehturm und der Zoo mit den vielen Tieren, aber auch shoppen im Einkaufszentrum. Wir haben uns alle gut verstanden und ich freue mich schon, wenn uns die 10a in Frankreich besucht.

4

- ● Oh, sieh mal, da vorne sitzt Herr Mehlmann.
- ○ Wo?
- ● Na, der Mann mit der Tasche.
- ○ Der mit der Brille und dem Bart? Nein, das ist nicht Herr Mehlmann. Der Mann sieht nur so ähnlich aus. Herr Mehlmann hat auch eine Brille, aber er hat keinen Bart.
- ● Stimmt, du hast recht!

5

- ● Oh nein! Hier, halt mal!
- ○ Was denn?
- ● Ich habe meinen Fotoapparat vergessen, ich muss nochmal zurück.
- ○ Ok, ich lade schon mal deinen Koffer ein. Aber beeil dich.
- ● Ja, ich bin gleich wieder da.

6

Szene 1

- ○ Oh, Mama ... Wie lange müssen wir denn noch warten? Mir ist langweilig!
- ● Ich weiß, Schatz. Aber du musst nicht mehr lange warten. Der Zug kommt gleich.
- ○ Und wann ist gleich?
- ● Na, gleich ... in 5 Minuten. Der Zug kommt in 5 Minuten.
- ○ Hoffentlich! Ich will endlich zu Oma nach München!

Szene 2

- ● Hallo, Paul. Na, wie war's in den Bergen?
- ○ Grüß dich, Inge. Der Skiurlaub war klasse! Wir hatten super Schnee, das Hotel war fantastisch und das Wetter traumhaft. Ich habe mich richtig gut erholt. Und wie geht's dir?
- ● Ach ... mir geht's gut, aber Fred hatte einen Unfall.
- ○ Oh nein, was ist denn passiert?
- ● Er hat sich beim Basketballspielen das Bein verletzt.
- ○ Der Arme! Sag ihm viele Grüße und gute Besserung!
- ● Er wartet dort hinten auf mich, komm doch einfach mit.

2 Wichtige Menschen

7

1

Hi, hier ist Max. Wir wollten morgen doch ins Kino gehen. Das geht leider nicht, meine Mutter hat's mir verboten. Ich muss Mathe lernen für die Arbeit am Freitag. Ciao!

2

Hallo mein Schatz, ich war vorhin einkaufen, aber ich habe das Brot vergessen. Kannst du auf dem Weg von der Schule bitte eins kaufen? Und bring bitte auch noch Butter mit, die habe ich auch nicht mitgebracht. Ich weiß auch nicht, wo ich meinen Kopf habe. Danke, mein Schatz. Bis später.

3

Hallo ... Hier spricht deine liebe Omama. Ihr kommt doch morgen? Ich bin ja schon so neugierig! Endlich lerne ich deine neue Liebe kennen. Ach, das ist ja so süß ... Ich freue mich schon! Opa auch. Soll ich einen Apfelkuchen backen? Also, bis morgen.

8

Thomas: Meine Eltern wollen, dass ich mehr Sport mache. Ich soll mich mehr bewegen und dafür finden sie Leichtathletik ideal. Aber ich hasse das Leichtathletik-Training! Ich spiele lieber Basketball oder fahre Rad. Das blöde Training ist dreimal in der Woche, da sehe ich meine Freunde nie!

Thea: Ich habe zwei Brüder, der eine ist jünger, der andere älter. Die sind auch ganz nett und wir verstehen uns. Aber die bekommen beide mehr Taschengeld als ich. Sie müssen nie im Haushalt helfen – ich helfe immer! Sie dürfen mehr fernsehen und länger aufbleiben. Ich finde das total unfair von meinen Eltern!

Moni: Für mich ist Mode das Wichtigste! Ich habe immer die neusten Sachen, passende Schuhe und Taschen. Dafür gebe ich mein ganzes Taschengeld aus oder ich leihe mir noch Geld von meiner Oma oder Freunden. Meine Mutter versteht das überhaupt nicht. Sie sagt, dass ich oberflächlich bin und erst mal lernen soll, mit Geld umzugehen. Sie will auch nicht, dass ich meine Haare färbe.

Joachim: Hm, also ... ich habe eigentlich kein Problem mit meinen Eltern. Aber ich glaube, meine Eltern haben ein Problem. Sie reden gar nicht mehr miteinander. Oder sie streiten sich, wenn sie denken, ich höre es nicht. Manchmal mache ich meine Musik ganz laut, damit ich nichts höre oder ich sitze stundenlang vor dem Computer und lenke mich ab. Aber ich mache mir wirklich Sorgen.

9

Du hörst vier kurze Texte, z. B. Durchsagen in der Schule, am Bahnhof oder Nachrichten auf dem Anrufbeantworter. Dazu bekommst du vier Aufgaben, in denen du die richtige Lösung A, B oder C ankreuzen musst. Du hörst die Durchsagen und löst beim Hören. Dann hörst du alles noch einmal.

10

Aufgabe 1

Ich heiße Laura. Zu meiner Familie gehören meine Mutter, mein Stiefvater, meine Halbschwester Kerstin und mein Kater Miau. Wir machen viel zusammen und besonders schön ist es im Urlaub. Einmal waren wir mit anderen Familien zusammen an einem See in Österreich. Dort haben wir viele Bootstouren unternommen. Mein Vater und ich haben den Surfschein gemacht und meine Mutter den Segelschein. Das war cool.

Aufgabe 2

Ich bin Lars. Meine Familie, das sind mein Vater, meine Mutter, meine Schwester Paula, Oma, Opa und meine beiden Katzen. Während der Woche haben wir nicht so viel Zeit, etwas zusammen zu unternehmen. Am Wochenende schon. Dann sind wir viel in unserem Garten. Dort spielen meine Schwester und ich Fußball oder springen auf dem Trampolin. Seit drei Jahren spiele ich auch Basketball im Verein. Bei einem Spiel sieht meine ganze Familie zu.

Aufgabe 3

Ich heiße Lisa. Zu meiner Familie gehören mein 17 Jahre alter Bruder, meine achtjährige Schwester, mein Vater, meine Mutter, Oma, Opa, Tanten, Onkel und Cousinen. Meine Eltern leben getrennt, deshalb wohnen ich abwechselnd bei meinem Vater und bei meiner Mutter. Immer eine Woche lang, dann kommt meine Schwester zu Papa. Manchmal ist das ganz schön anstrengend. Mein Bruder wohnt immer bei meinem Vater.

Aufgabe 4

Mein Name ist Sven. Zu meiner Familie gehören mein Vater und meine Mutter und ich. Einen Bruder habe ich nicht, obwohl ich mir den manchmal wünsche. Wenn es ein großer Bruder wäre, könnten wir coole Sachen machen. Von meinen Freunden, die Geschwister haben, weiß ich aber, dass so ein Bruder auch nerven kann. Dann hört er vielleicht noch lauter Musik als ich.

3 Schule

11

Problem 1: Die Hektik.

Du rennst aus der Klasse, vergisst das Pausenbrot, musst noch schnell die Hausaufgaben abschreiben und im Sekretariat etwas abgeben. Kein Wunder, dass du Stress hast. Du solltest in der Pause nur drei Dinge tun: Zur Toilette gehen, essen und mit deinen Freunden reden.

Problem 2: Nur Schule im Kopf

Nimm keine Schulsachen mit in die Pause! Erhol dich und denk an etwas anderes als Schule. Wenn du die Pausen als Arbeitszeiten einplanst, noch schnell ein Gedicht auswendig lernst, Vokabeln wiederholst oder dich auf die Stunde vorbereitest, dann kannst du dich nicht erholen.

Problem 3: Falsche Ernährung

Du hast am Morgen nicht gefrühstückt und bist deshalb in der Pause sehr hungrig. Du kaufst dir schnell einen Schokoriegel und eine Cola ... nicht gut! Du brauchst ein gesundes Pausenbrot, damit du dich gut konzentrieren kannst. Steh also früh genug auf, frühstücke gut und nimm dir für die Pause ein Brot, Obst und genug zu trinken mit.

Problem 4: Weder frische Luft noch Bewegung

Du bist froh, wenn es regnet und du im Schulgebäude bleiben darfst. Drinnen im Warmen findest du es viel gemütlicher. Du setzt dich auf eine Bank oder auf die Treppe ... und sitzt wieder. Geh in der Pause lieber ins Freie und laufe etwas herum. Frische Luft und Bewegung machen fit und du kannst im Unterricht viel besser aufpassen.

12

Ja, bei uns gibt's natürlich auch Streit. Aber eigentlich verstehen sich alle in unserer Klasse gut. Wir haben ein Plakat mit Regeln an der Wand. Da steht auch, wie man sich in Konfliktsituationen verhält: Man soll miteinander reden und sagen, was da jetzt nicht in Ordnung ist. Das klappt manchmal und manchmal nicht ... und häufiger bei Mädchen als bei Jungen.

An unserer Schule gibt es häufig Streit, oft auch Gewalt. Viele Jungen reden nicht lange, sondern schlagen gleich zu. Das habe ich schon oft gesehen. Das passiert bestimmt alle zwei, drei Tage, manchmal sogar mehrmals am Tag. Mir macht das Angst. Ich gehe dann schnell weg. Da sollte man dringend mal was machen, ein Anti-Gewalt-Training oder so etwas.

13

Jonas, was macht denn ein Streitschlichter?

Jonas: Also, wie das Wort schon sagt, er schlichtet Streit. Das heißt, er oder sie hilft Schülern, einen Streit zu beenden.

Kommen die Schüler zu dir, wenn sie Probleme haben? Oder wie läuft das?

Jonas: Das ist unterschiedlich. Wenn wir Streitschlichter sehen, dass sich zum Beispiel Schüler in der Pause im Flur prügeln, dann gehen wir dazwischen. Aber eigentlich ist es so: Ein Lehrer beobachtet im Unterricht oder in der Pause einen Konflikt oder er weiß, dass sich manche Schüler immer wieder streiten … dann schlägt er ihnen vor, mit uns zu reden. Wichtig ist aber, dass beide … ein … Konfliktpartner ihren Streit wirklich beenden wollen. Nur dann ist ein Streitschlichter-Gespräch sinnvoll.

Und dann gebt ihr Tipps?

Jonas: Naja, nicht ganz … wir sind ja keine Freunde, sondern Streitschlichter und Mediatoren. Wir haben extra eine Ausbildung gemacht, in der wir die Regeln gelernt haben, nach denen so ein Gespräch, also die Mediation, abläuft. Dafür muss man sich Zeit nehmen und alles bleibt unter uns.

Wie läuft denn dann so eine Mediation ab?

Jonas: Es sind immer zwei Mediatoren im Gespräch. Die Konfliktpartner kommen zu uns. Wir stellen zuerst die Regeln vor und dann erzählen beide aus ihrer Sicht von ihrem Streit. Wir Mediatoren wiederholen dann in eigenen Worten, was die Streitenden gesagt haben. Die Methode nennt man „Spiegeln".

Und das hilft?

Jonas: Ja, denn so hören die Streitenden ihre Geschichte aus einer anderen Perspektive. Jeder muss den anderen ausreden lassen und man darf auch keine Schimpfwörter sagen. Das macht ruhiger und man versteht die andere Seite vielleicht besser.

Und dann?

Jonas: Dann schreibt jeder Vorschläge auf, wie man den Konflikt lösen könnte: Die liest man vor, spricht darüber und einigt sich.

Streitest du selbst jetzt auch ganz anders? Oder streitest du vielleicht gar nicht mehr?

Jonas: Hm, doch … ich streite mich schon noch. Aber anders. Jetzt höre ich auch zu Hause besser zu.

4 Freizeit

14

Ich habe immer gedacht, die meisten Jugendlichen sehen fern – aber das stimmt nicht. Die meisten Jugendlichen benutzen in ihrer Freizeit den Computer. 18,3 % sehen fern und 17,9 % hören CDs. Viel weniger Jugendliche hören Radio, nur 4,7%. Ins Kino gehen ist gar nicht so beliebt. Das machen die wenigsten Teenager in ihrer Freizeit. Lesen ist beliebter. Am liebsten lesen die Jugendlichen Bücher, das machen 10,8 %, nur 2,4 % lesen Zeitschriften und nur 1,5 % lesen Comics. Bei 16,2 % steht „Sonstiges". Ich frage mich, was das sein könnte. Vielleicht machen diese Jugendlichen ja gar nichts – oder sie haben ganz ausgefallene Hobbys.

15

Ich lese gern Bücher, höre mir oft Musik an und ab zu gehe ich auch ins Theater. Aber am liebsten sehe ich mir Filme im Kino an. Es gibt ja so viele verschiedene – da findet jeder etwas für seinen Geschmack. Ich persönlich mag sehr gern Liebes- und Abenteuerfilme. Aber ich mag auch Romanverfilmungen und Fantasyfilme. In letzter Zeit gibt es viele Horrorfilme – die sehe ich mir nicht an. Die sind mir zu brutal und machen mir Angst. Am liebsten gehe ich zusammen mit meinen Freunden ins Kino, zum Beispiel in eine Komödie. Danach sprechen wir noch lange über den Film und die Schauspieler. Manchmal spielen wir auch Szenen aus dem Film nach. Das macht total viel Spaß.

16

Unsere Theatergruppe heißt Ü14, weil die Schauspieler mindestens 14 Jahre alt sein müssen. Unser ältester Schauspieler ist schon über 30. Die Gruppe gibt es seit 1992 – aber ich bin erst seit 9 Jahren dabei, seit ich 19 war. Zuerst war ich ein ganz normales Mitglied und jetzt leite ich die Gruppe. Wir spielen hauptsächlich Stücke für Jugendliche und auch unser Publikum ist noch ziemlich jung. Im Moment sind wir 25 Schauspieler, 12 Männer und 13 Frauen. Es spielen nicht immer alle 25 in einem Stück – so viele Rollen gibt es ja meistens nicht. Mal spielen die einen, mal die anderen. Die Kostüme bringen wir von zu Hause mit oder wir kaufen billige Kleidung in Läden und ändern sie. Mehr brauchen wir nicht. Meistens spielen wir in Berlin und Umgebung.

17

Lies die Einleitung auf dem Aufgabenblatt. Hier steht der Titel des Hörtexts und wer gleich über was spricht. Jetzt kannst du schon überlegen, worum es gleich geht.
Zu dem Hörtext gibt es sechs Aufgaben.
Es ist immer ein Satzanfang und drei Möglichkeiten, den Satz zu beenden.
Du hast eine Minute Zeit, die Aufgaben zu lesen. Dabei kannst du wichtige Wörter unterstreichen. Dann fängt der Hörtext an.

Kreuze deine Lösung an. Du hörst den Text zweimal und kannst deine Lösungen überprüfen.

18

Ich konnte schon ganz früh lesen, schon mit vier Jahren. Seitdem gibt es für mich nichts Schöneres. Egal, ob ich traurig bin oder ob mir langweilig ist ... Für mich ist es immer ein Glück, ein Buch zu lesen.
Bücher führen uns in eine neue, unbekannte Welt. Sie erzählen von Menschen, was sie fühlen und erleben und was sie denken. Das weiß man ja bei realen Menschen nicht. Aber mit den Hauptpersonen in einem Buch kann man alles erleben. So, als ob man das selbst erleben würde. Ich fühle mich wie eine der Figuren. Das fasziniert mich.
Da geht es oft um Leben oder Tod, um Monster, um die einzig richtige Entscheidung ... das ist so spannend! Ein interessantes Buch kann ich stundenlang lesen und alles auf der Welt vergessen. Das reale Leben ist dagegen langweilig.
Die Personen in einem Buch sind meine besten Freunde. Ich weiß alles über sie, sogar was sie denken und warum sie etwas machen. Das hilft mir auch im echten Leben. Aber ganz ehrlich: Ich mag Menschen in Büchern lieber als Menschen im echten Leben. Wenn ich keine Lust mehr auf ein Buch habe, dann mache ich es zu. Das geht bei echten Menschen nicht so einfach.
Ich kann mich nicht entscheiden, welchen Schriftsteller oder welches Buch ich am liebsten mag. Alle sind auf ihre Art interessant. Ich kann nicht verstehen, wie man ohne Bücher leben kann. Viele Kinder sehen ja lieber fern als zu lesen. Meiner Meinung nach kann das Fernsehen das Buch nie ersetzen.
Man muss Kindern schon früh zeigen, wie toll Bücher sind. Ich bin deshalb Lesepate in einer Schule. Ich helfe kleinen Kindern lesen zu lernen. An zwei Nachmittagen in der Woche lese ich auch in der Schulbibliothek vor. Wenn ich dann sehe, wie gut die Kinder zuhören und die Geschichte so lieben wie ich, dann bin ich glücklich.

5 Arbeit und Berufe

19

1
Bis morgen schreibt ihr bitte zehn Sätze zum Thema Berufe. Und vergesst nicht: In der nächsten Stunde machen wir ...

2
Mach den Mund ganz weit auf. Ahh ... Oh ja! Das ist eine Halsentzündung. Ich gebe dir ein Rezept für Tabletten. Dann geht es dir bald besser.

3
Ich empfehle Ihnen dieses Modell. Es sieht gut aus, hat alle Funktionen und ist gerade im Angebot.

4
Ja, ich muss früh aufstehen – aber daran habe ich mich gewöhnt. Die Leute brauchen doch ihre Brötchen zum Frühstück!

5
Wir setzen jetzt zum Landeanflug an. In New York ist es elf Uhr zwanzig. Das Wetter ist schön, ungefähr 20 Grad, ein leichter Wind weht von ...

6
Ich habe den Brief fertig, Herr Schneider. Bitte unterschreiben Sie ihn noch. Ihr Hotel für Montag habe ich reserviert und die Fahrkarte ist ...

20

1
Ihr besucht den Tower und das Kontrollcenter. Hier oben könnt ihr erfahrenen Fluglotsen bei der Arbeit zusehen. Dabei habt ihr einen wunderbaren Blick auf die Start- und Landebahnen und natürlich auf die Flugzeuge.

2
Der Frankfurter Flughafen zeigt sich für euch von einer ganz besonderen Seite: Ihr macht eine Flughafenrundfahrt und könnt die Arbeit der Flugsicherung direkt an den Start- und Landebahnen erleben. Aber vergesst euren Ohrenschutz nicht – es wird laut!

3
Am Abend fühlt ihr euch wie echte Fluglotsen. Ihr dürft in der DFS-Akademie übernachten. Spätestens hier könnt ihr euch mit den Azubis unterhalten und noch viel mehr über die Ausbildung erfahren.

4
Lernt die Auszubildenden und die Ausbilder kennen! In einer Unterrichtsstunde extra für euch bekommt ihr Einblick in die Ausbildung an der DFS-Akademie. So könnt ihr auch noch erste Grundkenntnisse der Flugsicherung mit nach Hause nehmen.

21

Viele Schüler wollen schon nach der 10. Klasse abgehen und eine Ausbildung machen. Es gibt sehr viele verschiedene Ausbildungsberufe und oft weiß man gar nicht, was man da dann machen muss. Deshalb können wir am „Tag der Berufe" in einen Betrieb gehen. Da kann man Leuten, die in dem Beruf arbeiten, zusehen und man darf auch an verschiedenen Stellen mitarbeiten. Ich war am „Tag der Berufe" bei Mercedes.

22

Ich war am „Tag der Berufe" bei Mercedes. Das war total interessant für mich, weil ich später einmal etwas mit Autos machen will. In den Ferien kann ich dort auch ein Praktikum machen – und wenn mir das dann auch gefällt, beginne ich nächstes Jahr meine Ausbildung. Aber mit Schule ist dann noch nicht Schluss. Wir haben in Deutschland das „Duale System“. Das heißt, man arbeitet als Auszubildender in einem Betrieb und geht außerdem noch in die Berufsschule. Vielleicht mache ich aber auch mein Abitur – ganz sicher bin ich mir noch nicht.

23

Sandra: Jedes Jahr findet der Girls' Day, statt, manche sagen auch der „Mädchen-Zukunfts-Tag“. An diesem Tag können Mädchen typische Männerberufe „entdecken“. Betriebe und Organisationen laden die Mädchen ein, sich technische Berufe anzusehen und zu überlegen, ob sie später mal in so einem MINT-Beruf arbeiten wollen. MINT heißt Mathe, Informatik, Naturwissenschaften, Technik. Das mögen viele Mädchen ja nicht so gern. Am selben Tag findet übrigens auch der der Boys' Day für Jungen statt.

Gabi: Ich habe am Girls' Day den Beruf Veranstaltungstechnikerin kennengelernt. Man muss da alles machen, was für eine Veranstaltung nötig ist. Oft muss man ziemlich schwere Sachen tragen [illegible] klar, dass das ein typischer Männerberuf ist. Aber ich bin auch stark und Technik interessiert mich, obwohl ich ein Mädchen bin. An dem Tag habe ich geholfen, in der Stadthalle die Lichttechnik und das Bühnenbild für ein Konzert aufzubauen. Das fand ich sehr spannend. Ich kann mir so einen Beruf für später gut vorstellen.

24

1

Ich bin sehr zufrieden mit meinem Beruf. Ich arbeite in einer großen Bäckerei und bin auf Pralinen und Torten spezialisiert. Da kann ich meine Ideen gut verwirklichen. Meine Kollegen und die Kunden sagen oft: „Du bist ein echter Künstler!“ Das freut mich sehr. Mit meinen Kollegen verstehe ich mich sehr gut, es sind auch viele junge dabei. Nur das frühe Aufstehen ist anstrengend. Ich fange jeden Morgen um 4 an … aber ich habe mich schon daran gewöhnt.

25

2

Ich habe meinen Traum wahrgemacht und arbeite als Reiseleiterin. Es war schon immer mein Ideal, viel unterwegs zu sein. Angefangen habe ich in einem Reisebüro. Ich habe Kunden beraten, aber auch Hotels und Restaurants getestet und manchmal habe ich Rundreisen begleitet. Dann hatte ich die Chance, Reiseleiterin zu werden. Jetzt betreue ich Reisegruppen in vielen Ländern und die Arbeit macht mir sehr viel Freude.

3

Ich bin jetzt fertig mit meiner Ausbildung zum Bankkaufmann. Das wollte ich seit der 9. Klasse werden. Damals habe ich ein Praktikum in der Bank gemacht und gemerkt, dass mich die Arbeit interessiert. In Mathe war ich auch immer gut, und außerdem rede ich gern und bin immer freundlich. Deshalb macht mir jetzt auch die Beratung der Kunden viel Freude. Und es gefällt mir sehr, mich immer gut anzuziehen!

4

Ich studiere Musik. Ich spiele Gitarre, Klavier und Schlagzeug und war auch schon in mehreren Bands. Flöte spiele ich auch schon seit meiner Kindheit. Wenn ich mit dem Studium fertig bin, möchte ich Lehrer werden und Kinder für Musik begeistern. Aber nebenbei will ich auch so viel wie möglich selber spielen. Was mich etwas nervt, ist die viele Theorie im Studium, aber das muss auch sein.

6 Feste und Feiern

26

- Melanie hat nächsten Mittwoch Geburtstag.
- ○ Und, was schenkst du ihr?
- Das weiß ich noch nicht. Vielleicht lade ich sie zum Essen ein, italienisch oder so. Das Da Vinci ist ja ihr Lieblingsrestaurant.
- ○ Ja, die Idee ist nicht schlecht …
- Wir können später ja nochmal zusammen überlegen. Jetzt müssen wir erst mal zum Training.
- Oh ja, … es ist schon Viertel nach sieben.

27

Szene 2

- Mann, ist das langweilig.
- ○ Ja, total öde. Wollen wir gehen?
- Hm, ich weiß nicht, es ist erst kurz nach sieben. Ich esse noch mal was … die Pizza war echt gut!
- ○ Die Salate auch … hm … vielleicht ist Melanies Geburtstagsparty doch nicht so schlecht.

28

Szene 3

- Hallo Uwe, hier ist Sven.
- ○ Hallo Sven! Wie geht's?
- Danke, gut … em … Uwe … ich ruf an, weil ich dich zu meinem Geburtstag einladen will.
- ○ Hey, das ist ja nett. Wann denn?
- Nächsten Mittwoch. Ich dachte, wir, also du, Melanie und ich, gehen zuerst ins Bowling-Center und dann noch eine Pizza essen oder so.
- Super! Ich bin dabei. Um wie viel Uhr treffen wir uns beim Bowling?
- ○ So um kurz nach sieben?

29

Gleich hörst du fünf Szenen zum Thema Feste und Feiern. Zu jeder Szene gibt es drei Bilder. Welches Bild passt? Kreuze beim Hören zu jeder Szene das richtige Bild (A oder B oder C) an.

30

Szene 1

- Und? Was meinst du? Ist das was für Tims Party?
- ○ Hm ... naja, ich weiß nicht. Du hast doch noch so viele andere Sachen hier.
- Warum denn? Sag schon ...
- ○ Der Rock ist viel zu kurz!
- Du hörst dich ja an wie meine Mutter ... Kurz ist doch gut!
- ○ Nein, finde ich nicht. Das sieht nicht gut aus mit der langen Bluse und den flachen Schuhen. Du hast doch noch diese Hose, die enge ...
- Warte mal ... Die hier?
- ○ Ja, die sieht bestimmt besser zur Bluse aus.
- Wenn du meinst ...

31

Szene 2

Liebe Iris, lieber Roland, liebe Gäste,
man ist glücklich verheiratet, wenn man lieber heimkommt als fortgeht. Wir wissen alle, dass Iris und Ralph lange sehr gerne fortgegangen sind, zum Sport, zu Partys, zum Tanzen in die Disco. Das war gut, denn dort habt ihr euch kennengelernt, fünf Jahre ist das jetzt her. Heute feiern wir zusammen eure Hochzeit und ich hoffe und wünsche euch von ganzem Herzen, dass ihr die nächsten 50 Jahre und noch viel länger lieber heimkommt als fortgeht.
Alles Gute für euch!

7 Natur und Umwelt

32

Wir waren da letztes Jahr bei Freunden von meinen Eltern. Die haben da eine riesige Farm. Da sieht es ganz anders aus, als bei uns, nicht so grün, kein Fluss, kaum Regen, alles ist ganz trocken. Kilometerweit sieht man nichts, keine Häuser, nur Sand, ein paar Büsche oder Bäume. Man muss über eine Stunde mit dem Auto fahren, um in die nächste Stadt oder zum nächsten Nachbarn zu kommen. Auf der Farm werden Schafe und Rinder gehalten, aber es gibt dort auch wilde und gefährliche Tiere. Nachts sollte man da nicht einfach so draußen rumlaufen.

33

Hallo! Du, ich habe ein Problem ... Ich bin doch in der Meer-AG und wir machen am Montag diese Präsentation zum Thema „Das Meer will leben". Dafür müssen wir noch so viel vorbereiten, aber Nick ist krank und Pia kann am Montag auch nicht und uns fehlen Leute. Kannst du vielleicht helfen? Ruf mich bitte mal an.

34

Also, du könntest uns bei der Vorbereitung heute helfen. Aber auch am Montag, auch wenn Nick nicht mehr krank ist. Wir brauchen am Montag Leute, die die Besucher nach der Präsentation durch die Ausstellung führen und mehr zu den Fotos und den Plakaten erklären. Heute hängen wir alles auf und schreiben Schilder für jede Station. Außerdem dekorieren wir den Raum, damit alles nach Meer und Strand und so aussieht.

35

Gefahr 1 ist die Überfischung.
In der ganzen Welt isst man immer mehr Fisch, deshalb muss immer mehr gefangen werden. Die Fangmethoden werden immer verbessert und mit riesigen Netzen fängt man immer größere Mengen an Fischen. Eigentlich fängt man viel zu viele und die Fische können sich gar nicht so schnell wieder vermehren. Die Folge ist, dass man das Meer regelrecht leer fischt.

Gefahr 2 ist der Beifang.
Wenn die großen Schiffe ihre Netze einholen, sind da nicht nur die Fische drin, die sie fangen wollten, sondern auch sehr viele andere kleine und große Fische wie Haie oder Delphine, die man gar nicht braucht. Fast alle sterben und man wirft sie zurück ins Meer. Beim Fangen von Shrimps ist das am schlimmsten, da sterben für 1 Tonne Shrimps 7 Tonnen andere Fische als Beifang.

Gefahr 3: Die Verschmutzung
Abwasser ist eine Ursache und auch die Verschmutzung durch Öl ist schlimm. Aber es wird auch viel Müll ins Meer geworfen und vor allem Plastikmüll macht immer mehr Probleme. Der schwimmt lange im Meer oder kommt zurück an den Strand. Für viele Tiere ist dieser Müll tödlich, weil sie ihn schlucken oder darin hängen bleiben. Das Plastik ist auch giftig, und die Giftstoffe kommen ins Meerwasser, dann in die Fische und damit auch in unsere Nahrung.

Gefahr 4: Unterwasserlärm
Wale und Delfine sind Säugetiere. Sie können nicht gut sehen, aber sie hören sehr gut. Ihr Gehör funktioniert ganz anders als unseres. Sie nehmen Schallwellen genau auf und orientieren sich damit. Das funktioniert aber nicht, wenn die Motoren von Schiffen und U-Booten so viel Lärm machen. Der ist den Tieren nicht nur unangenehm, sondern kann sie auch ihr Leben kosten.

36

1

Du liegst bestimmt gern am Strand, schwimmst oder tauchst ... Interessierst du dich aber auch für die nicht so schönen Seiten? Unsere Meere sind in Gefahr und brauchen unsere Hilfe. Wenn du mehr darüber erfahren willst, dann komm am Montag um 15 Uhr in die Aula. Die Meer-AG hält eine Präsentation zum Thema „Das Meer will leben".

2
Bitte beachten Sie: Das Rauchen am Bahnsteig ist nur in den dafür vorgesehenen Zonen erlaubt. Bitte rauchen Sie nicht in der Bahnhofshalle. Ich wiederhole. Bitte beachten Sie: Das Rauchen am Bahnsteig ist ...

3
Liebe Kunden, eine gesunde Ernährung ist wichtig! Heute im Angebot: Obst und Gemüse aus der Region. Knackfrisch und voller Vitamine und bio!
Kommen Sie in unsere Frischeabteilung im Erdgeschoss. Und wenn Sie Tipps für eine geschmackvolle Zubereitung brauchen, dann sehen Sie Jochen Löffler bei unserer Kochshow zu, heute um 15 Uhr, gleich am Eingang.

4
Hallo Leute!
Wir haben eine neue AG gegründet, die E-Na klar! Wir wollen neue Energiesparprojekte in unserer Schule starten und damit eine Menge Geld sparen. Das eingesparte Geld bekommen dann wir und können mitbestimmen, wofür es ausgegeben wird. Alle, die Lust haben mitzumachen, treffen sich heute um 13.00 Uhr im Raum 4-04.

8 Medien

37
Frau Mertens, Sie sind Lehrerin an einer Grundschule und bringen Kindern das Lesen bei. Stimmt es, dass Jungen Lesen schwerer fällt als Mädchen?

M: Das kommt natürlich immer sehr auf das Kind an. Aber es stimmt schon, dass Jungen meistens weniger und weniger gern lesen als Mädchen. Dazu gibt es auch mehrere Studien, die das belegen.

Was kann man machen, damit lesefaule Jungen (oder auch Mädchen) sich stärker für Bücher interessieren?

M: Man muss vielleicht nicht gleich mit dicken Büchern anfangen. Für Kinder, die nicht gerne lesen, sind kurze Texte oder Geschichten oder dünnere Bücher besser. Sie wollen gerne das Ende der Geschichte erfahren, bei kurzen Geschichten müssen sie aber nicht so lange darauf warten. Und sie haben auch schneller das Gefühl: Jetzt habe ich eine ganze Geschichte gelesen. Das motiviert viele Kinder.
Gibt es Textsorten, die besonders zum Lesen motivieren?

M: Viele Kinder mögen Comics oder Hefte wie Mangas. Dort sind Bilder mit dem Text verbunden und das hilft den Kindern, den Text zu verstehen. Und Bilder sieht man einfach so an und muss nicht mit dem Auge arbeiten, wie man das beim Lesen macht.

Viele Eltern halten aber nichts von Comics.

M: Comics sind viel besser, als manche Eltern glauben! Aber wenn es keine Comics sein sollen ... Ähnlich funktionieren auch Zeitschriften, viele Bilder und kurze Texte dazu. Zurzeit gibt es sehr viele verschiedene und auch sehr interessante Zeitschriften für Kinder. Zu allen möglichen Themen. Da kann man viel lernen – auch als Erwachsener.

Können auch E-Books zum Lesen anregen?

M: Ich denke ja. Gerade für Jungen kann die Verbindung von Lesen und Technik motivierend sein. Aber in dieser Altersgruppe haben die wenigstens Kinder ein E-Book.

38
Zu Gast heute im Studio sind Johann und Moritz. Hallo ihr beiden!

Johann: Hallo!
Moritz: Hallo!

Ihr seid Schüler, beide 18 Jahre alt, und habt zusammen eine App programmiert. Wie seid ihr darauf gekommen?

Johann: Für die Jahresarbeit an unserer Schule durften wir uns das Projekt selbst aussuchen. Moritz und ich wollten irgendwas machen, das wir dann auch selbst für die Schule nutzen können.

Moritz: Die Idee eine App zu machen, hatten wir ganz schnell. Aber Programmiererfahrung fehlte uns noch. Es gibt an der Schule zwar Kurse dafür, aber wir haben immer etwas anderes gemacht.

Wie habt ihr das Programmieren dann gelernt?

Moritz: Wir haben es zuerst mit einem Buch probiert, aber das hat nicht wirklich gut geklappt. Wir haben uns dann Tutorials auf YouTube angesehen und nach Anleitungen im Internet gesucht. Das war alles gar nicht so leicht und hat ganz schön lange gedauert, ungefähr ein halbes Jahr, bis wir wussten, was wir da machen.

Eure App liefert Lerninhalte für alle Hauptfächer. Für wen ist die App geeignet?

Johann: Unsere App richtet sich hauptsächlich an Haupt- und Realschüler. Aber auch Grundschüler und Gymnasiasten können die Inhalte nutzen: Es gibt da beispielsweise ein Trainingsprogramm, mit dem man das Kopfrechnen üben kann, oder ein Nachschlagewerk für Nebensätze oder Zeitformen. Das brauchen ja irgendwie alle.

Was ist das Besondere an eurer App?

Johann: Es gibt viele Apps, die entweder eine Mathe-Formelsammlung oder was für Deutsch oder unregelmäßige Verben für Englisch oder sowas anbieten. Unsere App ist ein Gesamtpaket und bietet eben für verschiedene Fächer Lernmaterial. Das gab es so noch nicht.

Wie reagieren eure Mitschüler auf die App?

Johann: Bis jetzt gab's eigentlich nur positive Kommentare.

Moritz: Wir haben unsere Mitschüler auch von Anfang an einbezogen. Zum Beispiel haben wir sie gefragt, wo sie Probleme beim Lernen haben, und was sie gerne üben würden. Das hat uns bei den Inhalten geholfen. Die fertige App haben wir dann auch von Mitschülern testen lassen. Und manche Verbesserungsvorschläge haben wir umgesetzt, zum Beispiel den Vorschlag, die Bedienung bei den unregelmäßigen Verben in Englisch noch einmal zu überarbeiten.

Wollt ihr weiter an der App arbeiten?

Moritz: Ja, im Moment arbeiten wir an der Grammatik für Französisch und an einem Vokabeltrainer für alle Fremdsprachen.

9 Ich

39

Max: Für meine Mutter bin ich der „kleine Liebling", obwohl ich schon 16 bin. Ihr süßer Junge, dem sie morgens das Schulbrot macht. Manchmal nervt das! Mein Vater dagegen ist froh, dass ich jetzt groß bin und ihm bei der Arbeit im Haus und im Garten helfen kann. Das mache ich auch gern. Meine Schwester Lilo bewundert mich, naja, vielleicht bewundert sie auch eher meine Band, in der ich Gitarrist bin. Meine Oma liebt mich, weil ich ihr immer aus der Zeitung vorlese. Unser Nachbar hasst mich, weil meine Band so laut in der Garage probt, außerdem lasse ich unseren Hund in seinen Garten. Mein Mathelehrer mag mich auch nicht besonders. Er denkt, dass ich faul bin und frech. Das stimmt vielleicht, aber Mathe interessiert mich einfach nicht. In Englisch und Deutsch bin ich super, höre zu und mache gut mit. In meiner Klasse mögen mich die meisten, ich war sogar schon mal Klassensprecher. Tja, ... nur für Melanie bin ich leider nur ein Klassenkamerad – dabei bin ich schon lange in sie verliebt, aber das weiß sie nicht.

40

Carina: Viele halten mich für viel jünger, weil ich so klein bin. Dabei bin ich älter als die übrigen. Ich bin ziemlich schüchtern und kann nur schlecht zu anderen Kontakt aufnehmen. Deshalb warte ich lieber ab, bis jemand mich anspricht. Leider wollen die anderen aber lieber nichts mit mir zu tun haben. Ich weiß gar nicht, warum das so ist, weil ich eigentlich gar nicht so anders als die anderen Mädchen bin. Ich interessiere mich für dieselben Themen, höre dieselbe Musik. Ich habe sogar die gleichen Kleider an, nur kleiner.
Wenn ich an Schule denke, habe ich ehrlich gesagt Angst. Alle sehen mich komisch an und keiner redet mit mir. Ich gehöre einfach nicht dazu und das ist jeden Tag so schlimm, dass ich am liebsten gar nicht mehr in die Schule gehen will. Das Beste an der Schule ist, dass ich nächstes Jahr Abitur mache und dann ist es zu Ende. Ich will studieren und Kinderärztin werden. Dann nimmt man mich ernst und ich werde gebraucht. Und meine Patienten sind auch nicht größer als ich.

41

Benjamin: Viele halten mich für einen Streber. Dabei bin ich das absolut nicht. Ich interessiere mich einfach nur für viele Dinge und lerne gern. Das Lernen fällt mir leicht, sodass ich für meine guten Noten nicht viel arbeiten muss.
Deshalb habe ich auch Zeit, mich in der Schule zu engagieren. Ich schreibe für die Schülerzeitung und organisiere Veranstaltungen in der Schule. Dadurch kenne ich auch sehr viele Leute. Aber richtige Freunde habe ich leider nicht. In der Klasse bin ich einerseits der Superschüler, von dem man die Hausaufgaben und in den Prüfungen abschreiben will. Ich bin der, der die nächste Klassenfeier organisiert, die meiste Arbeit für ein Gruppenprojekt macht, und den man zum Klassensprecher wählt. Aber einfach nur mal so was machen, außerhalb der Schule ... da will mich dann keiner dabeihaben. Warum das so ist, weiß ich auch nicht genau. Vielleicht denken die anderen ja, normale Sachen interessieren mich nicht. Dabei würde ich total gerne mal nur so ins Kino oder Eiscafé gehen. Aber auch nicht mit allen aus meiner Klasse, denn da sind schon viele, die einfach nur uninteressant und langweilig sind.

42

Ich bin Martin und mache schon seit einem Jahr bei „Jugendliche beraten Jugendliche" mit. Das ist ein Programm des Sorgentelefons. Es gibt die sogenannte „Nummer gegen Kummer", die Kinder und Jugendliche anrufen können, wenn sie Probleme haben. Der Anruf ist kostenlos und es ist fast immer jemand da, der zuhört und hilft. An jedem Samstag sind es Jugendliche, die versuchen über das Telefon zu helfen.

Als ich erfahren habe, dass Jugendliche ehrenamtlich beim Sorgentelefon mitarbeiten können, war ich sofort dabei. Wir sind auf unsere Aufgabe sehr gut vorbereitet worden. Zuerst in einem Lehrgang von 70 Stunden, in dem wir viel über die Probleme erfahren haben, um die es meistens bei den Anrufen geht. Ganz wichtig war es auch, Strategien für gute Gespräche zu lernen: Wie man Fragen stellt und wie man den Anrufern Mut macht, über schwierige Themen zu sprechen. Über Mobbing, sexuellen Missbrauch oder Gewalt zu Hause zu sprechen ist ja nicht so leicht.

In Rollenspielen haben wir dann verschiedene Telefongespräche durchgespielt. Außerdem haben wir auch verschiedene Organisationen kennengelernt, bei denen die Jugendlichen noch mehr und vor allem professionelle Hilfe bekommen können, also Drogenberatung, Ärzte, Polizei.

Nach dem Lehrgang musste jeder dann noch 10 Stunden bei einem professionellen, erwachsenen Berater zuhören. Das hat mir sehr viel gebracht, weil die einfach schon so viel Erfahrung haben. Die hören sehr gut zu und stellen die richtigen Fragen an der richtigen Stelle. Mit ihnen habe ich auch nach dem Telefonat noch über die Probleme sprechen können, und was man noch hätte sagen können.

Es geht ja nicht darum, dem Anrufer eine Lösung zu präsentieren. Sondern, dass man Hilfe zur Selbsthilfe gibt. Wenn jemand bei uns anruft, hat er meistens schon eine Idee, wie eine Lösung aussehen könnte. Im Gespräch und mit den richtigen Fragen wird diese Idee dann oft klarer oder konkreter und der Anrufer weiß, was er oder sie machen kann.

Für mich ist wichtig, dass sich die Jugendlichen am Ende des Gesprächs besser fühlen. Das merkt man an der Stimme, manchmal sagen sie das auch oder sie bedanken sich. Manche rufen auch später noch einmal an und erzählen, wie es weitergegangen ist und wie sie ihr Problem in den Griff bekommen haben. Das ist für mich eine tolle Erfahrung.

10 Vielfalt

43

Ich bin in Deutschland geboren. Mein Vater kommt aus Namibia, aber er ist auch schon als Kind nach Deutschland gekommen. Wenn Leute mich nicht kennen, dann sagen sie oft zu mir: „Du sprichst aber gut Deutsch." Das ärgert mich und ich antworte: „Du auch!" Warum sollte ich nicht gut Deutsch sprechen?

44

Also, (PIEP) gibt es hier an jeder Ecke und ist total beliebt. Alle denken, das ist ein typisches Gericht aus der Türkei - aber das stimmt gar nicht. So wie hier im Brot und mit viel Soße, so isst man das in der Türkei gar nicht. Aber man sagt, es war ein Türke aus Berlin, der den (PIEP) als schnelles Essen erfunden hat. Egal wer oder wo es war: (PIEP) ist superlecker und ich esse ihn am liebsten ohne Zwiebeln und mit viel Tomaten und Soße.

45

Beispiel:

Ich weiß gar nicht, was ich mir wünschen soll. Eigentlich habe ich alles, was ich brauche: eine nette Familie, gute Noten, viele Freunde. Mehr braucht man doch gar nicht.

46

1

Es gibt ein paar Sachen, die ich gerne hätte. Neue Computerspiele zum Beispiel oder richtig viel Taschengeld. Dann könnte ich mir alles alleine kaufen und müsste nicht immer auf meinen Geburtstag oder Weihnachten warten.

2

Früher wollte ich coole Kleidung oder Computerspiele oder Geld, und dass mich meine Eltern in Ruhe lassen. Jetzt ist mein Bruder sehr krank und ich wünsche mir nur, dass er wieder gesund wird. Da hilft auch kein Geld und alles andere ist unwichtig.

3

Ich habe einen ganz großen Wunsch: weniger Stress in der Schule! Wir müssen immer so viele Hausaufgaben machen und nur die Noten sind wichtig. Natürlich will ich auch einen guten Schulabschluss und lerne, aber man muss doch auch Zeit für andere Sachen haben.

4

Ich wünsche mir natürlich Frieden auf der ganzen Welt. Naja ... ein bisschen mehr Geld für ein paar schöne Jeans und neue Schuhe wäre auch schon mal ein Anfang. Und bessere Noten wären auch nicht schlecht - aber dafür müsste ich einfach mal ein bisschen mehr lernen.

Mündliche Prüfung

47

Marisol: Ich habe diese Schokolade mitgebracht, riechen Sie mal. Sie riecht gut, und sie schmeckt auch gut und genau das findet auch Eva, die Hauptperson in meinem Lieblingsbuch „Bitterschokolade".

...

Das war meine Präsentation „Mein Lieblingsbuch Bitterschokolade". Und weil Sie so nett zugehört haben, hier ein Stück Schokolade als Belohnung.

Pawel: Dieser Faden ist nur 10 cm lang, aber er reicht von hier nach Nürnberg in Deutschland ... auf dieser Landkarte! Ich zeige Ihnen das mal ... so. Ein kurzer Faden, aber in echt sind es mehr als 800 km. Wir sind mit dem Bus gefahren und das hat über 10 Stunden ...

Modelltest

Diese Hördateien sind im Internet unter:
www.klett-sprachen.de/dsd-1

Modelltest_HV1.mp3
Teil 1
Freizeitaktivitäten

Szene 1
- Ich habe mich so auf die Klassenfahrt gefreut! Und jetzt wandern wir von einer Sehenswürdigkeit zur anderen.
- ○ Ja, mir tun auch schon die Füße weh. Aber nachher haben wir ein paar Stunden Zeit für uns. Da können wir uns ja einfach mal in einen Park legen.
- Oh ja … vielleicht gibt es da Wasser. Dann kann ich meine Füße baden.

Szene 2
- ○ Ah! Das ist so schwer. Ich kann nicht mehr!
- Ach komm! Frische Luft ist gesund und so ein bisschen Arbeit ist wirklich nicht zu schwer!
- ○ Aber mein Rücken tut schon weh und ich habe Hunger! Ich will jetzt endlich etwas essen.
- Also gut, dann geh ins Haus. Aber nimm den Salat mit! Und hilf beim Kochen! Heute gibt es Fisch!

Szene 3
- ○ Wunderschön hier, findest du nicht?
- Ja … und so exotisch! Mit den Palmen und den anderen Pflanzen. Aber es ist auch ganz schön warm hier drinnen, findest du nicht?
- ○ Naja, in Ägypten letztes Jahr war es heißer und das fandest du schön.
- Ja, das war schön! Aber die Palmen hier gefallen mir auch sehr gut.
- ○ Komm, stell dich mal dahin. Ich mache ein Foto.

Szene 4
- Wollen wir gleich noch ins Schwimmbad gehen?
- ○ Wie spät ist es denn?
- Kurz nach drei, warum?
- ○ Ich treffe mich um vier noch mit Pia und Tim im Eiscafé. Komm doch mit.
- Ja … mal sehen. Lass uns erst noch eine Runde fahren. Ich muss dir unbedingt diesen Trick zeigen. Der ist total cool, da muss man so ganz schnell nach hinten …

Szene 5
- ○ Guck mal, wie gefällt dir der?
- Uuaa, der ist ja schön. Welche Größe?
- ○ 38, der müsste dir passen! Probier ihn mal an.
- Der passt perfekt! Und sieht total gut aus, oder?
- ○ Ja, sieht klasse aus. Aber ist der nicht ein bisschen zu hoch? Also mich würde das stören!
- Ach was, darin kann ich prima laufen … und bestimmt auch tanzen!

Modelltest_HV2.mp3
Teil 2
Durchsagen in der Schule

Aufgabe 6
Hallo alle, wir von der Schülerzeitung Bleistift brauchen dringend Verstärkung. Du musst kein Profi sein. Wenn du interessiert und neugierig bist, gern schreibst und keine Angst hast, auch mal ein Interview mit einem Lehrer zu machen, dann komm einfach am Dienstag um 2 zu uns.

Aufgabe 7
Hallo alle, ihr habt schon immer gewusst, dass Bleistift super ist. Aber jetzt ist es auch offiziell: Wir haben den zweiten Platz beim Wettbewerb „Beste Schülerzeitung Deutschlands" gemacht! Und dafür bekommt unsere Schule 3 000 Euro! Jetzt können wir die Band Apollo 3 bezahlen. Das Schulfest ist gerettet!

Aufgabe 8
Achtung, Achtung: Die Theater-AG hat noch Karten für die Vorstellung am Freitag. Ihr könnt sie in der Mittagspause oder vor den Proben am Donnerstag kaufen. 5 Euro für Erwachsene, 2 Euro 50 für Schüler.

Aufgabe 9
An alle Schüler der 10a: Der Sportunterricht findet heute im Schwimmbad statt, nicht in der Sporthalle. Herr Müller ist krank, deshalb wird euch Frau Kolb begleiten. Treffpunkt ist 10 Uhr vor der Sporthalle.

Modelltest_HV3.mp3
Teil 3
Ein zukünftiger Fußballstar?

Leon, seit wann spielst du denn schon Fußball?

Leon: Das hat schon ganz früh angefangen. Mein Vater und mein Opa spielen auch und da bin ich immer mitgegangen und habe zugesehen. Mit fünf Jahren bin ich dann auch in den Verein eingetreten und habe regelmäßig trainiert. An eine andere Sportart habe ich nie gedacht. Schnell war dann allen klar, dass ich ganz gut bin. Ich habe den Verein gewechselt, mehr trainiert und alles wurde immer professioneller. Ja, und jetzt bin ich in der Jugendmannschaft in diesem großen Verein.

Dafür hast du sogar die Schule gewechselt. Warum?

Leon: Das hat der Verein vorgeschlagen. Hier an der Schule ist es viel leichter, das Fußballtraining und den Unterricht unter einen Hut zu bekommen. An meiner alten Schule habe ich oft gefehlt, um genug trainieren zu können. Und ich musste den ganzen Schulstoff anschließend alleine nacharbeiten. Hier findet das Training dreimal die Woche vormittags statt, zwei Stunden lang, wenn die anderen Unterricht haben. Aber das ist zwischen der Schule und dem Verein abgesprochen und ich bin nicht der einzige, der dann im Unterricht fehlt. Es gibt noch ein paar andere Jungen. Die Schule nimmt Rücksicht, wenn wir mal was nicht machen können und wir holen den verpassten Stoff zusammen nach. Das klappt viel besser.

Im Moment hast du viel Training, wie gesagt dreimal in der Woche am Vormittag und dann noch viermal in der Woche nachmittags. Kommst du überhaupt noch in der Schule mit?

Leon: Ja, naja ... manchmal ist das nicht so leicht. Aber wir helfen uns gegenseitig.

Wie viele der Schüler in deiner Klasse spielen auch für den Verein?

Leon: Im Moment sind wir sechs.

Und wie ist das so mit denen? Seid ihr die besten Freunde oder Konkurrenz?

Leon: Ich komme eigentlich mit allen meinen Mitschülern ganz gut zurecht. Natürlich gibt es Leute, mit denen ich mehr als mit anderen mache. Aber das hängt eher davon ab, wie die so sind und nicht davon, ob sie Fußball spielen oder nicht. Aber klar, mit den Spielern verbringe ich schon sehr viel mehr Zeit als mit den anderen.

Wie findet es deine Familie, dass du so viel Zeit mit dem Fußballspielen verbringst?

Leon: Die sind ja alle auch Fußballfans und verstehen das. Sie sind sehr stolz auf mich, dass ich es schon bis hierhin geschafft habe. Mein Opa und mein Vater kommen immer zu den Spielen am Sonntag – jetzt sehen sie mir zu und sind meine größten Fans. Meine Mutter sieht das etwas anders, besonders wenn ich mich verletze, aber auch sie unterstützt mich. Wenn ich aber heute sagen würde: „Ich höre auf, das ist mir alles zu anstrengend", dann wäre das kein Problem für sie. Dann würde sie sich bestimmt freuen, weil sie mich öfter sehen könnte.

Was wäre dein größter Traum?

Leon: Natürlich Profi-Fußballer zu werden! Mit allem, was dazugehört. Die Chancen sind nicht so groß, es gibt einfach sehr viele talentierte junge Spieler. Aber ich strenge mich an! Mal sehen, bis wohin ich noch komme. Der ganz große Traum wäre natürlich einer der Top-Vereine und die Teilnahme an so großen Wettbewerben wie der Weltmeisterschaft.

Und wenn das alles nicht klappt?

Leon: Träumen muss man, sonst klappt sowieso nichts, finde ich. Aber wenn ich es nicht schaffen sollte, dann kann ich trotzdem was mit meinem Leben anfangen. Deshalb gehe ich ja weiter zur Schule und mache Abitur.

Modelltest_HV4.mp3

Teil 4

Musikfestivals in Deutschland

Musikfestivals sind laut, dreckig und wild. Die jungen Musikfans in Deutschland finden das super und freuen sich jedes Jahr darauf. Man freut sich auf das Wiedersehen mit Freunden und lernt neue Menschen aus der ganzen Welt kennen. Jährlich finden über 500 Festivals in Deutschland statt.

Es gibt kleine Veranstaltungen, die nur einen Tag dauern. Einige sind sogar kostenlos. Aber ein richtiges Festival dauert drei Tage oder länger, findet unter freiem Himmel statt und Bands und Fans allermöglichen Musikrichtungen kommen zusammen.

Wer Luxus mag, sollte nicht auf ein Festival gehen. Meistens schlafen die Besucher in Zelten, das Wasser zum Zähneputzen kommt aus der Flasche, die Duschen und Toiletten sind dreckig, Toilettenpapier muss man selber mitbringen. Das alles ist aber den Musikfans egal. Sie freuen sich auf die Konzerte. Oft spielen mehrere Bands gleichzeitig auf verschiedenen Bühnen. Die Besucher entscheiden sich für ihre Lieblingsband und suchen sich früh einen guten Platz.

Auch im Sommer können die Nächte kalt und feucht sein. Deshalb sollte man warme Kleidung mitnehmen. Wenn man die Kleidung in den Schlafsack steckt, bleibt sie trocken. Und wie sieht es mit dem Essen aus? Die Preise auf den Festivals sind hoch und das Angebot ist begrenzt. Natürlich gibt es auch außerhalb des Festivalgeländes Geschäfte oder Restaurants, aber am besten bringt man gleich alles mit, was man braucht. Auf einem Festival schläft man wenig und ist viel unterwegs. Vitamine, also Obst und Saft, sind wichtig nach einer langen Nacht.

Es ist bei einem Festival wichtig, viel Wasser zu trinken. Man hört ja nicht nur Musik, sondern tanzt auch viel. Und das ist besonders in der Sonne anstrengend. Manchmal sogar gefährlich, denn einige Fans springen im Takt der Musik, ziehen einander dabei an der Kleidung, springen hoch und stoßen zusammen. „Pogo" nennt man diesen Tanz, bei dem es auch Unfälle geben kann. Wer nicht so wild tanzen möchte, sucht sich besser einen Platz, der weiter von der Bühne weg ist. Für den Notfall gibt es aber auch viele Sanitäter bei den Festivals.

Die meisten Festivals in Deutschland finden zwischen Mai und August statt. Auf vielen wird Rockmusik gespielt, auf anderen ist für jeden Geschmack etwas dabei – von Hip-Hop bis Klassik. Je größer das Festival ist, desto mehr internationale Bands spielen und umso teurer sind die Tickets. Es gibt auch Festivals unter dem Motto „umsonst & draußen". Dort spielen vor allem deutsche Bands aus der Region und der Eintritt ist frei.

Eines der größten Musikfestivals in Deutschland ist Rock am Ring. 1985 fand es zum ersten Mal statt und war ein großer Erfolg. Damals waren es gerade mal 17 Bands, die vor ca. 75000 Fans spielten. Seitdem findet das Festival jährlich statt, mit mittlerweile über 80 Bands auf verschiedenen Bühnen und einer Rekordzahl von über 87000 Besuchern im letzten Jahr.

Modelltest_HV5.mp3
Teil 5
Lieblingsbücher

Nr. 0
Das ist das beste Buch, das es gibt! Es geht um einen Jungen, der auf einmal erfährt, dass er ein Kobold ist. Er trifft seinen echten Vater, der ist der König der Kobolde, im Wald und zusammen erleben sie dann viele Abenteuer. Das ist ziemlich gefährlich und am Ende brennt auch noch der Wald ... Aber es geht gut aus.

Nr. 21
In meinem Lieblingsbuch geht es um Ben, der mit seinen Eltern, in der Schule und eigentlich überall Probleme hat. Er kommt auf eine andere Schule und da ist ein Mädchen, Laura. Sie ist hübsch, super in der Schule, hat Geld und macht immer alles richtig. So eine richtige Prinzessin, denkt Ben. Aber dann machen sie zusammen ein Schulprojekt und Ben erfährt, dass Laura krank ist und ihr Leben ... naja, das Ende verrate ich nicht.

Nr. 22
Das Buch spielt in England. Ein Junge und ein Mädchen reisen zu ihrer Großmutter, die auf einem Schloss wohnt. In der Nacht hört man immer ganz komische Geräusche und natürlich denkt man, in dem alten Schloss spukt es. Die Großmutter hat Angst und wird ganz krank davon. Sie möchte das Schloss schon verkaufen. Aber die Geschwister haben einen Plan. Sie bleiben in der Nacht wach und bauen eine Falle.

Nr. 23
Die Hauptperson in meinem Lieblingsbuch ist ein Mädchen, das mit seiner Freundin auf einem Konzert war. Nach dem Konzert treffen sie in einem Café den Sänger der Band. Sie sprechen miteinander und verstehen sich total gut und klar, sie verlieben sich ineinander. Aber obwohl beide total verliebt sind, ist alles nicht so einfach: Sie ist ja ein normales Mädchen mit einem normalen Leben und er ist dieser berühmte Sänger, der mit seiner Band in verschiedene Länder reist und die ganzen Fans ...

Nr. 24
Tim ist gerade mit der Schule fertig und weiß eigentlich gar nicht, was er jetzt machen soll. Er hat etwas Geld und viel Zeit und packt dann einfach seinen Rucksack und wandert los. Er reist quer durch Europa, nach Afrika und Südamerika. Dabei lernt er ganz viele interessante Leute kennen. Er sieht und erlebt unheimlich viel – aber eigentlich lernt er am meisten über sich. Und als er dann nach fast einem Jahr wieder zu Hause ist, weiß er auch, was er machen will.

Bildquellen

Cover Shutterstock (Goodluz), New York; **3** Klett-Archiv (A. Olejarova), Stuttgart; **6.1** fotolia (frilled_dragon), New York; **6.2** fotolia (davis), New York; **6.3** fotolia (JR Photography), New York; **7.1** Thinkstock (Stockbyte / Getty Images), München; **7.2** Shutterstock (Ruslan Kudrin), New York; **7.3** fotolia (VRD), New York; **7.4** fotolia (asafeliason), New York; **7.5** Fotolia.com (Joan Carbó), New York; **7.6** fotolia (Michael Flippo), New York; **7.7** Klett-Archiv (A. Olejarova), Stuttgart; **7.8** fotolia (B. Wylezich), New York; **8** fotolia (Matthias Enter), New York; **9** Klett-Archiv (A. Olejarova), Stuttgart; **10.1** Thinkstock (mysondanube), München; **10.2** Shutterstock (Andresr), New York; **10.3** Shutterstock (Samara.com), New York; **10.4** Shutterstock (ruzanna), New York; **10.5** Shutterstock (JJ pixs), New York; **11** fotolia (Mechanik), New York; **14, 16** Klett-Archiv (A. Olejarova), Stuttgart; **17** fotolia (siempreverde22), New York; **18.1** Thinkstock (Jupiterimages), München; **18.2** Thinkstock (Digital Vision.), München; **18.3** Thinkstock (Alya Tiplyashina), München; **18.4** Thinkstock, München; **18.5** Thinkstock (mysondanube), München; **20.1– 8** Klett-Archiv (A. Olejarova), Stuttgart; **20.9** Thinkstock (piart), München; **21** Thinkstock (BerSonnE), München; **26.1** Thinkstock (John Howard), München; **26.2** Thinkstock (Varghona), München; **26.3** Thinkstock (Jupiterimages), München; **26.4** Thinkstock (TongRo Images), München; **26.5** Thinkstock (Andrew Burton), München; **26.6** Thinkstock (Eric Simard), München; **27** Klett-Archiv (B. Müller-Karpe), Stuttgart; **28.1** Thinkstock (Olena Kyrian), München; **28.2** Thinkstock (Rinky Dink Images), München; **28.3** Fotolia.com (Springfield Gallery), New York; **28.4** Fotolia.com (victoria p.), New York; **28.5** Thinkstock (VRD), München; **30.1** shutterstock (racorn), New York; **30.2** fotolia (dandaman), New York; **30.3** fotolia (diepre), New York; **30.4** fotolia (contrastwerkstatt), New York; **31** fotolia (macroart), New York; **33** pasch-net; **36.1** fotolia (Christian Schwier), New York; **36.2** Thinkstock (VBStock), München; **37.1** Klett-Archiv (A. Olejarova), Stuttgart; **40.1** Thinkstock (Creatas Images), München; **40.2** Thinkstock (Purestock), München; **40.3** Thinkstock (michaeljung), München; **40.4** Thinkstock (Tracy Whiteside), München; **40.5** Thinkstock (Ableimages), München; **40.6** Thinkstock (Chunumunu), München; **42.1** Klett-Archiv (B. Müller-Karpe), Stuttgart; **42.2** Thinkstock (RickBL), München; **42.3** Thinkstock (Design Pics), München; **42.4** Thinkstock (prudkov), München; **45** Klett-Archiv (A. Olejarova), Stuttgart; **46** Thinkstock (Mike Watson Images), München; **47** picture alliance (BREUEL-BILD), Frankfurt; **53** Thinkstock (Remains), München; **54.1** Shutterstock (Racheal Grazias), New York; **54.2** Thinkstock (Linda Shannon), München; **56.1** Thinkstock (Todd Warnock), München; **56.2** Fotolia.com (ehrenberg-bilder), New York; **56.3** Thinkstock (Fuse), München; **56.4** Thinkstock (yaruta), München; **57** Klett-Archiv (B. Müller-Karpe), Stuttgart; **58** Klett-Archiv (A. Olejarova), Stuttgart; **60.1** Thinkstock (Goodluz), München; **60.2** Thinkstock (Monkey Business Images), München; **60.3** Thinkstock (Ljupco), München; **60.4** Thinkstock (Greg Epperson), München; **61** SPIESSER GmbH (Ronny Pietsch), www.spiesser.de; **62** Thinkstock (tyler olson), München; **66** Thinkstock (Jupiterimages), München; **68** Thinkstock (fotofrankyat), München; **69** Thinkstock (CurvaBezier), München; **70.1** iStopckphoto (dhammabum), Calgary, Alberta; **70.2** Thinkstock (Johannes Simon), München; **70.3** Thinkstock (Jupiterimages), München; **70.4** Thinkstock (Image Source White), München; **71** Thinkstock (BerSonnE), München; **73.1** Klett-Archiv (V. Vega), Stuttgart; **73.2** Thinkstock (LianeM), München; **74** Thinkstock (Fuse), München; **80** Shutterstock (Elena Kouptsova -Vasic), New York; **81** Klett-Archiv, Stuttgart; **82.1** Thinkstock (StrahilDimitrov), München; **82.2** Thinkstock (Frizi), München; **82.3** Thinkstock (GroblerduPreez), München; **82.4** Klett-Archiv (A. Olejarova), Stuttgart; **82.5** Fotolia.com (lesniewski), New York; **83.1** Fotolia.com (mh-werbedesign), New York; **83.2** Shutterstock (branislavpudar), New York; **83.3** Thinkstock (Mikhail Kokhanchikov), München; **83.4** Thinkstock (outsiderzone), München; **85** Thinkstock (Chisnikov), München; **86** Klett-Archiv (S. Plisch), Stuttgart; **87** Fotolia.com (Herb), New York; **88.1** Thinlstock (Andreas Altenburger), München; **88.2** Thinkstock (Evgeny Bashta), München; **88.3** Thinkstock (Sablin), München; **88.4** Thinkstock (Damerau), München; **89** Klett-Archiv (A. Olejarova), Stuttgart; **90** Thinkstock (Eric Isselée), München; **92.1** Thinkstock (zhu difeng), München; **92.2** Thinkstock (Vladimir Davydov), München; **92.3** Thinkstock (Cosmin-Ovidiu Manci), München; **92.4** Thinkstock (paulrommer), München; **93** Fotolia.com (Fotimmz), New York; **94.1** ThinkstocK (Purestock), München; **94.2** Thinkstock (Jetta Productions), München; **94.3** Thinkstock (Lisa F. Young), München; **94.4** Thinkstock (CFranke CFranke), München; **95.1** Thinkstock (Digital Vision.), München; **95.2** Thinkstock (Jupiterimages), München; **96** Thinkstock (pojoslaw), München; **97.1** Thinkstock (BerSonnE), München; **97.2** © Deutsche Welle. Kostenlos Deutsch lernen mit der DW. Mehr auf: www.dw.de/deutschlernen; **100** Thinkstock (Eldad Carin), München; **104.1** Thinkstock (Wavebreakmedia Ltd), München; **104.2** Thinkstock (Digital Vision.), München; **105** Thinkstock (sinngern), München; **106.1** Thinkstock (Wavebreakmedia Ltd), München; **106.2** Thinkstock (OSTILL), München; **106.3** Thinkstock (Wavebreakmedia Ltd), München; **106.4** Klett-Archiv (A. Olejarova), Stuttgart; **106.5** Thinkstock (Thomas Northcut), München; **107.1** Klett-Archiv (A. Olejarova), Stuttgart; **107.2** Thinkstock (Jupiterimages), München; **107.3** Fotolia.com (Alexandra GI), New York; **109** Thinkstock (Kris Butler), München; **110** Thinkstock (Jack Hollingsworth), München; **111** Fotolia.com (lily), New York; **112.1** Thinkstock (hemeroskopion), München; **112.2** Thinkstock (Jupiterimages), München; **113** Nummer gegen Kummer e.V. (Claus Langer), Wuppertal; **114** Nummer gegen Kummer e.V., Wuppertal; **115** Fotolia.com (lassedesignen), New York; **116** Thinkstock (Fuse), München; **117.1** Thinkstock (Yuri Arcurs), München; **117.2** Thinkstock (Mihai Blanaru), München; **118.1** Thinkstock (Digital Vision.), München; **118.2** Fotolia.com (Christian Müller), New York; **118.3** Thinkstock (fotoaloja), München; **118.4** Klett-Archiv (A. Olejarova), Stuttgart; **119.1** Fotolia.com (manulito), New York; **119.2** Thinkstock (kabVisio), München; **119.3** Thinkstock (PeJo29), München; **119.4** Thinkstock (olgakr), München; **119.5** Fotolia.com (ExQuisine), New York; **119.6** Klett-Archiv (A. Olejarova), Stuttgart; **121.1** Thinkstock (Igor Lubnevskiy), München; **121.2** Thinkstock (AndreaAstes), München; **121.3** Thinkstock (AndreyPopov), München; **121.4** Thinkstock (Wylius), München; **122** Zentralverband des Deutschen Bäckerhandwerks e.V.; **123** Thinkstock (merznatalia), München; **124.1** Thinkstock (mysondanube), München; **124.2** Thinkstock (DragonImages), München; **126.1** Fotolia.com (Markus Mainka), New York; **126.2** Fotolia.com (Africa Studio), New York; **126.3** Fotolia.com (Natika), New York; **126.4** Fotolia.com (gradt), New York; **126.5** Fotolia.com (unpict), New York; **126.6** Fotolia.com (Magdalena Kucova), New York; **126.7** Thinkstock (Viktor_Gladkov), München; **127.1** Thinkstock (Willbrasil21), München; **127.2** Thinkstock (Ingram Publishing), München; **127.3** Thinkstock (olegmit), München; **127.4** Thinkstock (Sergiy Goruppa), München; **133** Klett-Archiv (A. Olejarova), Stuttgart; **134.1** Klett-Archiv (A. Kuppler),

Stuttgart; **134.2** Thinkstock (Fuse), München; **153** Thinkstock (mysondanube), München; **156.1** Fotolia.com (Henry Schmitt), New York; **156.2** Klett-Archiv (Sofi Vega), Stuttgart; **156.3** Mirjam Pressler, Bitterschokolade, © 1980 Beltz & Gelberg in der Verlagsgruppe Beltz, Weinheim / Basel; **157.1** Thinkstock (Fuse), München; **157.2** Thinkstock (Zurijeta), München; **157.3** Thinkstock (Fuse), München; **157.4** Klett-Archiv (A. Olejarova), Stuttgart; **157.5** Thinkstock (Eyecandy Images), München; **159.1** Fotolia.com (Henry Schmitt), New York; **159.2** Thinkstock (sodapix sodapix), München; **159.3** Thinkstock (Vladimir Surkov), München; **159.4** Thinkstock (Tim Pannell / Fuse), München; **160.1** Thinkstock (Digital Vision.), München; **160.2** Thinkstock (Design Pics), München; **160.3** Thinkstock (Jupiterimages), München; **160.4** Thinkstock (John A. Rizzo), München; **161.1** Thinkstock (Ryan McVay), München; **161.2** Fotolia.com (Brenda Carson), New York; **161.3** Thinkstock (Ron Chapple Stock), München **161.4** Thinkstock (Design Pics), München; **161.5** Thinkstock (Digital Vision.), München; **161.6** Fotolia.com (benik.at), New York; **165 – 170** Klett-Archiv (A. Olejarova), Stuttgart;

Bild- und Textquellen

S. 33: PASCH.net, Projekte EinBlick: Interkultureller Dialog durch das Medium Film sowie Donau verbindet, www.pasch-net.de
S. 61: Spiesser GmbH, Illustration von Ronny Pietsch (in Spiesser – die Jugendzeitschrift, Nr. 125, Hessen, September / Oktober 2011, S. 23), www.spiesser.de SPIESSER

Textquellen

S. 103: Welcher Medientyp bist du? nach Stefanie König in vitaminde.de – Journal für junge Deutschlerner, Nr. 55, Winter 2012, www.vitaminde.de
S. 181: Musikfestivals in Deutschland, nach Birgit Raddatz in vitamin de – Journal für junge Deutschlerner, Nr. 49, Sommer 2011, www.vitaminde.de